nv 2.-
(Schu)

KV-050-263

Über dieses Buch Es wäre ungerecht, den Roman ›Freier Fall‹ auf seinen Inhalt verkürzen zu wollen. Der wäre rasch erzählt. Damit würde man dem Buch nicht gerecht. Handelt es sich doch um Lebensgeschichte als Lebensentwurf. Der Maler Sammy Mountjoy, der Ich-Erzähler, beugt sich über sein Leben, rekonstruiert die mannigfaltigen Entwicklungsstränge seines Lebens: seiner Kindheit in einem Slum, der Schulzeit, der Ausbildung an der Kunstakademie, ohne sich zu schonen. Zum einschneidenden Erlebnis, das ihn verändert, wird seine Kriegsgefangenschaft und die Folter durch die Gestapo.

In einer analytischen Verfahrensweise, die Erinnerungsbruchstücke aneinanderreiht, so daß die individuelle Entwicklung langsam vor dem Leser sichtbar wird, führt uns der Autor zum Kern des Problems.

Thema des Buches ist die Frage, ob Willensfreiheit unter individuellen und gesellschaftlichen Bedingtheiten in reiner Form erreichbar oder doch nur als Kindheitstraum vorstellbar ist: »Denn es gab eine Zeit, da war ich frei. Ich hatte Macht, wählen zu können ... Ich erinnere mich an solche Erlebnisse ... ich war noch sehr klein.«

Der Verlust dieser Art von Freiheit ist der Preis, der für den unbequemen Prozeß des Reifens zu zahlen ist. Mit Notwendigkeit verstrickt die Auseinandersetzung mit der Umwelt, die Beziehung zu anderen Menschen, auch in Schuld. Die Diskrepanz zwischen individuellem Anspruch auf Freiheit, der Freiheit zu wählen, und deren Verlust durch Einmischung in das Leben, werden hier in schonungsloser Selbstanalyse ausgebreitet.

Erinnerungsbilder von irritierender Leuchtkraft zeigen die analytische Kunst und Darstellungskraft des Autors.

›Free Fall‹ erschien 1959 bei Faber & Faber in London, die deutsche Übersetzung von Hermann Stresau ›Freier Fall‹ 1963 in der Reihe *Fischer doppelpunkt* in Frankfurt.

Der Autor William Gerald Golding, geboren in Columb Minor, Cornwall, studierte in Oxford erst Naturwissenschaften, dann Anglistik. Er war Lehrer, im Krieg Marineoffizier. Längere Zeit lebte er in den USA, davon ein Jahr im Hollings College, Virginia. 1934 trat Golding mit Gedichten an die Öffentlichkeit. Sein erster Roman ›Herr der Fliegen‹ (1954) erregte in England und Amerika großes Aufsehen und rief auch in Deutschland eine nachhaltige Wirkung hervor.

Weitere Romane: ›Herr der Fliegen‹, 1954 (Bd. 1462); ›Die Erben‹, 1955; ›Der Felsen des zweiten Todes‹, 1956 (Bd. 5043); ›Der Turm der Kathedrale‹, 1964 (Bd. 5045); ›Die Pyramide‹, 1967; ›Oliver‹, 1972; ›Das Feuer der Finsternis‹, 1980 (ausgezeichnet mit dem Booker-McConnell-Preis 1980, dem höchsten britischen Literaturpreis). William Golding erhielt 1983 den Nobelpreis für Literatur.

William Golding

Freier Fall

Roman

Aus dem Englischen übertragen
von Hermann Stresau

Fischer
Taschenbuch
Verlag

Veröffentlicht im Fischer Taschenbuch Verlag GmbH,
Frankfurt am Main, November 1983
Umschlagentwurf: Jan Buchholz/Reni Hinsch
Titel der Originalausgabe: ›Free Fall‹
erschienen bei Faber & Faber Ltd., London 1959
© William Golding 1959
Für die deutsche Ausgabe:
© S. Fischer Verlag GmbH, Frankfurt am Main 1963
Gesamtherstellung: Clausen & Bosse, Leck
Printed in Germany
780-ISBN-3-596-25046-3

1

Ich bin auf dem Marktplatz an Buden vorbeigekommen, wo
Bücher, mit Eselsohren und verblichenen Einbänden, sich in
einem weißen Lobgesang geöffnet hatten. Ich habe Leute gekannt, gekrönt mit einer doppelten Krone, die hielten in der
einen Hand den Krummstab, in der anderen den Dreschflegel,
die Macht und die Herrlichkeit. Ich habe begriffen, wie aus der
Wunde ein Wunder wird, ich habe den Feuerfunken gespürt,
wie er fiel, des Wunders voll und des heiligen Geistes. Meine
jüngsten Vergangenheiten wandern mit. Sie halten Schritt,
graue Gesichter, die mir über die Schulter spähen. Ich wohne
auf dem Paradies-Hügel, zehn Minuten vom Bahnhof, dreißig
Sekunden von den Kaufläden und der Kneipe. Und doch bin
ich ein blutiger Laie, hin- und hergerissen vom Irrationalen und
Zusammenhanglosen, auf leidenschaftlicher Suche und von mir
selbst verurteilt.
Wann verlor ich meine Freiheit? Denn es gab eine Zeit, da war
ich frei. Ich hatte Macht, wählen zu können. Ursache und Wirkung funktionieren zwar nach statistischer Wahrscheinlichkeit,
aber manchmal bewegen wir uns doch gewiß diesseits oder jenseits dieser Schwelle. Über Willensfreiheit kann man nicht
streiten, man kann sie nur erleben, wie eine Farbe oder den
Geschmack von Kartoffeln. Ich erinnere mich eines solchen Er-
lebnisses. Ich war noch sehr klein und ich saß auf dem steinernen Rand des Wasserbeckens mit dem Springbrunnen in der
Mitte des Parks. Die Sonne schien hell, an den Hängen wuchsen
rote und blaue Blumen, der Rasen war grün. Es gab keine
Schuld, es gab nur das Plätschern und Spritzen des Springbrun-
nens in der Mitte. Ich hatte gebadet und getrunken, und nun
saß ich auf dem warmen Steinrand und überlegte in Muße, was
ich jetzt tun sollte. Diese kiesbestreuten Wege des Parks um-
gaben mich sternförmig: und ganz plötzlich wurde mir eine
neue Erkenntnis zuteil. Ich konnte irgendeinen dieser Wege
wählen, welchen ich wollte. Es gab nichts, was mich zu dem
einen mehr verlockt hätte als zu dem anderen. Ich tanzte den

einen entlang und freute mich an dem Kartoffelgeschmack. Ich war frei. Ich hatte gewählt.

Wie habe ich meine Freiheit verloren? Ich muß zurückgreifen und die ganze Geschichte erzählen. Es ist eine merkwürdige Geschichte, nicht so sehr was die äußeren Ereignisse betrifft – die sind gewöhnlich genug –, sondern in der Art, wie sie sich mir darstellen, der ich allein sie erzählen kann. Denn man kann die Zeit nicht hinlegen wie eine endlose Reihe Ziegelsteine. Mit der geraden Linie vom ersten Schluckauf bis zum letzten Seufzer ist nicht viel anzufangen. Zeit: man kann sie auf zweierlei Weise betrachten. Bei der einen nimmt man sie mühelos, so natürlich wie der Hering das Wasser, in dem er lebt. Bei der anderen erinnert man sich mit einem Gefühl für Faltungen und Windungen, wie der eine Tag einem näher liegt als der andere, weil er wichtiger ist; wie das eine Ereignis ein anderes spiegelt, oder wie alle drei Dinge, für sich genommen, Ausnahmen sind, die sich mit der geraden Linie durchaus nicht decken. Ich fange meine Geschichte mit jenem Tag im Park an, nicht weil ich so jung war, beinahe noch ein Baby, sondern weil Freiheit mir mehr und mehr zur Kostbarkeit geworden ist, so, wie ich auch den Kartoffelgeschmack immer seltener verspüre.

Ich habe alle Systeme an die Wand gehängt wie eine Reihe nutzloser Hüte. Sie passen eben nicht. Sie kommen von außerhalb, es sind Muster, die man mir anbietet, manche unansehnlich und manche von großer Schönheit. Aber ich habe genug von meinem Leben hinter mich gebracht, um ein System zu fordern, das zu allem paßt, was ich kenne; und wo soll ich das finden? Und warum schreibe ich dies hier nieder? Ist es überhaupt ein System, nach dem ich suche? Dieser marxistische Hut in der Mitte der Reihe: hab ich jemals geglaubt, ich würde ihn ein ganzes Leben lang tragen? Was stimmt nicht an dem christlichen Barett, das ich kaum getragen habe? Nicks rationalistischer Hut hielt den Regen ab, er schien so wasserdicht wie ein Plattenharnisch, langweilig und anständig. Jetzt sieht er so klein aus und ziemlich albern, eine Melone wie andere Melonen auch, sehr steif, sehr vollständig, sehr unwissend. Da hängt ja auch eine Schülermütze. Ich habe sie einfach dahin gehängt, denn ich wußte noch nichts von den anderen Hüten, die ich zu ihr hängen würde, als ich glaubte, daß das Entscheidende geschah – die

Entscheidung aus freiem Willen, die mich um meine Freiheit brachte.

Was soll ich mich überhaupt um Hüte kümmern? Ich bin ein Künstler. Ich kann tragen, was mir Spaß macht. Sie haben doch schon von mir gehört, von mir, Samuel Mountjoy. Ich hänge in der Tate-Galerie. Sie würden mir jeden Hut erlauben. Ich könnte auch ein Kannibale sein. Aber ich möchte als Privatmensch einen Hut tragen. Ich möchte verstehen. Die grauen Gesichter gucken mir über die Schulter. Nichts kann sie wegwischen oder verbannen. Meine Kunst, das ist nicht genug für mich. Zum Teufel mit meiner Kunst. Die Macht des Impulses holt mich aus einem tiefen Brunnen, nicht anders als der Zwang des Geschlechts, und andere Leute mögen meine Bilder mehr als ich, sie halten sie für bedeutender als ich. Im Grunde bin ich ein langweiliger Tropf. Ich würde lieber gut sein als klug.

Warum also schreibe ich dies hier nieder? Warum spaziere ich nicht um den Rasenplatz herum, immer rundum, meine Erinnerungen ordnend, bis sie einen Sinn ergeben, indem ich das wirre Gewebe der Zeit aufdrösele und wieder knüpfe? Ich könnte ja dieses und jenes Ereignis zusammenbringen, ich könnte Sprünge machen. Ich müßte für die Kurve des Rasenplatzes eine Formel finden und am nächsten Tag eine andere. Aber immer nur um den Rasen herum denken, das reicht nicht mehr aus. Das, um nur eins zu erwähnen, ist wie das Rechteck der Leinwand, eine begrenzte Fläche, wie erfinderisch man sie auch bemalt. Der Kopf kann mehr als das nicht fassen; Verstehen aber setzt einen Schwung voraus, der die ganze im Gedächtnis bewahrte Zeit umfaßt und dann innehalten kann. Vielleicht kann ich, wenn ich meine Geschichte so, wie sie mir erscheint, niederschreibe, zurückgreifen und auswählen. Leben ist gleichsam nichts, weil es alles ist – es ist zu verwickelt und reichhaltig für ein Denken, das keine Unterstützung erfährt. Malen ist eine Verhaltensweise, etwas Erlesenes.

Es gibt noch einen anderen Grund. Wir sind stumm und blind, und doch müssen wir sehen und sprechen. Nicht das unrasierte Gesicht des Sammy Mountjoy, die vollen Lippen, die sich öffnen, damit seine Hand eine Zigarette herausnimmt, nicht die glatten, feuchten Muskeln innerhalb der runden Zahnreihen, nicht die Luftröhre, die Lungen, das Herz – das alles könnte man ansehen und anrühren, wenn man ihm ein Messer auf den Tisch legte. Die namenlose, unergründliche und unsichtbare Dunkelheit ist's, die ihm in der Mitte sitzt, immer wach, immer etwas anderes als das, wofür man es hält, das denkt und fühlt, das hoffnungslos hofft zu verstehen und verstanden zu werden. Wenn wir einsam sind, so ist das nicht die Einsamkeit der Zelle oder des Ausgestoßenen; es ist die Einsamkeit jenes dunklen Etwas, das wie ein Atommeiler durch Reflektion sieht, mittels Fernsteuerung empfindet und nur Worte vernimmt, die ihm in einer fremden Sprache zugeleitet werden. Denn uns mitzuteilen, das ist unsere Leidenschaft und unsere Verzweiflung.

Wem eigentlich?

Ihnen?

Meine Dunkelheit tastet umher und greift mit ihren Zangen nach der Schreibmaschine. Ihre Dunkelheit streckt die Zangen aus und kriegt ein Buch zu fassen. Zwischen uns gibt es zwanzig Möglichkeiten des Austausches, des Filterns und Übertragens. Was wäre das für ein außergewöhnliches Zusammentreffen, wenn genau die Beschaffenheit, die durchsichtige Anmut ihrer Wange, die sehr lebendige Linie, die Rundung ihrer Stirn zwischen der Augenbraue und dem Haaransatz jenen Austausch überständen! Wie können Sie an meinem Schrecken in der verdunkelten Zelle teilhaben, wenn ich mich bloß seiner erinnern kann, ohne erneut von ihm ergriffen zu werden? Nein. Nicht mit Ihnen. Oder nur zum Teil mit Ihnen. Denn Sie waren nicht dabei.

Und wer sind Sie überhaupt? Sind Sie innen drin, haben Sie ein Korrektur-Exemplar? Bin ich eine Aufgabe, die man leisten soll? Treibe ich Sie zur Verzweiflung, indem ich Unzusammenhängendes in Unzusammenhängendes übersetze? Vielleicht haben Sie dieses Buch vor fünfzig Jahren auf einem Bücherkarren gefunden, und jetzt ist's ein anderes. Das Licht eines Sterns erreicht uns erst in Millionen von Jahren, nachdem er erloschen ist, so sagt man wenigstens, und vielleicht ist es wahr. Was ist das schon für ein Weltall, worin unsere zentrale Dunkelheit ihr Gleichgewicht bewahren soll?

Es gibt noch diese Hoffnung: wenigstens bis zu einem gewissen Grade kann ich mich noch mitteilen, und das ist gewiß besser, als völlig blind und taub zu sein; und vielleicht finde ich so etwas wie einen Hut, den ich wirklich tragen kann. Nicht, daß ich einen vollkommenen Zusammenhang anstrebte. Unser Irrtum besteht darin, daß wir unsere Beschränkungen mit den Grenzen des Möglichen überhaupt verwechseln und das Universum mit einem rationalistischen Hut oder irgend einem anderen zudecken wollen. Aber vielleicht finde ich die Andeutungen eines Systems, das mich mit einschließt, mag es sich auch an den Rändern in Unwissenheit verlieren. Was Mitteilsamkeit betrifft, so sagt man ja: alles verstehen, heißt alles verzeihen. Trotzdem, wie kann jemand eine Beleidigung verzeihen, wenn er nicht beleidigt ist? Und was macht man, wenn die Verbindungslinien zu gerade diesem Anschluß tot sind?

Für manche meiner Bilder übernehme ich keine Verantwortung. Ich kann mich zwar darauf besinnen, wie ich war, als ich noch ein Kind war. Aber selbst wenn ich damals einen Mord begangen hätte, würde ich mich nicht mehr dafür verantwortlich fühlen. Auch hier gibt es eine Schwelle, jenseits derer das, was wir getan haben, von jemand anderem getan wurde. Und doch gab es mich. Vielleicht muß ich, um zu verstehen, auch auf die Bilder jener frühen Tage zurückkommen. Vielleicht, wenn ich meine Geschichte noch einmal durchlese, werde ich die Verbindung sehen zwischen dem kleinen Jungen, der so klar war wie Quellwasser, und dem Mann, der wie ein fauler Tümpel ist. Irgendwie wurde ja aus dem einen der andere.

Meinen Vater hab ich gar nicht gekannt und ich glaube, meine Mutter kannte ihn ebenso wenig. Ich weiß es natürlich nicht genau, aber ich neige dazu anzunehmen, daß sie gar nicht wußte, wer er war – gesellschaftlich jedenfalls, wenn wir dem Wort nicht jeden brauchbaren Sinn nehmen wollen. Die Hälfte meiner unmittelbaren Vorfahren ist so unerkennbar, daß ich es selten der Mühe wert finde, mir darüber den Kopf zu zerbrechen. Ich existiere eben. Diese nikotingelben Finger über der Schreibmaschine, dieses Gewicht im Stuhl versichern mir, daß zwei Menschen zusammenkamen, und einer davon war Mama. Was würde der andere von mir denken? – möchte ich wissen. Welcher Feier Andenken bin ich wohl? Im Jahre 1917 gab es Siege und Niederlagen, es gab eine Revolution. Wenn man es bedenkt, was spielt es dann für eine Rolle, ob ein kleiner Bastard mehr oder weniger zur Welt kam? War dieser Andere ein Soldat, der später in Stücke gerissen wurde, oder lebt er noch und geht umher, entwickelt sich, vergißt? Er könnte eigentlich recht stolz auf mich sein und meinen zunehmenden Ruhm, wenn er's wüßte. Vielleicht bin ich ihm sogar einmal begegnet, von Angesicht zu Angesicht, unerkennbar. Es gäbe kein Erkennen. Ich würde so wenig von ihm wissen wie der Wind, der in die Blätter eines Buchs auf einer Mauer im Obstgarten fährt, der unwissende Wind, der die Reihen schwarzer Zeilen ebenso wenig zu entziffern vermag, wie Fremde aus den Gesichtern von Fremden klug werden können.

Doch ich wurde nun einmal aufgezogen. Ich ticke. Ich existiere. Ich rage achtzehn Zoll über den schwarzen Zeilen, die Sie lesen, ich nehme Ihre Stelle ein, ich bin in einem Knochenbehälter eingeschlossen und versuche, mich auf dem weißen Papier zu befestigen. Die Zeilen bringen uns zusammen, und doch, bei aller Leidenschaft, haben wir nichts gemeinsam als das Gefühl, voneinander getrennt zu sein. Warum denke ich also an meinen Vater? Kommt es auf ihn an?

Aber Mama war anders. Sie hatte irgendein Geheimnis, das vielleicht den Kühen bekannt war, oder der Katze auf dem Bettvorleger, irgendeine Eigenschaft, die sie unabhängig machte von allem Verstehen. Kontakt zu haben, das genügte ihr. Das war ihr Leben. Mein Erfolg hätte ihr keinen Eindruck gemacht. Er hätte sie kalt gelassen. In meinem privaten Porträt-Album erscheint sie so in sich geschlossen und endgültig wie ein Schlußpunkt.

In gewissen Augenblicken, wenn es mir gerade einfiel, fragte ich sie nach meinem Papa, ohne besonders neugierig zu sein. Wenn ich darauf bestanden hätte, es zu erfahren, hätte sie vielleicht genaue Auskunft gegeben – aber wozu wäre das nötig gewesen? Der Lebensraum um ihre Schürze herum genügte mir ja vollauf. Es gab Jungen, die ihren Vater kannten, so wie es Jungen gab, die gewöhnt waren, Schuhe zu tragen. Es gab glänzendes Spielzeug, Autos, es gab Lokale, wo die Leute mit Anstand speisten; aber das waren nur Bilder an der Wand, das alles spielte sich draußen ab, so unerreichbar wie der Mars. Ein richtiger Vater wäre eine undenkbare Zugabe gewesen. Also erkundigte ich mich nach ihm am Abend, ehe die ›Sonne‹ aufmachte, oder noch viel später am Abend, wenn sie wieder schloß und Mama müde und abgespannt war. Ich hätte sie ebenso beiläufig darum bitten können, mir ein Märchen zu erzählen, und es ebenso wenig geglaubt.

»Was war mein Papi, Mama?«

Aus unser beider Gleichgültigkeit gegenüber bloßen physischen Tatsachen ergaben sich Antworten, die wechselten, wie Mamas Wachträume wechselten. Diese waren von der ›Sonne‹ beeinflußt und den flimmernden Bildern im Regal-Kino. Ich wußte, daß das Wachträume waren, und nahm sie als solche, weil ich selber mich mit Wachträumen beschäftigte. Nur die pedantischste Wahrheitsliebe hätte sie als Lügen verdammen können, wenn auch Mamas rudimentäres Moralempfinden ihr ein- oder zweimal Anlaß gab, sie beinahe sofort abzuleugnen. Dementsprechend war mein Vater manchmal ein Soldat, er war ein hübscher Mann, ein Offizier; allerdings hatte Mama zu der Zeit, als sie mich empfing, das Stadium schon hinter sich, da sie von Offizieren und feinen Herren besucht wurde. Eines Abends, als sie vom Regal zurückkam, wo sie Bilder von Schlachtschiffen gesehen hatte, die vor der amerikanischen Küste mit Bomben belegt wurden, da war er in der Royal Air Force. Und was war es dann für eine Feierlichkeit – noch später in unserem gemeinsamen Leben? Was waren das für prunkvolle Pferde, gefiederte Helme und brüllende Menschenmengen? Später war es kein Geringerer als der Prinz von Wales.

Das war für mich eine so gewaltige Neuigkeit – die ich natürlich nicht glaubte –, daß die rote Glut hinter dem Gitter auf meiner Netzhaut haften blieb wie ein Nachbild. Wir glaubten beide nicht daran, aber die glitzernde Sage lag mitten auf dem schmutzigen Fußboden, und ich war dankbar dafür, weil sie die zaghaften Bemühungen meiner eigenen Phantasie weit überstieg. Aber fast schon, ehe sie die Sache so hinwarf, war Mama bereit, sie wieder an sich zu nehmen. Das Märchen war allzu enorm oder der Wachtraum zu intim-persönlich, um von einem anderen geteilt zu werden. Ich sah, wie ihre Augen im Schein der Kaminglut unsicher wurden, wie die schwache Pergamentfarbe ihres beleuchteten Gesichts sich änderte. Sie schnüffelte, kratzte sich die Nase, weinte ein bißchen, ein paar leichte Gin-Tränen, und sprach in den Kamin, wo eigentlich mehr Feuer hätte sein können: »Du weißt doch, daß ich was Blödes zusammenlüge, nicht wahr, mein Lieber?«

Ja, das wußte ich, ohne sie deswegen zu verurteilen, aber ich war trotzdem enttäuscht. Ich hatte das Gefühl, als sei Weihnachten vorbei und es gäbe kein Flittergold mehr. Ich sah ein, daß es an der Zeit war, auf Mamas mutmaßlichen Liebhaber zurückzukommen. Der Prinz von Wales, ein Soldat, ein Flieger – aber Huren behaupten ja gern, Pfarrerstöchter zu sein, und schließlich blieb die Kirche, allem Geglitzer des Hoflebens zum Trotz, die Siegerin.

»Was war mein Papi, Mama?«

»Ein Pastor, sag ich dir doch in einem fort.«

Im großen und ganzen war das auch mein Lieblingsgedanke. Wir würden nichts gemein miteinander haben als unsere Trennung, aber wir sollten sie wenigstens anerkennen: und ich sollte hinter dem anderen Gesicht den Hemmklotz gewahren, den Teufel, die Verzweiflung, die verzerrten und verzweifelten Wahrnehmungen, die sich stündlich zu einem Glaubensbekenntnis zusammenbiegen, bis sie krumm gezogen sind wie die Füße von Chinesinnen. In meinen bitteren Augenblicken hab ich mir gedacht, daß ich dadurch mit guten Werken verbunden sei. Ich stelle mir dann gern vor, daß mein Vater nicht etwas tat, wofür er entweder eine Entschuldigung oder eine moralische Gleichgültigkeit aufbrachte. Meine Selbstachtung sähe es lieber, wenn er verzweifelt mit der Begehrlichkeit seines Fleisches zu ringen hatte. Soldaten lieben aus Tradition so: aus den Augen, aus dem Sinn; aber die Geistlichkeit, enthaltsam wie sie nun einmal ist, zölibatär, diese Pastoren, Pfarrer, Kirchenvorsteher und Priester – denen müßte ich eigentlich ein altes Ärgernis sein, das, zuerst für verzeihlich gehalten, jetzt aber wie eine rote Entzündung wirkt. In irgendeinem alten Pfarrhaus in Schottland oder England oder in einem Presbyterium oder einer Abtei müßte ich eigentlich aufplatzen, aufplatzen wie ein vergessener Abszeß. Das sind doch Männer wie ich, wohl vertraut mit der Sünde. Einiges spricht dafür, daß ich damit zu tun habe.

Welche Richtung kommt dabei in Frage, möchte ich wissen? Erst vor ein oder zwei Tagen ging ich eine Seitenstraße hinunter, vorbei an verschiedenen Gotteshäusern, an der Kapelle, um die Ecke an der alten Kirche und dem riesigen Pfarrhaus. Zu welchem Bekenntnis soll mein beharrliches Sinnen und Spinnen sich wenden? Zur Hochkirche Englands, der Kirche des Kurators? Könnte mein Vater nicht ein Gentleman und später ein Geistlicher gewesen sein, ein Amateur wie ich? Selbst die Mönche laufen in Hosen herum, die unter ihren gutgeschnittenen Kutten hervorgucken. Sie erinnern mich an die Druiden vom Brown Willie oder von sonstwo, die Brillen tragen und in Autos daherkommen*. Oder soll ich lieber einen Römisch-Katholischen zum Vater wählen? Das ist doch eine richtige Kirche, auch wenn sie einem gründlich verhaßt ist. Würde ein Bastard einen von ihnen nicht bloß am Ärmel, sondern auch am Herzen zupfen? Was die gewöhnlichen Sekten betrifft, die eben nichts als langweilig sektiererisch sind, die Halbgaren, die Splitterparteien, die Abendmahlstische und Tabernakel und Tempel – da bin ich wie Mama: gleichgültig. Er könnte ebenso gut ein Freimaurer oder Mitglied des Elk-Klubs sein.

»Was war mein Papi, Mama?«

Ich lüge. Ich betrüge mich selbst so gut wie Sie. Die Welt dieser Menschen ist auch die meine, die Welt der Sünde und der Erlösung, der Täuschung und der Überzeugung, der Liebe im Schmutz – ihr habt's täglich genau mit dem zu tun, was mir in der Seele brennt. Ich bin einer von euch, ein heimgesuchter Mensch – heimgesucht durch was oder wen? Und das ist meine Klage: daß ich unter euch in intellektueller Freiheit gewandelt bin und ihr niemals versucht habt, mich davon wegzulocken, da ein Jahrhundert euch dazu verlockt hat und ihr an ehrliches Spiel glaubt, daran glaubt, daß man sich nichts anmaßt und schließlich kein Heiliger ist. Ihr habt denjenigen Freiheit zugebilligt, die nichts damit anfangen können und die das Juwel besudelt ließen mit Staub und Schmutz. Ich spreche eure Geheimsprache, die nicht die Sprache der anderen Menschen ist. Ich bin euer Bruder in beiderlei Sinn, und da Freiheit mein Fluch war, bewerfe ich euch mit Dreck, wie ich an einem Pickel kratzen könnte, der nicht aufgehen und töten wird.

»Was war mein Papi, Mama?«

Er braucht es ja gar nicht zu erfahren. Ich kenne den warmen Pulsschlag selbst gut und halte wenig von körperlicher Vater-

---

* Druiden: ein den Freimaurern ähnlicher Klub. Brown Willie: Berg oder Hügel im County Cornwall, Versammlungsplatz der Druiden. (Anmerkung des Übersetzers)

schaft, wenn ich sie mit dem langsamen Wachstum vergleiche, das danach kommt. Wir besitzen ja Kinder nicht. Mein Vater war kein Mensch. Er war ein wie eine Kaulquappe gestalteter Fleck, unsichtbar dem bloßen Auge. Er hatte keinen Kopf und kein Herz. Er war spezialisiert und seelenlos wie ein lenkbares Geschoß.

Mama war ebenso wenig wie ich je berufsmäßig tätig. Wie die Mutter, so der Sohn. Wir sind im Grunde Amateure. Mama war nicht geschäftstüchtig und hatte auch nicht den Wunsch, eine erfolgreiche Laufbahn einzuschlagen. Sie war auch nicht etwa unmoralisch, denn das setzt eine Art Normalmaß voraus, von dem sie hätte abweichen können. Stand Mama über der Moral oder unter ihr, oder stand sie außerhalb? Heute würde man sie als nicht-normal einschätzen und ihr den Schutz angedeihen lassen, den sie gar nicht brauchte. Zu jener Zeit hätte man sie für schwachsinnig gehalten, hätte sie sich nicht in eine so unerschütterliche Gleichgültigkeit gehüllt. Sie setzte in der ›Sonne‹ kleine, aber für sie beträchtliche Summen auf Rennpferde, sie trank und ging in die Kinos. Wollte sie arbeiten, so nahm sie an, was sich gerade bot. Sie leistete Putzarbeit im Tagelohn, sie pflückte – wir pflückten Hopfen, sie wusch und fegte und wischte nachlässig Staub in öffentlichen Gebäuden, soweit sie von unserer Gasse leicht zu erreichen waren. Sexuelle Beziehungen hatte sie nicht, denn das bedeutet aseptischen Verkehr, eine lieblose, freudlose Verfeinerung der Lust, verbunden mit Empfängnisverhütung mit Hilfe der Gummipackung aus dem Badezimmer. Auf Liebe ließ sie sich nicht ein; denn das ist, soweit ich sehe, der leidenschaftliche Versuch, einander zu versichern, daß die sonst trennende Mauer niedergelegt ist. Mit dergleichen gab sie sich nicht ab. Hätte sie das getan, so hätte sie mir's erzählt in einem ihrer hingenuschelten, weitschweifigen Selbstgespräche, mit den ausgedehnten Pausen, einverstanden mit der Tatsache, daß wir uns nun einmal nicht davor drücken können, hier zu sein. Sie war eben bloß ein Geschöpf. Sie lebte so vergnüglich wie eine Ammenzitze, hingegeben, hemmungslos lachend und seufzend. Ihr gelegentlicher Verkehr muß für sie das gewesen sein, was dem wirklichen Künstler seine Werke sind – sie sind sie selbst und weiter nichts. Es war nichts damit verbunden. Dergleichen spielte sich in Hintergassen oder auf Feldern ab, auf Kisten oder an Torpfosten und Pfeilern. Es war wie zumeist das Sexuelle in der Geschichte der Menschen: eine Angelegenheit der Natur, ohne Verschönerung durch Psychologie, Romantik oder Religion.

Mama war enorm dick. In ihrer Blütezeit muß sie ein dralles Mädchen gewesen sein, aber Appetit und ein Baby ließen sie aufgehen zu elefantenhaftem Umfang. Ich nehme an, daß sie früher recht anziehend war, denn ihre Augen, die jetzt in einem Gesicht, so aufgeschwemmt wie eine braune Semmel, steckten, waren noch groß und sanft. Ein Glanz ging von ihnen aus, der, als sie jung war, ihre ganze Gestalt verklärt haben muß. Manche Frauen können nicht nein sagen; aber meine Mama war mehr als diese einfältigen Geschöpfe, wie könnte sie sonst so das Ende des Tunnels ausfüllen? In diesen letzten paar Monaten habe ich versucht, sie in zwei Hände voll Ton einzufangen – ich meine nicht ihre äußere Erscheinung, sondern genauer: wie ich sie mir vorstelle, ihre riesige Masse, die mit ihrem bloßen Vorhandensein die Aussicht versperrt. Hinter ihr lag nichts mehr, nichts. Sie ist die warme Finsternis zwischen mir und dem kalten Licht. Sie ist das Ende des Tunnels – sie.

Und nun geht in meinem Kopf etwas vor sich. Ich möchte des Bildes habhaft werden, ehe die Wahrnehmung verschwindet. Mama, wie ich mich ihrer erinnere, breitet sich aus, sie löscht das Zimmer aus und das Haus, ihr breiter Bauch dehnt sich aus, sie sitzt in ihrer Selbstgewißheit und ihrem Gleichmut fester als auf einem Thron. Sie ist das Unbezweifelbare, das Nicht-Gute, das Nicht-Böse, nicht freundlich, nicht bitter. Sie wird im Hintergrunde eines langen Ganges sichtbar, den ich in die Zeit gebohrt habe.

Sie erregt Schrecken, aber nicht Furcht.

Sie ist nachlässig, aber sie beeinflußt nicht und beutet nicht aus.

Sie ist heftig, aber ohne Bosheit oder Grausamkeit.

Sie ist erwachsen, aber weder bevormundend noch herablassend.

Sie ist warm, aber ohne Besitz zu ergreifen.

Und vor allem: es gibt sie.

So also kann ich mich ihrer natürlich nur in Ton erinnern, in gewöhnlicher Erde, die vom Boden kommt, ich kann sie nicht festhalten, indem ich glatte Farben, die man in Läden kauft, in Strichen auf gestraffte Leinwand streiche, ich kann sie auch nicht in Worten umreißen, die zehntausend Jahre jünger sind als ihre dunkle Wärme. Wie kann man ein Zeitalter, eine Welt, eine Dimension beschreiben? Was davon mitteilbar ist, das sind die Dinge um sie herum, die man zusammensetzen und ausbreiten müßte, Mama in der Mitte, eine stumme Lücke. Aus der Flut der Erinnerung fische ich ein Stück Stoff heraus, grau mit einem Anflug von Gelb. Die eine Ecke ist durchgerieben – oder, wie mir jetzt scheint, morsch geworden –, zerfranst, feuchte Fasern. Das Übrige ist irgendwo oben an meiner Mama befestigt, und ich schaukele mich daran weiter, mit den Fingern kralle ich mich darin fest, manchmal stolpernd und manchmal unsanft weggeschoben, ohne daß ein Wort gesprochen wird, von einer riesigen Hand, die von oben kommt. Ich kann mich, glaube ich, erinnern, wie ich die Ecke ihrer Schürze zu fassen suchte und glücklich war, sie wiederzufinden.

Wir müssen damals in der Rotten Row gehaust haben, denn gewisse Richtungen waren schon so festgelegt wie die Punkte auf der Windrose. Unser Klo war über einen Haufen zerbrochener Ziegel und einen Wasserlauf zu erreichen, und eine hölzerne Tür öffnete sich auf einen breiten Sitz. Über unserem Zimmer lag noch ein Raum, wenn auch bestimmt kein Mieter ihn bewohnte. Vielleicht waren wir damals immerhin ein bißchen bemittelter, oder der Gin war billiger, auch die Zigaretten. Wir hatten eine Kommode als Toilettentisch, und der Kamin war voll von eisernen Schränkchen und Türen und Schüben, die man herausziehen konnte. Mama benutzte sie nie, sondern nur den kleinen Herd in der Mitte mit der heißen Metallplatte oben drauf. Wir hatten einen kleinen Fußteppich, einen Stuhl, einen kleinen Tisch aus dünnen Brettern und ein Bett. Mein Teil des Bettes lag nächst der Tür, und wenn Mama sich in ihren Teil legte, rutschte ich runter. Alle Häuser in unserer Reihe waren gleich, bis auf eins, und vor ihnen lief die mit Ziegeln gepflasterte Gasse mit der Rinne in der Mitte. In dieser Welt gab es Kinder aller Größen, Jungen, die mir Fußtritte versetzten oder Bonbons schenkten, Mädchen, die mich aufgriffen und zurückbrachten, wenn ich zu weit gekrabbelt war. Wir müssen sehr schmutzig gewesen sein. Ich habe einen guten und geübten Farbensinn, aber wenn ich an jene menschlichen Gesichter denke, so sehe ich sie nicht so sehr in Schattierungen von Rot und Weiß als von Grau und Braun. Mamas Gesicht, ihr Hals, ihre Arme – alles, was körperlich zu sehen war, war grau und braun. Die Schürze, die ich mir so deutlich vergegenwärtige, muß, wie ich jetzt erkenne, entsetzlich schmutzig gewesen sein. Mich selbst kann ich nicht sehen. In meiner Reichweite gab es keinen Spiegel, und wenn Mama je einen besessen hat, so muß er zur Zeit, als ich meiner selbst bewußt wurde, verschwunden gewesen sein. Was hätte Mama auch mit einem Spiegel anfangen sollen? Ich besinne mich, wie Wäsche auf Drähten sich blähte; ich besinne mich auf Seifenlauge, auf die unregelmäßigen Muster an der Mauer, die aus Schmutz bestanden haben müssen; aber wie Mama bin ich ein blinder Fleck in all dem Wahrgenommenen, ein Etwas in der Mitte, das nicht zu sehen ist. In der engen Welt der Rotten Row krabbelte und stolperte ich herum, leer wie eine Seifenblase, aber umgeben von einem Regenbogen von Farbe und Aufregung. Wir Kinder waren unterernährt und spärlich bekleidet. Zuerst ging ich barfuß zur Schule. Wir machten Lärm, wir kreischten, wir heulten, wir waren wie Tiere. Und doch erscheint mir diese Zeit wie ein Weihnachtsfest, mit all seinem Glanz und Geglitzer und seiner Wärme. Ich habe niemals Schmutz verabscheut. Mir erscheint all das Porzellan und Chrom, die Waschmittel, die Desodorantien, dieser ganze Komplex von Sauberkeit, der sozusagen ganz Seife, ganz Hygiene ist, mir erscheint das alles unmenschlich und unverständlich. Es hat schon seinen Sinn zu sagen: in dem Augenblick, als wir aus unserem engen Loch hervorkamen und gewaschen wurden, war es auch aus mit dem Glück und der Sicherheit des Lebens.

Zweierlei Bilder aus unserem Slum sind mir geblieben. Das frühere zeigt das Innere, dessen ich mich erinnere, weil es damals eine andere Welt für mich überhaupt nicht gab. Der Ziegelweg mit der Gosse in der Mitte lief zwischen der Häuserreihe und der Reihe von Höfen, jeder mit einer Bude. An dem einen Ende, links von uns, befand sich ein hölzernes Gatter; am anderen war ein Durchgang zur Straße, die man nicht betrat. An diesem Ende lag die ›Sonne‹, ein altes und unübersichtliches Gebäude, dessen hintere Tür sich nach der Gasse öffnete. Hier konzentrierte sich das Leben der Erwachsenen, und hier reichte das letzte Haus in der Reihe über den Durchgang und beherbergte gegenüber die Kneipe, so daß es eine recht bedeutende und vorteilhafte Lage einnahm. Als ich alt genug war, solche Dinge zu bemerken, blickte ich mit den übrigen Leuten unserer Häuserreihe hinauf zu der guten Frau, die dort wohnte. Sie verfügte da droben über zwei Zimmer, sie gehörte zu der Kneipe wie der Mörtel zur Mauer, sie wirtschaftete für anständige Leute, und sie hatte Gardinen. Wenn ich Ihnen mehr von unserer Geographie erzählte und unsere Zustände so schildern wollte, wie man sie gemeinhin schildert, würde ich meine Erinnerungen verfälschen. Denn zunächst erinnere ich mich unserer Gasse nur als einer Welt, die auf der einen Seite von dem hölzernen Gatter und auf der anderen vom rechteckigen, verbotenen Durchgang zur Straße begrenzt wurde. Regen und Sonnenschein ergossen sich auf uns zwischen flatternden oder still hängenden Hemden. Es gab Pfosten mit Klampen daran und eine Anzahl einfacher Vorrichtungen, um die Wäsche da aufzuhängen, wo sie den Wind abfangen konnte. Es gab Katzen und es gab, wie mir vorkommt, eine Unmenge Leute. Ich besinne mich auf unsere Nachbarin, Mrs. Donovan, die verwelkt aussah, was man von Mama nicht behaupten konnte. Ich besinne mich, wie laut ihre Stimmen waren, die aus verkrampften Kehlen kamen, wenn die Damen miteinander zankten, wobei sie die Köpfe vorstießen. Ich besinne mich, wie so ein Streit ein ergebnisloses Ende nahm, indem beide Damen sich langsam seitwärts voneinander weg bewegten; keine von beiden hatte gesiegt, jede konnte nur noch einzelne Silben in vager Drohung ausstoßen, entrüstet und voller Abneigung:

»Na, also!«

»Ja!«

»Ja!«

»Ah!«

Das ist mir rätselhaft in Erinnerung geblieben, und zwar weil Mama nicht einfach gesiegt hatte. Gewöhnlich blieb sie die Siegerin. Die verwelkte Mrs. Donovan mit ihren drei Töchtern und vielen Sorgen war Mama in keiner Weise gewachsen. Bei einer Gelegenheit von apokalyptischer Großartigkeit gewann Mama nicht nur, sondern genoß einen Triumph. Ihre Stimme schien mit metallen widerhallendem Donner vom Himmel herabzudröhnen. Es lohnt sich, die Szene zu rekonstruieren.

Gegenüber jedem Hause, jenseits der ziegelgepflasterten Gasse mit der Rinne in der Mitte, lag je ein ummauerter Hof mit einem Eingang. Die Ziegelmauern waren ungefähr drei Fuß hoch. Auf jedem Hof stand links ein aufrechtes Rohr, und dahinter, auf der rückwärtigen Hälfte des Hofs, befand sich ein Schilderhäuschen, das mit einer hölzernen Tür verschlossen war. Diese Tür war mit einer Art Gitter versehen; wenn man sie öffnete, indem man einen hölzernen Riegel hochhob, sah man eine Kiste vor sich, die den ganzen Raum zwischen den Wänden ausfüllte und in der Mitte eine runde, abgewetzte Öffnung zeigte. Auf der Kiste lag meistens noch ein Stück Zeitung oder auf dem feuchten Fußboden ein ganzes zusammengeknautschtes Blatt. Unter der Reihe der Häuschen floß träge ein dunkles unterirdisches Rinnsal. Schloß man die Tür und ließ man den Riegel eines an der Seite hängenden Stücks Schnur fallen, dann konnte man da drinnen selbst als Bewohner der Rotten Row das Alleinsein genießen. Betrat jemand aus dem eigenen Hause den Hof – denn das sah man durch das Gitter – und hob er die Hand nach dem Riegel, dann rührte man sich nicht, sondern rief laut und unartikuliert, ohne Namen zu nennen oder richtige Worte zu gebrauchen, und die Hand zog sich zurück. Denn wir achteten auf unsere Lebensführung. Wir lebten nicht mehr einfach im Paradiese – das heißt, vorausgesetzt, der Besucher kam vom eigenen Hause. Andernfalls, wenn sie auf der Gasse umhergebummelt waren und sich geirrt hatten, dann konnte man so deutlich werden wie man wollte, man konnte sich in deftigsten Ausdrücken bewegen, neue Kombinationen in unserem Lebenskreis vorschlagen, den Besucher mit eingeschlossen, bis die Hauseingänge vor Lachen kreischten und alle die kleinen Bälger in der Gosse ebenfalls kreischten und tanzten.

Aber es gab Ausnahmen. In den zwanziger Jahren war der Fortschritt auch bei uns eingekehrt und hatte dem übrigen noch einen modernen Aberglauben hinzugefügt, so daß wir fest an eine mythische Herkunft von Toiletten glaubten. Rotten Row litt zuweilen an mehr als an Kopferkältungen.

Es muß an einem Tage im April gewesen sein. Welch anderer

Monat konnte mir so viel Blau und Weiß schenken, so viel Sonne und Wind? Die Wäsche auf den Leinen hing horizontal und fröstelte, die Wolken, scharf umrissen, eilten dahin, die Sonne funkelte in den Spritzern der Seifenblasen in der Gosse, die abgetretenen Ziegel waren reingewaschen von einem Regenguß. Es war ein Wind, der Erwachsenen Kopfweh verursachte und Kinder zu tollem Übermut hinriß. Es war ein Tag kräftigen Gebrülls und der Balgereien, ein Tag, lichterloh brennend und unerträglich ohne Drama und Abenteuer. Irgendwas mußte geschehen.

Ich spielte mit einer Streichholzschachtel in der Gosse. Ich war so klein, daß es mir nur natürlich war, zu hocken; trotzdem versetzte mir der Wind in unserer Gasse von der Seite einen Schubs, daß ich ebenso oft im Seifenwasser lag als draußen. Ein Abfluß war verstopft, so daß das Wasser sich über die Ziegel verbreitete und einen für mich passenden Ozean bildete. Und doch liegt mir nicht ein ganzer Zeitverlauf im Gedächtnis, sondern ein großer, apokalyptischer Augenblick. Mrs. Donovans Tochter Maggie, die so süß roch und runde, seidene Knie zeigte, prallte zurück vor dem Eingang zu unserem ummauerten Höfchen. Sie war so schnell und so weit zurückgewichen, daß sie mit einem hohen Absatz in meinem Ozean hängen blieb. Sie wollte sich gerade abwenden, die Arme wie in Abwehr erhoben. Auf ihr Gesicht kann ich mich nicht besinnen – es starrt wie hypnotisiert in eine andere Richtung. Die arme Mrs. Donovan, das liebe verwelkte Geschöpf, späht aus dem eigenen Klo mit der Miene eines Menschen, den man ungerechter Weise erwischt hat, und das alles erklären würde, wenn man ihm nur Zeit ließe – der aber weiß, in diesem furchtbaren Augenblick weiß, daß ihm keine Zeit mehr gelassen wird. Und aus unserem Klo, unserem eigenen privaten Klo mit dem warmen persönlichen Sitz kommt meine Mama.

Sie ist aus dem Verschlag gestürzt, die Tür ist gegen die Wand geprallt, und der Riegel hängt zerbrochen herunter. Meine Mama faßt Maggie ins Auge, einen Fuß quer vor dem andern, denn sie ist seitwärts aus dem schmalen Häuschen gekommen, mit gekrümmten Knien bückt sie sich in furchtbar drohender Haltung. Die Röcke sind ihr rund um die Hüften gewickelt, und den weiten, grauen Schlüpfer hält sie gerade über den Knien mit ihren beiden dunkelroten Händen fest. Ich sehe ihre Stimme, ein schartiges Etwas aus Scharlach und Bronze, in die Luft schmettern, bis es unter dem Himmel hängt, sieghaft und Schrecken erregend:

»Du dreckige Hure! Schick deine Brut doch ins eigene Klo!«

Ich kann mich nicht darauf besinnen, daß irgendeine hoheitsvolle Macht an diejenige der Rotten Row heranreichte. Selbst als die Zwillinge Fred und Joe, die am anderen Ende der Gasse in der Nähe des hölzernen Gatters einen fragwürdigen Handel mit Altmaterial betrieben, von zwei giraffenartigen Polizisten weggeholt wurden, schmolz das Drama zur Niederlage zusammen. Wir sahen, wie einer der Polypen langsam die Gasse entlang schlenderte, und wir murrten, ich wußte nicht warum. Wir sahen Fred und Joe aus ihrem Hause herausstürzen und wie sie sich durch das hölzerne Gatter zwängten; aber auf der anderen Seite stand natürlich der zweite Polyp, dem sie geradeswegs in die Arme liefen. Sie waren klein, leicht mit je einer Hand zu packen. Sie wurden in Handfesseln durch die Gasse geführt, zwischen zwei dunkelblauen Pfeilern mit Silberpickeln oben drauf; der Polizeiwagen wartete auf sie. Wir schrien und murrten und gaben den dumpf wütenden Ruf von uns, der in der Rotten Row statt des höhnischen Buhuh! üblich war. Fred und Joe waren blaß, trugen aber die Nase hoch. Die Polypen kamen, schnappten zu und gingen, unaufhaltsam wie Geburt und Tod. Es gab drei Fälle, in denen Rotten Row sich bedingungslos ergab: das Erscheinen eines neuen Erdenbürgers, des Polizeiautos, oder des langen Leichenwagens am Ende des Durchgangs. Irgendeine Art Hand stieß hinein in die Rotten Row und griff zu, da war eben nichts zu machen.

Wir waren eine Welt innerhalb einer Welt, und erst als erwachsenem Manne gelang mir die geistige Umwälzung, Rotten Row als ein Elendsviertel zu sehen. Die Gasse war zwar nur knapp vierzig Meter lang, und die Felder erstreckten sich bis an uns heran, aber wir waren ein Elendsviertel. Die meisten Leute stellen sich unter *Slums* Meilen voller Dreck im Eastend von London vor oder die windschiefen, schlecht gebauten Häuschen im Kohlenbezirk. Aber wir lebten mitten im Garten von England, und um uns blühten die Hopfenpflanzungen. Obgleich es auf der einen Seite Klinkervillen gab, Schulen, Speicher, Läden, Kirchen, gab es auf der anderen die würzigen Täler, in denen ich hinter meiner Mama herlief und nach den klebrigen Knospen langte. Aber damit bin ich schon außerhalb des Hauses und ich möchte noch eine Weile drin bleiben. Ich will die Ansichtspostkarten zurücklegen, auf denen tanzende Männer, von Flammen beleuchtet, zu sehen sind, und mich wieder unter dem Deckel verkriechen. Gewiß, es gab da Freudenfeuer, Ströme von Bier, Gesang, Zigeuner und eine heimlich zwischen den Bäumen errichtete Kneipe, ihr Strohdach wie einen Hut schief über die Augen gezogen. Aber man kehrte doch immer wieder in unser Slum zurück. Auch wir hatten eine Kneipe. Wir hockten dicht aufeinander. Jetzt, wo ich draußen bin in der kalten Welt, weit entfernt von der Möglichkeit, mein verheultes Gesicht dem Himmel zu zeigen, jetzt entdecke ich mit Überraschung, wieviele Leute was drum gäben, wenn sie auch in einem solchen Gedränge stecken könnten. Vielleicht wurde ich damals nicht betrogen, und wir hatten wirklich etwas. Wir waren eine Möglichkeit des Menschlichen, eine Lebensform, ein geschlossenes Ganzes.

Die Kneipe war unser Lebenszentrum. Da war ein beständiges Kommen und Gehen, die blasige braune Tür mit ihren beiden undurchsichtigen Glasscheiben ging in einem fort auf und zu. Der Messingknauf an der Tür war uneben und blank vom vielen Anfassen. Ich nehme an, daß der Ausschank einer Genehmigung bedurfte und zu gewissen Stunden verboten war, aber ich habe nie etwas davon bemerkt. Die Tür sah ich vom Fußboden aus, und in meiner Erinnerung scheint sie riesenhoch. Drinnen gab es einen Fußboden aus Ziegeln, ein paar Bänke und an der Theke in der Ecke zwei Stühle. Dies war die Plauder-Ecke: warm und gemütlich, ein Platz für Erwachsene, wo es laut und geheimnisvoll herging. Später ging ich immer da hin, wenn ich meine Mama dringend haben wollte, und niemand hat mir je gesagt, meine Anwesenheit sei vom Gesetz nicht erlaubt. Zuerst ging ich da hin wegen unseres Mieters.

Unser Mieter wohnte im Oberstock, er benutzte unsern Herd, unsern Wasserhahn und unsern Lokus. Ich glaube, er war die tragische Figur, über die so viele Soziologen und Wirtschaftstheoretiker im neunzehnten und zwanzigsten Jahrhundert so viele Bücher geschrieben haben. In meiner Vorstellung kann ich ihn unschwer wieder zum Leben erwecken. Zunächst: er war klein, selbst von meinem niedrigen Blickpunkt aus. Ich denke, er muß ein Überbleibsel von Handwerkertum gewesen sein, denn er war sauber und gewissermaßen was Besseres. Ein Klempner? Ein Zimmermann? Aber er war sehr alt – er war es immer gewesen, denn wer hätte sich ihn je anders vorstellen können? Er war ein gebrechliches Skelett, zusammengehalten von Haut und einem abgetragenen blauen Anzug. Er trug ein blaues Halstuch, das er innen in den Rockaufschlag stopfte: an seine Stiefel erinnere ich mich nicht mehr – vielleicht weil ich immer zu ihm aufblickte. Er hatte interessante Hände, an denen allerlei zu sehen war: Knoten und Adern und braune Flecken. Er trug immer einen weichen Hut, ob er in unserem Oberstock am Fenster saß oder die Gasse hinunter schlurfte oder aufs Klo ging, oder ob er in der ›Sonne‹ an der Theke saß. Besonders bemerkenswert an ihm war sein Schnurrbart, der abwärts hing und so weiß und weich zu sein schien wie Schwanengefieder. Er bedeckte seinen Mund und war sehr schön. Aber noch bemerkenswerter war sein Atem: er atmete so schnell und geräuschvoll wie ein Vogel, ein aus, ein aus, ein aus, in einem fort, tick tick, so zerbrechlich wie eine Uhr und ebenso eilig, als ob keine Zeit, keine Zeit für irgendetwas anderes zu verlieren wäre. Über seinem Schnurrbart, unter den hängenden Brauen zu beiden Seiten der scharfen Nase schauten seine Augen hervor, zerstreut und ängstlich. Mir kam es vor, als blicke er immer nach etwas, was nicht da war, etwas, das tieferes Interesse und Besorgnis erregte. Tick, tick, tick, in einem fort, in einem fort. Niemand kümmerte sich darum, ich nicht, Mama nicht, er war unser Mieter, und er hing nur noch an dem letzten Faden seines Lebens. Wenn ich abends schlafen ging oder morgens aufwachte, konnte ich ihn oben hören, durch die dünnen Dielenbretter, tick, tick, tick. Wenn man eine Frage an ihn richtete, antwortete er wie einer, der eben eine Meile in vier Minuten gelaufen ist, mit keuchendem Atem und nach Luft schnappend, in verzweifelter Not, am Leben zu bleiben, wie einer, der zum dritten Male in die Gerade einbiegt, rein raus rein raus rein raus. Ich fragte ihn einmal, als er dasaß und in den Herd hineinstierte. Ich wollte wissen, warum. Er gab mir keuchend eine Antwort, wie ein Schuldbewußter – er brachte gerade noch die

Worte hervor und schnappte dann nach Luft wie einer, der eben noch eine fallende Tasse an seinem Fußgelenk auffängt, ehe sie in Stücke springt.

»Warze ...«, nach Luft schnappen tick tick, »in mir – «, tick tick tick »Brust«. Keuchen und noch ein verzweifeltes Luftschnappen, um die leere Lunge zu füllen.

Ich habe ihn nie essen sehen, obgleich ich annehme, daß er gegessen haben muß. Aber wie? Er hatte ja keine Zeit. Wieviel Tage müssen vergehen, bis der Körper alles Fett und Fleisch, all den Brennstoff verbraucht hat? Wie lange kann sich der Geist an den Stiefelstrippen aufrecht erhalten, da er, wie es scheint, seinen Brennpunkt in den Augen hat? Tick tick tick und obwohl er mit anderen in die ›Sonne‹ ging, konnte er gar nicht viel trinken, wenn überhaupt etwas, und zwar weil der Bausch, der über seinem Mund herabhing, so weiß war wie Schwanengefieder. Wie ich mich seiner erinnere und seines Atems, da fällt mir ein, daß er an Lungenkrebs litt; und mit einer gewissen trüben Belustigung bemerke ich, daß ich in diesem Augenblick bemüht bin, jene Vermutung, die sich auf keine Kenntnis stützt, in ein System hineinzubringen. Aber dann fällt mir ein, daß mir alle Systeme nacheinander zusammengebrochen sind, daß das Leben aufs Geratewohl verläuft und das Üble unbestraft bleibt. Warum soll ich jenen Mann, jenes Kind mit diesem Kopf und Herzen und Händen, wie sie jetzt sind, in Zusammenhang bringen? Ich kann mir sehr wohl ein wirkliches Vergehen aus jener Zeit ins Gedächtnis zurückrufen, denn ich habe einmal den alten Mann um zwei Pfennig bestohlen – ich kaufte mir Lakritze dafür, die ich heute noch leidenschaftlich gern mag –, und es ist nie herausgekommen. Aber das war eben eine Zeit schrecklicher und unverantwortlicher Unschuld. Ich müßte Literat sein, um meine Geschichte so zu gestalten, daß diese zwei Münzen mir schwer auf den Lidern gelegen hätten; in Wirklichkeit bin ich das längst losgeworden. Warum also schreibe ich eigentlich? Erwarte ich immer noch ein System? Was suche ich überhaupt?

Unser Bett unten stand in Reichweite der Kommode, unser Wecker stand nahe am Rand. Es war ein altes Modell, rund, auf drei kurzen Füßen, und er trug eine Glocke wie einen aufgespannten Regenschirm. Er klapperte Mama ins Erwachen, wenn sie am frühen Morgen im Dunkeln zur Aufwartung gehen mußte. Meine schlafenden Ohren nahmen den Lärm wahr und träumten weiter. Manchmal, wenn die Nacht lang und heiß gewesen war, nahm Mama keine Notiz von dem Wecker oder grunzte nur und verkroch sich. Dann weckte die Uhr mich. Die ganze Nacht hatte sie getickt, hatte die Tollheit unterdrückt, zurückgehalten und aufgestaut; aber jetzt platzte die Spannung. Der Regenschirm wurde zum Kopf, die Uhr schlug sich wie irrsinnig an den Kopf, sie zitterte und tanzte auf der Kommode auf drei Beinen, bis sie den Punkt erreichte, an dem die Kommode aus Sympathie zu trommeln anfing, ganz Besessenheit und Aufregung. Dann weckte ich Mama und kam mir sehr tüchtig und tugendhaft vor, bis sie im Dunkeln aufstand wie ein Walfisch. Aber wenn ich in der Nacht aufwachte oder keinen Schlaf finden konnte, dann war immer die Uhr da und richtete sich nach meinen Empfindungen. Zuweilen und sehr oft war sie freundlich und mild; aber wenn ich, was selten vorkam, meine Anfälle nächtlichen Schreckens hatte, dann hatte auch die Uhr welche. Die Zeit war dann unerbittlich und eilte weiter, sie trieb unaufhaltsam auf den Punkt zu, an dem der Wahnsinn explodierte.

Einmal wachte ich gegen Mitternacht von einem Stoß auf: die Uhr war stehengeblieben, so daß ich bedroht und wehrlos war. Ich hatte Angst und mußte Mama finden. Ich stand unter demselben Zwang, der mich jetzt vor diesem Papierbogen erfüllt, ein Zwang, tief und irrational. Ich fiel aus dem Bett, gelangte irgendwie stolpernd und weinend durch die Tür und auf die Gasse, lief sie hinunter und durch die Gosse zu der Hintertür der Kneipe. Hinter den Glasscheiben war kein Licht zu sehen. Die Kneipe war geschlossen. Ich grabschte nach dem Messingknauf, bekam ihn zu fassen und hängte mich daran.

»Mama! Mama!«

Der Messingknauf drehte sich unter meiner Hand und zog mich, der ich halb hing, in den rückwärtigen Teil, wo die gemütliche Ecke war. Ich hockte auf dem Fußboden, und da waren schattenhafte Leute, die auf mich herunterblickten, Schatten, die sich ein wenig im schwachen Licht des Feuers bewegten. Mama saß auf dem größten Teil einer Bank gegenüber der Tür, und sie hielt ein Gläschen in der Hand versteckt. Der Raum war größer als bei Tageslicht. Jetzt weiß ich, es waren nur ein paar Nach-

barn, die noch nach der Polizeistunde tranken – damals aber
stellten sie das ganze Geheimnis des erwachsenen Lebens in
einem schattenhaften Bilde dar.

»Die Uhr ist stehengeblieben, Mama.«

Die Unmöglichkeit, allein in der schweigenden Dunkelheit zu-
rückzugehen, konnte ich ihnen nicht klarmachen; ich war völlig
auf ihr Verständnis und ihren guten Willen angewiesen. Sie
standen undeutlich herum und murrten. Schließlich brach die
Gesellschaft auf, ohne viel Freundlichkeit, aber geräuschvoll,
so daß zwei oder drei Minuten lang die Gasse von den tröst-
lichen Stimmen widerhallte. Mama scheuchte mich über die Gosse und schaltete unsere unverkleidete Glühbirne ein. Sie nahm
den Wecker in die eine Hand – er verschwand darin beinahe,
wie das Glas darin verschwunden war – und hielt sich ihn an
den Kopf. Sie setzte ihn mit einem Knall wieder hin und wandte
sich zu mir, die Hand strafend erhoben.

Und hielt inne.

Ihr Blick wanderte langsam hinauf an die Decke, wo ein paar
Fuß über meinem Kopf unser Mieter lag, und sie lauschte; sie
lauschte in eine so große Stille hinein, daß ich nun einsah, einen
ganz unverständlichen Irrtum begangen zu haben, denn ich
konnte ganz deutlich hören, wie der Wecker immer noch der
aufregenden Explosion entgegeneilte, weiter eilte, spröde, in
trivialer Beharrlichkeit, tick, tick, tick.

War unser Mieter eine Sterbegeld-Versicherung eingegangen?
Ich besinne mich auf den prachtvollen Wagen, der ihn abholte,
so daß der Eindruck entstand, der Tote sei wichtiger für die
Rotten Row als der Lebende. Rotten Row glaubte an den Tod wie
an ein Ritual und ein Schauspiel; es war eine Zeit des Trauerns
und der Freude. Aber warum habe ich seine Leiche gar nicht zu
sehen bekommen? Hatte die Row mich betrogen, oder gab es
irgendein Geheimnis? Normaler Weise hielten die Toten feierlicher Hof als die Neugeborenen. Sie wurden gewaschen, ausgestreckt, ordentlich aufgebahrt, und man erwies ihnen eine Verehrung wie einem gewickelten Pharao, dessen Bauch mit Ge-
würzen gefüllt ist. Ich kann an den Tod in Rotten Row nicht
denken, ohne daß das Wort ›königlich‹ mir in den Sinn kommt.
Im Rückblick, der die Ereignisse mit symbolischen Emblemen

behängt, ist Rotten Row für den Tod aufgeschmückt mit Wappenschildern in Blau und Violett und Purpur, und man feiert mit Saufen und Kummer, daß es eine Art hat.

Warum also bekam ich nie seine oder sonst eine Leiche zu sehen? Hatten diese schattenhaften Erwachsenen aus der gemütlichen Ecke der Kneipe irgendeine Kenntnis oder Theorie von den Erkenntnissen meiner Alpträume? Wußte ich zu viel? Ich hatte einen besonderen Grund, mich betrogen zu fühlen. Man hatte mir gesagt, unter seinem Hut sei eine Haardecke von ebensolcher Schwanenweiße gewesen, in meiner Vorstellung etwas ganz Kostbares, erlesen wie die Kappe, die der Schwanenjungfrau selbst auf dem Kopf sitzt. Evie erzählte mir von den Schwanenfedern unter dem Hut. Sie sah ihn in seinem Kasten. Sie hatte ihn auch berührt, ihre Mutter hatte sie dazu veranlaßt. Auf diese Weise, so glaubten wir, würde das Kind sich nie wieder vor einem Leichnam fürchten. Evie also berührte ihn, sie streckte ihren rechten Zeigefinger aus nach seiner scharfen Nase. Sie zeigte mir den Finger, ich schaute, ich sah, voller Scheu, und bewunderte Evie. Aber ihn habe ich gar nicht gesehen oder berührt. Für mich war der Tod ein hoher schwarzer Wagen mit Scheiben von ziseliertem Milchglas. Da stand ich, wie gewöhnlich, mit nur halbem Verständnis auf dem Pflaster. Aber Evie war immer im Herzen der Dinge. Sie war ein oder zwei Jahre älter, und sie beherrschte mich. Wie konnte ich auf Evie eifersüchtig sein, die so viel wußte? Obgleich er unser eigener Mieter gewesen war, der unser Klo und nicht das von Evies Mama benutzte, konnte ich ihr die scharfe Totennase nicht mißgönnen. Sie war majestätisch. Es stand ihr zu. Aber ich konnte mich unzulänglich fühlen, und das tat ich auch. Für mich gab es keinen weißen Schopf, sondern nur das Milchglas, das die Straße hinunter davonfuhr. In meiner Phantasie wagte ich die furchtbarste und schauerlichste Verlassenheit, um das Gefühl zu empfinden, tot zu sein. Aber das war zu spät. Ich kann jene Zeit im Geiste wieder erleben, wenn ich mich auf Kniehöhe bücke. Eine Treppenstufe nimmt die Größe eines Altars an; ich kann lernen, von dem schrägen Schild unter der Spiegelglasscheibe eines Schaufensters mit einem wilden Satz über die Gosse zu springen. Dann sehe ich die Durchsichtigkeit, die ich selber bin, durchs Leben fließen wie eine Blase, leer von Schuld, leer von allem, ausgenommen unmittelbare und unbewußte Empfindungen, großmütig, gierig, grausam, unschuldig. Meine beiden ragenden Türme, das waren Mama und Evie. Denn es lag nun einmal in meinem Leben irgendwie beschlossen, meiner Unzulänglichkeit das Verständnis für unseres Mieters Haardach zu versagen, jenes schneeweiße Siegel letzten Wissens.

Ich frage mich, ob er überhaupt ein Haardach hatte? Während ich bedenke, was für eine leere Blase ich war, von Kniehöhe, da sehe ich zum ersten Mal ein, daß Evies Wort das einzige war, woran ich mich zu halten hatte. Aber Evie log. Oder nein: sie ließ ihrer Phantasie freien Lauf. Sie war größer als ich, braun und dünn, mit einem Schopf schlichten braunen Haars. Sie trug braune Strümpfe mit Ziehharmonikafalten unter jedem Knie. Sie hatte eine Anzahl außerordentlich großer und glänzender Haarbänder, und ich fand sie wunderbar und wünschte in hoffnungsloser Begehrlichkeit, sie zu besitzen. Denn wozu war ein Haarband da, außer um Haare damit zu binden? Und was nützte dieses Symbol, wenn nicht der Majestät und entscheidenden Autorität von Mama und Evie? Wenn sie sich zur Seite wandte, um sich über die Leute auszulassen, wie sie eigentlich sein sollten, dann löste sich ihr Haar und fiel herunter, und die hellrote Schleife hing an der Seite, streng und unerreichbar.

Doch ich war in ihrer Macht und war es zufrieden. Denn jetzt sollte ich in die Kleinkinder-Schule gehen, und sie sollte mich hinbringen. Am Morgen stand ich als erster an der Gosse und wartete auf sie, bis sie aus der Tür kam. Sie erschien, und die Welt füllte sich mit Sonnenschein. Sie rief mich, und ich stürzte zu der Schar, die sie um sich versammelte. Sie säuberte mich am Wasserhahn, nahm mich bei der Hand, wobei sie in einem fort redete, und führte mich hinaus, an der ›Sonne‹ vorbei, vorbei an dem Fenster der Dame mit der lederartigen Blattpflanze, und auf die Straße. Die Schule war dreihundert Meter entfernt oder etwas mehr, geradeaus, querüber um die Ecke, über die Hauptstraße hinüber und einen gepflasterten Weg entlang. Wir blieben stehen, um alles zu beschauen, und Evie war mit ihren Erklärungen sehr viel interessanter als die Schule. Am deutlichsten erinnere ich mich des Antiquitätenladens. Auf einem überhängenden Gesims gleich unter dem Schaufenster und meiner Nase war in riesigen goldenen Buchstaben etwas, was der Name der Firma gewesen sein muß. Ich kann mich nur auf ein goldenes W besinnen. Vielleicht hatte ich gerade diesen Buchstaben im ABC erreicht.

In diesem Laden gab es einige verzierte Kerzenleuchter. Sie standen auf einem vergoldeten Tisch, und jeder von ihnen hatte eine Papierhaube auf, wie unser Wecker den Regenschirm aufgespannt hielt. Evie erklärte, man brauchte nur das Papierhäubchen umzudrehen, das geschmolzene Wachs hineinzugießen, dann würde es ewig brennen. Evie hatte das im Haus ihrer Kusine in Amerika gesehen – es war eigentlich kein Haus, eher ein Palast. Die ganze Straße hinunter schilderte sie eingehend das Haus, und als ich vor einen Bogen Papier gesetzt wurde mit Buntstiften dazu, zeichnete ich ihr Haus – das Haus ihrer Kusine, ein riesiges Parterre und einen riesigen ersten Stock, und die Papierschirme brannten mit goldenen Flammen.

Unter allerlei Kleinkram lag ein kleiner Löffel, und der Löffel war viel länger als ein Löffel sein sollte. Evie erkärte, man hätte einem Mann aus Versehen mit diesem Löffel Gift gegeben, in der Meinung, es sei Medizin. Er hätte angefangen, mit den Zähnen auf diesem Löffel herumzubeißen und sich auf dem Bett zu wälzen. Dann merkten sie natürlich, daß sie ihm statt Tinctura amara Gift gegeben hatten, aber da war es zu spät. Sie hatten gezogen und gezogen, aber der Löffel kam nicht heraus. Dreie hatten ihn festgehalten, und drei hatten gezogen, so fest sie konnten, aber der Löffel wurde nur immer länger und länger – dann lief Evie weg, den Plattenweg entlang, die Knie trafen einander und die Fersen schlugen aus, sie zappelte und kicherte vor Entsetzen, und ich lief hinter ihr her und rief: Evie! Evie!

Hinten in der Dämmerung des Ladens stand eine vollständige Ritterrüstung. Evie sagte, ihr Onkel sei in dieser Rüstung. Das war ja nun nachweisbar lächerlicher Unsinn. Man konnte durch die Rüstung hindurchsehen, wo die Stücke nicht ganz aneinander paßten. Trotzdem bezweifelte ich nicht im geringsten, daß er in der Rüstung steckte, denn mein Glaube war vollkommen. Ich hatte einfach das Gefühl, er sei ein ungewöhnliches Geschöpf, mit all den Löchern in ihm, und dem mochte so sein, weil er ein Herzog war. Evie erklärte, er warte dort, bis er sie retten könnte. Sie war von den Leuten, bei denen sie wohnte, gestohlen worden – sie war in Wirklichkeit eine Prinzessin, und eines Tages würde er herauskommen und sie in seinem Wagen mit sich nehmen. Sie beschrieb den Wagen mit den blinden und ziselierten Scheiben, und ich erkannte ihn wieder. Die Leute riefen Hurra, sagte Evie; aber ich wußte, ich würde auf dem Plattenweg stehen, und das Haarband würde verschwinden, wie das Schwanengefieder verschwunden war.

Evie muß meine vertrauensvoll erhobenen Augen beobachtet haben, ob in ihnen vielleicht ein Zweifel zuckte, denn bald wurden ihre Geschichten immer beschwingter. Ich weiß jetzt, daß ich den Vorzug hatte, zuzusehen, wie eine Seele sich vor mir entfaltete: ich wurde nun in eins unserer offenen Geheimnisse eingeweiht. Aber meine kindliche Leichtgläubigkeit gehörte zu den Bedingungen, so daß ich nichts dabei lernte. Sie war, so sagte sie mir vertraulich, zuweilen ein Junge. Sie sagte mir das, aber nicht ohne mich vorher schwören zu lassen, das Geheimnis zu hüten, das ich nun zum ersten Mal lüfte. Die Verwandlung, sagte sie, geschah plötzlich, schmerzhaft und vollkommen. Sie wußte es nie im voraus, aber dann – paff! ging's los und sie mußte im Klo aufrecht stehen – *mußte*, erklärte sie, es ließ sich nicht anders machen. Sie mußte auf die Art pinkeln, wie ich es tat. Und was mehr war, sie konnte, wenn verwandelt, höher die Mauer hinauf pinkeln als alle Jungens in der Row, verstehst du? Ich verstand, und ich war entsetzt. Zu denken, daß Evie die Majestät und Schönheit ihres Rocks ablegte und gewöhnliche Hosen anzog – zu sehen, wie sie ihr glattes Haar abschnitt, die Haarbänder wegließ! Leidenschaftlich flehte ich sie an, kein Junge zu sein. Aber was sollte sie tun, sagte sie. Zögernd griff ich nach dem einzigen Trostmittel. Konnte ich mich nicht vielleicht in ein Mädchen verwandeln, Röcke tragen und ein Haarband? Nein, sagte sie. Es könnte nur ihr passieren. Da stand ich wieder einmal auf dem Pflaster.

Ich betete Evie an. Ich war voller Kummer und Entsetzen. Sie nährte diesen Schrecken, da er die Wirklichkeit dieser Situation bezeugte. Das nächste Mal, wenn es passierte, würde sie's mir zeigen. Aber das bedeutete, daß sie aus meinem Leben entschwand; denn ich begriff, daß mich kein Junge je an der Hand nehmen und mich zur Schule führen konnte. Wie sollte ich ohne sie in Sicherheit an dem langen Löffel und ihrem Onkel vorbeikommen? Ich bat sie sehr, sich nicht zu verwandeln – und wußte die ganze Zeit sehr wohl, daß wir machtlos waren gegen dieses Furchtbare, wobei ich an dem Glauben festhielt, daß, wenn überhaupt jemand, Evie imstande war, unsere Welt zu beherrschen, auch wenn kein anderer das konnte. Ich beobachtete sie scharf, ob sich keine Symptome zeigten. Auf dem Spielplatz stand ich in Ängsten, wenn sie im Waschraum der Mädchen verschwand, und fragte mich, ob sie dahin gegangen war, um nachzuschauen. Ich lief ihr nach, ich belästigte sie, und schließlich wurde ihr das langweilig. Irgendwie, auf irgend eine Weise, die mir nicht recht klar ist, entfernte sie sich von mir. Da stand ich nun, ging unbegleitet zur Schule, ich kreuzte die Straße, um dem langen Löffel und ihrem Onkel aus dem Wege zu gehen, ich betrat im Torweg eine andere Welt.

Dies war mein erster Bruch mit Rotten Row, denn Evies Geschichten hatten sie mit der Schule verbunden, und ich merkte nicht, wie ich aus dem einen ins andere gelangte. Aber jetzt war Rotten Row ein Teil eines geographischen Zusammenhangs und nicht mehr die ganze Welt. Wenn ich in irgend einer populären Zeitschrift den Plan einer ausgegrabenen Siedlung sehe und die trockenen Angaben lese, wie sich das Leben damals vermutlich abgespielt hat, dann frage ich mich, wie es Rotten Row unter dem Spaten ergehen wird, zweitausend Jahre nachdem es von der V 2 getroffen worden ist. Die Fundamente erzählen dann wohl eine Geschichte geplanten Bauens und Regulierens. Sie werden gröber, aber auch langweiliger lügen als Evie. Denn Rotten Row war laut und behaglich, einfach und vielfältig, originell und seltsam glücklich und eine ganze Welt für sich. Es schenkte mir zwei Beziehungen, die gut waren und für die ich heute noch dankbar bin: erstens zu meiner Mutter, die die rückwärtige Dunkelheit versperrt, und zweitens zu Evie, die zu kennen aufregend war, und zu der ich Vertrauen hatte. Meine Mutter war so viel wie eine Hure, es kommt schon nicht darauf an, und Evie war eine kongeniale Lügnerin. Aber wenn sie nur existierten, brauchte ich nichts mehr zu wünschen. Ich erinnere mich dieser Beziehungen und ihrer Beschaffenheit so lebhaft, daß ich beinahe versucht bin, darüber einen Aphorismus zu bilden: Liebe selbstlos, und dir kann nichts Böses geschehen. Aber dann besinne ich mich noch auf einige andere Dinge, auf die ich nachher zu sprechen komme.

So rückte ich aus Evies Schatten heraus und wurde Bewohner zweier verschiedener Welten. Ich mochte beide gern. Die Kleinkinder-Schule war ein Ort der Spiele und Entdeckungen, wo die Lehrerinnen sich herabbeugten wie Bäume. Es gab allerlei Neues zu tun, und es gab einen hohen rasselnden Kasten, aus dem einer der Bäume hinreißende Musik hämmerte. Wenn das Beten zu Ende ging, veränderte sich das Hämmern und wurde zur Marschmusik. Heute noch, wenn ich eine Blechkapelle auf der Straße höre, verfalle ich in Marschtritt und schäme mich durchaus nicht dieser einfältigen Reaktion; aber damals, da stapfte ich stolz einher und warf die Brust raus. Schritt halten, das konnte ich.

Minnie konnte gar nicht Schritt halten, und niemand erwartete das von ihr. Sie war plump und ungeschickt. Ihre Arme und Beine staken in den Ecken ihres vierschrötigen Körpers, und sie hatte ein großes, ältliches Gesicht, das sie leicht schief hielt. Sie ging mit linkischen Bewegungen der Arme und Beine. In der Schule saßen wir an einem Pult zusammen, so daß ich sie mehr als die anderen beobachten konnte. Wenn Minnie einen Bleistift aufheben wollte, vollführte sie schwierige, krampfhafte Bewegungen mit den Fingern, bis sie seiner irgendwie habhaft wurden. Manchmal war das zugespitzte Ende des Bleistifts oben, und dann machte Minnie einen oder zwei Augenblicke mit dem stumpfen Ende Kratzer auf dem Papier. Gewöhnlich beugte sich ein Baum herab und drehte den Bleistift um; aber eines Tages lagen die Bleistifte neben ihr auf dem Pult, alle an beiden Enden gespitzt, und so wurde das Leben leichter. Minnie war mir weder lieb noch unlieb. Sie war eine Erscheinung, die hingenommen werden mußte wie alles andere. Sogar ihre Stimme, die wenigen stumpfsinnigen Worte, die sie äußerte, waren einfach Minnies Art zu sprechen, mehr nicht. In dieser Gestalt war das Leben ausdauernd und unvermeidlich. Die Bilder an der Wand von Tieren und Leuten in fremdartigen Kleidern, der Knet-Ton, die Kügelchen, die Bücher, der Krug auf dem Fensterbrett, in dem der Kastanienzweig steckte mit den klebrigen Knospen – all dieses und Johnny Spragg und Philip Arnold und Minnie und Mavis, das alles gehörte unveränderlich zum Dasein.

Es kam eine Zeit, da wir merkten, daß die Bäume von einem

starken Wind geschüttelt wurden. Eine Inspektion stand bevor, und die Bäume flüsterten uns die Neuigkeit zu. Ein höherer Baum sollte kommen, um festzustellen, ob wir vergnügt und artig waren und auch was lernten. Man machte sich viel mit den Schränken zu schaffen, und besonders gute Zeichnungen wurden aufgehängt. Meine Zeichnungen waren hervorragend, was vielleicht ein Grund ist, warum mir die Begebenheit so lebhaft im Gedächtnis geblieben ist.

Eines Morgens war also beim Gebet eine fremde Dame dabei, und wir waren nun in einen einigermaßen spannungsvollen Zustand versetzt worden. Wir hatten gebetet und mit ziemlich zittriger Stimme ein Kirchenlied gesungen, und nun warteten wir auf die Marschmusik, die uns zurück in unser Klassenzimmer begleiten sollte. Aber es kam diesmal anders. Während wir zusammen in unseren Reihen standen, kam die fremde Dame herbei und beugte sich herab und fragte jeden von uns nach seinem Namen. Es war eine freundliche Dame, und sie machte Scherze, so daß die Bäume lachten. Sie kam zu Minnie. Ich konnte sehen, daß Minnie sehr rot war.

Sie beugte sich zu Minnie und fragte sie, wie sie hieße. Keine Antwort.

Einer der Bäume beugte sich ebenfalls und kam ihr zu Hilfe. »Wie heißt du? M – –?«

Die freundliche Dame riet. Auch sie war hilfreich. »Maggie? Marjorie? Millicent?«

Wir fingen an zu kichern bei der Vorstellung, daß Minnie anders heißen könne als Minnie.

»May? Mary?«

»Margaret? Mabel?«

Minnie pinkelte auf den Fußboden und die Schuhe der freundlichen Dame. Sie heulte und pinkelte dermaßen, daß die freundliche Dame beiseite sprang und die Lache sich ausbreitete. Der Rasselkasten setzte ein, wir machten Rechtsum, fingen an, im Takt zu marschieren, und dann marschierten wir hinaus in unser Klassenzimmer. Aber Minnie kam nicht mit uns. Auch die Bäume blieben eine Weile zurück. Wir waren beeindruckt und entzückt. Wir hatten unseren ersten Skandal. Minnie hatte sich gezeigt, wie sie wirklich war. Alles, was an ihr anders war und was wir als natürliche Ordnung hingenommen hatten, alles das kam nun zusammen, und wir wußten nun, daß sie nicht zu uns gehörte. Wir waren zu erhöhter Bedeutung aufgestiegen. Sie war ein Tier, tief unten, und wir waren alle droben. Später am Vormittag wurde Minnie von einem der Bäume nach Hause gebracht, wir sahen sie Hand in Hand vorbeigehen, durch die Pforte. Wir haben sie nie wiedergesehen.

2

Der General hat sein Haus an der Landstraße verlassen. Das Pförtnerhaus ist noch da, es streckt sich von der hohen Mauer, die das weite Grundstück mit seinen Büschen und Gartenanlagen umgab, über den breiten Fliesenweg des Eingangs. Das Haus ist von dem Staatlichen Gesundheitsdienst übernommen worden, und ich kann aus der Tatsache, daß ich fast unmittelbar daneben wohne, nicht viel gesellschaftliches Ansehen herleiten. Die Slums sind nicht mehr, was sie früher waren; oder am Ende gibt es gar keine Slums. Rotten Row ist ein staubiges Wohnviertel zwischen Schutthaufen. Die Leute, die dort hausten, wohnen jetzt, ähnlich zusammengedrängt, in einer ordentlichen Wohnsiedlung, die auf der anderen Seite des Tals die Höhe hinaufkriecht. Sie haben Geld, Autos, Fernsehapparate. Sie schlafen immer noch zuweilen zu viert in einem Zimmer, aber sie legen saubere Laken auf das Bett. Hier und da, wo die alten schmutzigen Hütten noch übrig gelassen sind, sowohl auf dem Lande wie in der Stadt, sind die Balken blau oder rot. Der Süßigkeiten-Laden mit seinen zwei Fenstern aus Flaschenglas ist gelb und enteneierblau. Da sind die üblichen Büros jetzt drinnen, und das träumerische Paar, das dort wohnt, wirft Topfscherben in den Schuppen. Die Stadt steht nicht auf dem Kopf, sie hat keinen Kopf mehr. Wir sind eine Amöbe, die vielleicht darauf wartet, sich zu entwickeln – und dann, vielleicht auch nicht. Selbst der Flugplatz, der auf dem anderen Hügel lag, ist jetzt still. Die drei Zoll Boden sind umgepflügt und mit Weizen bepflanzt, der manchmal einen Fuß hoch wächst und damit nach

Regierungs-Subvention strebt. Im Winter kann man sehen, wie die Ackererde durch den Regen vom Kreideboden weggeschwemmt wird, wie die Haut von einem weißen Schädel. Ist das nur meine Krankheit, oder leiden wir alle daran?

Einst war der Flugplatz ein Mekka für Kinder. Ich und Johnny Spragg pflegten die Böschung bis zum Rand zu erklimmen, die Füße seitwärts zum Abhang, während wir ihn im Zickzack erstiegen, um wieder zu Atem zu kommen. Droben war eine grasbewachsene Senke, einer jenen uralten Reste, wie sie in unregelmäßiger Folge von Küste zu Küste alle paar Meilen in den Hügeln zu finden sind. Der Drahtzaun lief am äußeren Rand entlang, und wir konnten Seite an Seite liegen inmitten der Skabiosen, der gelben Schlüsselblumen und dunkel-violetten Disteln; wir konnten all die winzigen Dinger im hohen Gras krabbeln und fliegen sehen und darauf warten, daß die Flugzeuge über uns hinwegbrausten. Johnny war darin tief erfahren. Er hatte die Fähigkeit, die vielen kleinen Jungen – aber nicht mir – eigen ist, hochtechnische Kenntnisse sozusagen durch die Poren der Haut aufzusaugen. Die zuständigen Publikationen standen ihm keineswegs zur Verfügung, aber er kannte jedes Flugzeug, das in Sicht kam. Er wußte beinahe, wie man fliegt – ich glaube, noch ehe er richtig lesen konnte. Er begriff, wie sich die Flugzeuge in der Luft halten, er hatte ein instinktives, ein liebendes Verständnis für die ausgeglichenen, unsichtbaren Kräfte, die sie in der Luft im Gleichgewicht hielten. Er war dunkel, untersetzt, lebhaft und vergnügt. Er war völlig in Anspruch genommen: wenn die Flugzeuge hoch oben waren, nicht gerade kreisend oder landend, mochte er es gern, wenn wir uns auf den Rücken legten, um ihnen zuzusehen. Ich glaube, das gab ihm irgendwie das Gefühl, hoch da droben zu sein. Jetzt, mit der Sympathie des Erwachsenen, ahne ich, daß er das Gefühl hatte, der unbeweglichen Erde den Rücken zu kehren und an den leuchtenden Abgründen, den freien Höhen von Licht und Luft teilzuhaben.

»Das ist die alte DH. In so 'ner Maschine sind sie die ganze Strecke nach – irgendwohin eben – geflogen.«

»Die verschwindet jetzt in einer Wolke.«

»Nein. Dazu ist sie zu tief. Da ist wieder die Motte.«

Johnny wußte Bescheid. Er wußte Dinge, die mich heute noch

in Erstaunen versetzen. Wir beobachteten einmal ein kleines Flugzeug, das unten im Tal eine halbe Meile über der Stadt schwebte, als Johnny losschrie.

»Paß auf, der wird gleich runterkommen!«

Ich gab einige spöttische Laute von mir, aber Johnny stieß mir die Faust in die Seite.

»Paß auf!«

Das Flugzeug kippte, die Nase nach unten, und ging im Sturzflug herunter, sich drehend, flick flick flick. Dann hörte es auf, sich zu drehen, richtete sich wieder auf, es flog ruhig über uns weg, wobei die Phasen der Motorengeräusche, den einzelnen Manövern entsprechend, eine oder zwei Sekunden später zu hören waren.

»Das ist eine Avro Avian. Die können sich nicht mehr als dreimal drehen.«

»Warum nicht?«

»Könnte sich nicht mehr fangen.«

Aber meistens sahen wir zu, wie die Maschinen aufstiegen und landeten. Wenn wir die Senke entlang gingen und am Ende des Hügels um die Ecke bogen, konnten wir sie von der Seite sehen, denn der Wind wehte gewöhnlich von der Stadt herüber in Richtung des Hügels. Für Johnny war der Anblick begeisternd, und die Gestalten, die ihnen entstiegen, waren für ihn Götter. Ich wurde ein bißchen von seiner Begeisterung angesteckt und sammelte einige Kenntnisse. Ich wußte, daß ein Flugzeug beim Landen mit beiden Rädern und dem Sporn gleichzeitig aufsetzen mußte. Das machte Spaß, denn sehr oft irrten sich die Götter und landeten mit ihrer Maschine zweimal innerhalb von fünfzig Metern. Wenn das passierte, war ich voller Aufregung, aber Johnny war bekümmert. Ich glaube, er hatte das Gefühl, daß dann jedesmal ein Flugzeug überbeansprucht oder daß eine Verstrebung der Lande-Apparatur verbogen war, und daß damit sich seine Aussichten verringerten, einmal fliegen zu lernen, wenn er alt genug war. Es gehörte zu unserem Dienst, die Maschinen zu benennen und festzustellen, wenn sie aus den Schuppen herausgeholt und fertig gemacht wurden und flogen. Soweit ich mich erinnern kann, war immer wenigstens eine von dem halben Dutzend Maschinen zur Reparatur am Boden. Ich war nicht sehr interessiert, aber ich beobachtete folgsam; denn in gewisser Weise zollte ich Johnny die Verehrung, die ich einst Evie erwiesen hatte. Er war sehr reif. Wenn nicht geflogen wurde, liefen wir bei Wind und Regen in die Hügel, wobei Johnny immer die Arme ausbreitete wie Flügel.

Eines Tages schien es kaum zu lohnen, den Abhang raufzusteigen, denn wir konnten den oberen Rand gerade noch erkennen. Aber Johnny sagte, wir müßten gehen und wir gingen. Das muß an einem Ostertag gewesen sein. Am frühen Nachmittag war das Wetter nicht so schlecht gewesen – windig, aber noch ziemlich klar –, aber jetzt fegten Regen und Nebel durch das Tal. Der Wind trieb uns den Hügel hinauf, und dann überfiel uns der Regen. Wenn wir uns einen Augenblick umdrehten, blies uns der Wind die Backen auf. Der Windsack droben flatterte, kürzer als sonst, denn das Ende war zerfetzt und weggerissen. Wir waren der Meinung, man hätte ihn runterholen sollen, aber der Windsack war nun einmal da, die Drähte sangen, der Mast wippte im Regen. Johnny kletterte durch den Drahtzaun.

Ich blieb zurück.

»Lieber nicht.«

»Komm schon!«

Wir konnten von dem Flugplatz nicht mehr als fünfzig Meter im Umkreis sehen. Ich folgte Johnny, ich lief über das zitternde Gras; denn ich wußte, was er wollte. Wir hatten uns über die Spuren gestritten, die eine Maschine beim Landen verursachte, und wir wollten nachsehen – zum mindesten Johnny wollte das. Wir hielten die Augen offen, denn dies war geheiligtes und verbotenes Gebiet, und Kinder hatten hier nichts zu suchen. Wir waren schon aus dem Draht herausgeklettert und liefen auf die Stelle zu, wo die Flugzeuge landeten, als Johnny plötzlich stehen blieb.

»Runter!«

Da stand ein Mann, im Regen noch eben vor uns sichtbar. Aber er blickte nicht in unsere Richtung. Zu seinen Füßen stand eine viereckige Kanne, in der Hand hielt er einen Stock und unter seinem Regenmantel hatte er irgendetwas zusammengewickelt.

»Wir gehen lieber zurück, Johnny.«

»Ich möcht' aber sehen.«

Der Mann rief etwas, und eine Stimme antwortete aus dem Nebel gegen den Wind. Der Flugplatz war voller Leute.

»Wollen nach Hause gehn, Johnny.«

»Wir werden um ihn herum gehn auf die andere Seite.«

Wir zogen uns vorsichtig in den Regen und Nebel zurück und liefen mit dem Winde. Aber da wartete schon ein anderer Mann neben einem Kanister. Wir lagen eng aneinander, quatschnaß, während Johnny sich in die Finger biß.

»Das ist ja 'n ganzer Haufen Leute.«

»Suchen die uns?«

»Nein.«

Wir umgingen den letzten Mann und befanden uns zwischen der Linie und dem Flugzeugschuppen. Ich hatte dieses Spiel nun satt, war hungrig, naß, und ich hatte ziemlich viel Angst. Aber Johnny wollte noch abwarten.

»Wenn wir ihnen nicht zu nahe kommen, können sie uns nicht sehen.«

Eine Glocke läutete und klang beim Hangar, eine Glocke, die mir vertraut war, wenngleich nicht in dieser Umgebung.

»Was ist denn das?«

Johnny wischte sich die Nase mit dem Handrücken.

»'ne Ambulanz.«

Der Wind war nicht mehr so stark, aber die Luft war jetzt dunkler. Die niedrigen Wolken brachten den Abend hernieder.

Johnny erstarrte.

»Horch!«

Der Mann, der eben noch zu sehen war neben seinem Kanister, hatte ebenfalls etwas gehört, denn wir konnten sehen, wie er winkte. Die DH erschien über uns, sie hing in der Luft, geisterhaft im Nebel, und ihr altmodisches Profil glitt hinweg und wurde unsichtbar. Wir hörten, wie der Motor der Ambulanz neben dem Hangar ansprang, und wie jemand rief. Der Mann hämmerte wie wild an seinem Kanister herum. Im Wind hinter ihm im Nebel flackerte ein Licht auf, und eine schwarze Rauchfahne wehte an ihm vorbei. Er hatte ein Tuchbündel an einem Stock, und das brannte plötzlich lichterloh. In der Windrichtung konnten wir ein weiteres Feuer erkennen. Es gab eine ganze Reihe von Feuern. Die DH dröhnte wieder vorüber.

Der Nebel wurde nun zusehends dichter, so daß der Mann und sein Feuer nur noch einen blassen Lichtfleck bildeten. Die DH brauste in der Runde, bald näherkommend, bald sich entfernend. Plötzlich kam sie uns in dem Nebel ganz nahe, ein dunkler Fleck, der über uns weg kroch auf den Hangar zu. Der Motor ließ ein Brummen hören, das zum Brüllen anstieg. Dann kam ein großer Lärm wie von krachendem und splitterndem Holz, und dann ein dumpfer Knall, wie wenn eine große Kanone losgeht. Die Linie der Feuer brach auseinander und fing an, im Nebel an uns vorbei zu hasten.

Johnny flüsterte mir zu, als wenn uns jemand hätte hören können, er flüsterte hinter vorgehaltenen Händen: »Wir hauen lieber ab, am Hangar vorbei und auf den Weg.«

Wir liefen weg im Windschutz des Hangars, schweigend und voller Furcht. Rauch trieb in der Dunkelheit vorbei, und die nasse Luft roch danach. Ein großes Feuer glühte und zuckte an der Windseite des Hangars. Als wir um das Ende des Flugplatzes liefen und nach der Straße stürzen wollten, erschien aus dem Nirgendwo ein Mann. Er war groß und ohne Hut und schwarz beschmiert. Er schrie: »Macht daß ihr fortkommt, ihr Bengels. Wenn ich euch nochmal hier erwische, schick ich die Polizei hinter euch her!«

Also mied Johnny für eine Weile den Flugplatz.

Auf dem anderen Hügel, wo ich jetzt wohnte, hatte der General ein Haus. Er war einer von den Planks, er jagte Großwild, und seine Frau eröffnete Wohltätigkeits-Veranstaltungen. Seine Familie besaß die Brauerei am Kanal, und man konnte nicht angeben, wo die Gaswerke begannen und wo die Brauerei aufhörte. Aber das war ein höchst interessantes Stück Kanal, schmutzig und bunt und belebt durch Röhren, die fortwährend heißes Wasser ausspien. Zuweilen legten Lastkähne am schmierigen Ufer an, und einmal gelang es uns, an Bord zu kommen und uns unter der Persenning zu verstecken. Aber auch da wurden wir hinausgejagt, und das war überhaupt das erste Mal, daß wir die Straßen zu der anderen Höhe hinaufstiegen. Wir liefen in einem fort, weil der Kahnführer ein Riese war und Kinder nicht mochte. Es war ein aufregendes Abenteuer, und aus lauter Übermut gerieten wir in ein anderes. Spät gegen Abend erreichten wir die Gartenmauer des Generals. Sobald wir wieder zu Atem kamen, tanzte Johnny triumphierend auf dem Gehsteig. Keiner konnte uns fangen. Wir waren zu schnell für sie. Nicht einmal der General konnte uns fangen.

»Du würd'st da nich reingehn!«

Johnny? Und ob!

Nun war diese Prahlerei nicht so waghalsig wie sie klang. Niemand konnte in den Garten des Generals gelangen, weil eine sehr hohe Mauer ihn umgab; und dies im Verein mit seinem Ruf als Löwenjäger hatte das Gerücht erzeugt, wilde Tiere streiften auf dem abgeschlossenen Gelände umher – ein Gerücht, dem wir schon deshalb Glauben schenkten, weil damit das Leben ein bißchen aufregender wurde.

Johnny also wollte. Und mehr noch: Da wir wußten, daß die Mauer nicht zu übersteigen war, wollte er sehen, ob man nicht irgendwo hineinkonnte. So trabten wir die Straße weiter, erregt von unserer eigenen Waghalsigkeit, und suchten nach einem Loch, das es nicht gab. Wir kamen an dem Pförtnerhaus vorbei, um die Ecke, gingen die Südostseite entlang und dann hinten herum. Überall war die Ziegelmauer undurchdringlich, die Bäume sahen über sie hinweg. Und dann blieben wir stehen und sagten gar nichts. Es gab da wirklich nichts zu sagen. Dreißig Meter der Mauer lagen am Boden, nach innen zwischen die Bäume gefallen, die Bresche war dunkel und sah aus wie eine Unterlippe. Irgendwer wußte von dieser Bresche. Um den unteren Rand zog sich eine Andeutung von Maschendraht entlang, aber nichts, was entschlossene Kletterer hätte abhalten können.

Nun war ich dran, mich aufzuregen.

»Du hast gesagt, du wolltest, Johnny – «

»Und du kommst mit.«

»Das habe ich nicht gesagt!«

Wir konnten einander unter den Bäumen kaum sehen. Ich folgte ihm, und in der Nähe der Mauer wuchsen Büsche und Schlingpflanzen dicht und allem Anschein nach unbetreten.

Ich spürte Löwengeruch. Ich sagte es Johnny, so daß wir den Atem anhielten und lauschten, wir hörten unsere Herzen schlagen, bis wir etwas anderes vernahmen. Dieses Etwas war viel schlimmer als Löwen. Als wir zurückblickten, konnten wir ihn in der Bresche sehen, den kuppelartigen Helm, die obere Hälfte seiner dunklen Uniform, während er sich bückte, um das auseinander geratene Drahtnetz zu untersuchen. Ohne ein Wort zu wechseln, trafen wir unsere Wahl, lautlos wie Kaninchen in einer Hecke schlichen wir weiter, fort von dem Polizisten und den Löwen entgegen.

Es war ein Urwald, und das Areal innerhalb der Mauer ein ganzes Land. Wir kamen in eine Gegend, wo es Furchen gab und flache Glaskästen in Reihen auf dem Boden, und da sahen wir einen Mann, der in der Tür eines Schuppens arbeitete; wir schlugen uns also wieder in die Büsche.

Ein Hund bellte.

Wir starrten einander an in dem trüben Licht.

Johnny knurrte: »Wie sollen wir hier wieder rauskommen, Sam?«

Einen Augenblick oder zwei beschuldigten wir uns gegenseitig und weinten alle beide. Polypen, Männer, Hunde – wir waren umzingelt.

Vor uns erstreckte sich ein weiter Rasenplatz; auf der einen Seite drüben sah man die Hinterfront des Hauses. Einige Fenster waren erleuchtet. Unter den Fenstern befand sich eine Terrasse, denn als wir dorthin spähten, sahen wir eine dunkle Gestalt in feierlicher Haltung an den Fenstern vorbeischreiten, die ein Tablett trug. Irgendwie war diese Würde noch schreckenerregender als der Gedanke an die Löwen.

»Wie sollen wir hier rauskommen? Ich möchte nach Hause!«

»Sei still, Sam, und komm mit!«

Wir krochen weg, am Rande des Rasens entlang. Durch die hohen Fenster fielen lange Streifen von Licht, und jedesmal, wenn wir zu so einem Streifen kamen, mußten wir uns wieder in das Buschwerk ducken. Allmählich beruhigten wir uns. Weder die Löwen noch der Polizist hatten uns aufgespürt. Wir fanden eine dunkle Ecke bei einer weißen Statue und lagen still.

Langsam erstarb jeder menschliche Laut, und damit erloschen auch unsere Ängste, so daß wir nicht mehr an die Löwen dachten. Die hohe Zinne des Hauses begann zu leuchten, ein voller Mond hob sich langsam über den Hügel, und gleich darauf waren die Gartenanlagen verwandelt. Von einem Teich in der Nähe des Hauses blinkte es silbern; Zypressen, hoch und gewaltig still, wandten dem Mondlicht eine silberne Seite zu. Ich sah nach Johnny, und sein Gesicht war deutlich und mild. Nichts konnte uns, nichts würde uns etwas antun. Wir standen auf und begannen umher zu wandern, ohne etwas zu sagen. Manchmal reichte uns die Dunkelheit bis an die Hüften, und dann wieder versanken wir vollständig und traten ins volle Licht. Statuen sannen, abgehoben von den schwarzen Tiefen des Immergrüns, und in den Ecken des Gartens erschienen die hellen Farbwischer blühender Bäume, die in diesem Monat sonst nirgends mehr blühten. Da war ein Weg mit einem Steingeländer zur Rechten, auf ihm waren gemeißelte Krüge zu sehen mit einem Kranz von steinernen Blumen. Das war besser als der Park, denn es war verboten und gefährlich; besser als der Park von wegen dem Mond und der Stille; besser als das verzauberte Haus, die erleuchteten Fenster und die Gestalt, die dort vorbeischritt. Es war so etwas wie eine Heimat.

Aus dem Haus drang ein Ausbruch schallenden Gelächters, und der Hund heulte auf.

Ich sprach wieder mechanisch: »Ich möcht' nach Hause. «

Was war das Geheimnis der seltsamen Friedlichkeit und Sicherheit, die wir empfanden? Jetzt kann ich uns, wenn ich's mir ausdenke, von außen sehen, zwei sternäugige zerlumpte Bürschchen, ich habe nichts an als Hemd und Hosen, Johnny nicht viel mehr, und wir wandern zusammen durch die Gartenanlagen des großen Hauses. Aber ich sah uns gar nicht von der Außenseite. Für mich, von damals her, bleiben wir die beiden Blickpunkte, die im Paradiese umherschlendern. Ich kann nur ahnen, nicht mehr erleben, wie unschuldig wir waren. Wenn ich gegenüber den beiden Lausejungen ein freundliches Wohlwollen verspüre, so gegen zwei unbekannte Wesen. Wir gingen langsam auf die Bäume zu, wo die Mauer eingestürzt war. Ich glaube, wir vertrauten sozusagen darauf, daß der Polizist weggegangen sei und nichts uns aufhalten würde. Einmal kamen wir auf einen breiten Weg und stellten zu spät fest, daß er aus frischen, noch nicht gehärtetem Zement bestand, auf dem wir ausglitten; aber sonst haben wir nichts in dem ganzen Garten beschädigt – wir nahmen nichts, fast kann man sagen: wir rührten nichts an. Wir waren nur Augen.

Ehe wir uns wieder im Unterholz verbargen, wandte ich mich noch einmal um und warf einen Blick zurück. Ich besinne mich auf folgendes: wir standen in dem oberen Teil des Gartens, sahen zurück und hinunter. Der Mond stand in voller Blüte. Er hatte eine Art Heiligenschein um sich aus leuchtendem Saphir. Der ganze Garten war schwarz und weiß. Zwischen mir und dem Rasen stand ein einzelner Baum, der stillste Baum, der je heranwuchs, ein Baum, der nur wuchs, wenn niemand zusah. Der Stamm war rissig, und jeder Ast breitete sich gleichmäßig in bestimmter Fläche aus, und dort schwammen die schwarzen Nadeln darauf wie eine Schicht Öl auf Wasser. Schicht nach Schicht, horizontal, so lagen diese Nadeln auf den sich ausbreitenden Ästen, und dahinter schimmerte in der Tiefe etwas wie zerknittertes Silberpapier, eine elfenbeinerne Stille. Später hätte ich den Baum einfach als Zeder bezeichnet und wäre vorbeigegangen, aber damals, da war er eine Offenbarung.

»Sammy! Er ist weg.«

Johnny hatte den Maschendraht losgemacht und seinen heldenhaften Kopf hinausgesteckt. Die Straße war menschenleer. Wir wurden wieder kleine Wilde. Wir schlüpften durch und sprangen hinunter auf den Gehsteig. Wir überließen die Mauer ihrem Wiederaufbau und den Baum im Garten seinem Wachstum, das wir nicht zu sehen bekamen.

Jetzt verstehe ich, wonach ich suche, und warum diese Bilder nicht ganz zufällig sind. Ich beschreibe sie, weil sie doch wichtig zu sein scheinen. Sie trugen zu dem eigentlichen Verlauf meiner Geschichte sehr wenig bei. Wenn wir erwischt – und später bin ich in der Tat erwischt worden – und sozusagen bei den Ohren vor den General gebracht worden wären, dann hätte er vielleicht etwas unternommen, was mein oder Johnnys ganzen Leben umgestaltet hätte. Aber in dieser Weise sind das keine bedeutenden Ereignisse. Sie sind deshalb bedeutend, einfach weil sie sich dem Gedächtnis melden. Ich bin ihre Summe, ich trage diese Bürde von Erinnerungen mit mir herum. Der Mensch ist nicht ein Geschöpf des Augenblicks, er ist nicht bloß ein Körper im physischen Sinne mit momentanen Reaktionen. Er ist ein unglaubliches Bündel verschiedener Erinnerungen und Gefühle, fossilen und korallenhaften Wachstums. Ich bin nicht ein Mann, der als Junge einen Baum betrachtete. Ich bin ein Mann, der sich daran erinnert, wie er ein Junge war, der einen Baum betrachtete. Es geht um den Unterschied zwischen Zeit, die eine endlose Reihe toter Ziegel ist, und der Zeit, die wieder aufgenommen und aufgespult wird. Und da ist noch etwas, was sogar noch einfacher ist. Ich kann das Kind im Garten, auf dem Flugplatz, das Kind in der Rotten Row, den zähen kleinen Jungen in der Schule liebhaben, weil er nicht Ich ist. Er ist eine andere Person. Hätte er gemordet, würde ich keine Schuld, nicht einmal eine Verantwortung empfinden. Aber wonach suche ich denn? Ich suche den Beginn der Verantwortlichkeit, den Beginn des Dunkels, den Punkt meines Beginns.

Philip Arnold war die dritte Seite unseres Männer-Dreiecks. Wie soll ich Philip beschreiben? Wir waren nicht mehr in der Klein-Kinder-Schule. Wir waren Knaben in einer Knaben-Schule, einer Grundschule, Wind und Asphalt. Ich war zäh, kräftig, hart, voller Interesse. Zwischen den Bildern von Sammy Mountjoy mit Evie und Sam Montjoy mit Johnny und Philip besteht eine Kluft. Der eine war ein Baby und der andere ein Junge; aber die Stufen zwischen den beiden sind verschwunden. Es sind zwei verschiedene Wesen. Philip kam von draußen, von den Villen. Er war blaß, körperlich ein Feigling sondergleichen, und uns kam es so vor, als hätte er eine Gesinnung wie eine Schachtel voll feuchter Streichhölzer. Und doch haben weder der General, noch der Gott auf dem Flugplatz, noch Johnny Spragg, noch Evie und nicht einmal Mama mein Leben so geändert, wie Philip es änderte.
Wir hielten ihn für einen Hasenfuß; vor Gewalt erstarrte er. Das machte ihn zu einer natürlichen Zielscheibe, denn wenn es einen gelüstete, jemandem weh zu tun, war Philip immer das passende Objekt. Für einen gelegentlichen Fußtritt oder für den Schwitzkasten war er gut zu gebrauchen, aber eine ausführliche Prozedur erforderte sorgfältige Vorbereitung, und Philip fand eine einfache Methode, dem zu entgehen. Erstens konnte er sehr schnell laufen, und wenn er Angst hatte, konnte er schneller laufen als alle anderen. Manchmal natürlich kreisten wir ihn ein, und er entwickelte eine Technik, auch damit fertig zu werden. Dann duckte er sich, ohne selbst zu schlagen. Vielleicht war es mehr Instinkt als bewußte Erfindung, aber es war sehr wirksam. Wenn man keinen Widerstand findet, wird man nicht gerade plötzlich einig mit seinem Opfer – aber es lang-

weilt einen nach einiger Zeit. Philip kauerte sich zusammen wie ein Kaninchen unter einem Habicht. Wenn er dann nichts sagte, sondern unter den Schlägen, die ihn trafen, nur zuckte, verlor das Spiel seine Würze. Das hurtig rennende Opfer war zu einem Sack geworden, langweilig und uninteressant. Unbewußt verhielt sich Philip wie ein politischer Philosoph und erreichte das gewünschte Ergebnis: er hielt die andere Wange hin, und wir schlenderten weg, um eine Unterhaltung zu suchen, die mehr Genuß versprach.

Es ist mir darum zu tun, daß Sie sich keine zu einfache, zu sympathische Vorstellung von Philip machen. Vielleicht könnte man denken, er sei wie einer der Helden in den Romanen, die reihenweise in den zwanziger Jahren erschienen. Diese Helden waren schlechte Sportsleute, unfroh und mißverstanden in der Schule – mit einem Wort: tragisch, bis sie das Alter von achtzehn oder neunzehn Jahren erreichten und einen Aufsehen erregenden Band Gedichte veröffentlichten oder sich auf Innendekoration warfen. Keineswegs. Wir waren die Raufbolde, aber Philip war nicht einfach ein Held. Er liebte das Prügeln, wenn es ein anderer war, der die Schläge bezog. Wenn Johnny und ich uns prügelten, kam Philip herbeigelaufen und tanzte um uns herum und klatschte in die Hände. Wenn es auf dem Spielplatz zu einem Knäuel um den Ball kam, umkreiste unser blasser, furchtsamer Philip das Gedränge und versetzte kichernd Fußtritte an den schwächsten Stellen, die ihm erreichbar waren. Er liebte es, Schmerz zuzufügen, und Unglücksfälle berauschten ihn geradezu. Es gab da eine gefährliche Ecke, die auf die Landstraße führte, und bei Glatteis verbrachte Philip dort seine ganze freie Zeit auf dem Gehsteig, in der Hoffnung auf einen Zusammenstoß. Wenn man zwei oder drei junge Männer an einer Straßenecke sieht oder an einer ländlichen Straßenkreuzung, dann wartet immer mindestens einer von ihnen auf eine Katastrophe. Wir sind eben eine sportliche Nation.

Philip war – ist – kein Typus. Er ist eine sehr merkwürdige und komplizierte Persönlichkeit. Wir hielten ihn für einen Hasenfuß und hatten nur Verachtung für ihn übrig, aber er war bei weitem gefährlicher als irgend einer von uns. Ich war ein Fürst, und Johnny war ein Fürst, Anführer rivalisierender Banden, und immer war der Ausgang einer Schlacht, die wir einander lieferten, zweifelhaft. Traurig und amüsiert denke ich an diese beiden barbarischen Häuptlinge, die so unschuldig und einfältig waren und Philip als einen Hasenfuß verachteten. Philip war ein lebendes Beispiel natürlicher Zuchtwahl. Er war so begabt, in dieser modernen Welt am Leben zu bleiben, wie ein Bandwurm im Darm. Ich war ein Fürst, und Johnny war auch einer. Philip ging mit sich selbst zu Rate und schloß sich mir an. Ich dachte, er sei mein Gefolgsmann geworden; in Wirklichkeit wurde er mein Macchiavell. Mit unendlicher Umsicht und einer geradezu krankhaften Witterung für die eigene Sicherheit wurde Philip mein Schatten. Da er ständig bei mir war, dem zähesten der Bande, genoß er Schutz. Er war immer in meiner Nähe, und so konnte ich nicht hinter ihm her rennen und meine Jagdinstinkte loswerden. Ängstlich, grausam, der Gesellschaft bedürftig und doch sie fürchtend, schwach in den Muskeln, aber schnellfüßig in der Angst, gerissen, kompliziert, durchaus kein Kind – er war meine Last, mein Affe, mein Schmeichler. Vielleicht war er für mich etwas von dem, was ich für Evie gewesen war. Er hörte mir zu und tat so, als ob er mir glaubte. Ich besaß nicht eine so blühende Phantasie wie Evie; meine Geschichten waren Exzesse des Lebens, nicht ein Ersatz. Geheimgesellschaften, Forschungsreisen, Detektivgeschichten, Sexton Blake – ›mit einem Aufbrüllen sprang das riesige Auto vorwärts‹ – er gab vor, alles zu glauben, und verstrickte mich immer enger. Die Fäuste und der Ruhm waren mein; aber ich war sein Narr, sein bildsamer Ton. Er mochte ein schlechter Boxer sein, aber er wußte etwas, was wir übrigen alle nicht wußten. Er wußte Bescheid mit den Menschen.

Da war die Sache mit den Zigarettenbildern. Wir alle sammelten sie, das war selbstverständlich. Ich hatte keinen Papa, der sie mir geben konnte, und Mama rauchte irgend eine furchtbar billige Sorte, die sich von jeher mehr auf die Armut ihrer Kunden als auf Reklame verließ. Niemand, der sich etwas Besseres leisten konnte, hätte sich herbeigelassen, sie zu rauchen. Das ist das einzige Minderwertigkeits-Gefühl, das ich direkt bis zur Zeit der Row zurück verfolgen kann, aber es war genau begrenzt: nicht, daß ich keinen Papa hatte, war das Übel, sondern einfach, daß ich keine Zigarettenbilder besaß. Ich hätte dasselbe Gefühl gehabt, wenn meine Eltern Nichtraucher gewesen wären. Es blieb mir nichts anderes übrig, als Männer auf der Straße anzubetteln.

»Ha'm Se 'n Zigarettenbild, Mister?«

Ich mochte Zigarettenbilder gern, und aus diesem oder jenem Grunde mochte ich besonders gern eine Serie mit den ägyptischen Königen. Die strengen und stolzen Gesichter: so, dachte ich, sollten die Leute sein. Oder bilde ich mir das nachträglich ein, aus dem Blickpunkt der Erwachsenen? Jedenfalls kann ich bestimmt sagen, daß ich die Könige von Ägypten gern mochte, sie befriedigten mich. Mehr zu sagen, wäre sicher die Interpretation eines Erwachsenen. Aber diese Zigarettenbilder waren für mich sehr kostspielig. Ich bettelte um sie, ich handelte, ich prügelte mich um sie – und verband so das Geschäft mit dem Vergnügen. Aber bald wollte keiner, der nur ein bißchen Verstand besaß, sich mit mir um Zigarettenbilder prügeln, weil ich immer gewann.

Philip bedauerte mich, hielt mir meine Armut vor; er wies darauf hin, was für eine Qual mir die Wahl bereitete: gar keine ägyptischen Könige zu haben, oder diejenigen, die ich hatte, für andere Bilder einzutauschen und damit die ersteren auch noch zu verlieren. Ich stauchte Philip zusammen, wie immer, wegen seiner Unverschämtheit, aber ich wußte, daß er recht hatte. Die ägyptischen Könige waren unerreichbar für mich.

Nun tat Philip den zweiten Schritt. Einige der kleineren Jungens hatten Zigarettenbilder, mit denen sie sowieso nichts anfangen konnten. Was für eine Schande, mitanzusehen, wie sie ägyptische Könige zusammenknautschten, die sie gar nicht zu würdigen wußten!

Ich erinnere mich, daß Philip innehielt, und daß ich plötzlich in der Stille etwas Heimliches empfand. Die weiteren Schritte schnitt ich ihm ohne weiteres ab.

»Wie soll'n wir da rankommen?«

Philip ging mit mir. Ich hatte sofort die Schlußfolgerung gezogen, und er paßte sich meinem Vorhaben ohne weiteren Kommentar an. In solchen Dingen war er geschmeidig. Wir mußten nur – er sagte »wir«, darauf besinne ich mich deutlich – wir mußten ihnen nur an irgend einer stillen Stelle auflauern. Dann mußten wir ihnen die kostbaren Bilder abnehmen, die für sie keinen Wert hatten. Wir brauchten einen stillen Platz. Die Toilette vor dem Schulunterricht oder nach ihm – nicht in der Zwischenzeit, erklärte er. Dann würde dort Gedränge herrschen. Er selbst wollte sich in die Mitte des Spielplatzes stellen und mir ein Warnungszeichen geben, wenn ein Lehrer oder eine Lehrerin im Dienst zu nahe kam. Was den Schatz betraf, denn nun waren die Bilder zum Schatz geworden und wir zu Räubern, so sollte er geteilt werden. Ich konnte alle ägyptischen Könige behalten, und er wollte das Übrige nehmen.

Das Unternehmen brachte mir einen ägyptischen König ein und Philip ungefähr zwanzig sortierte Bilder. Ich betätigte mich nicht lange und eigentlich ohne Erfolg. Ich wartete in dem Schuppen, in dem es roch, und besah mir gelangweilt die Wandkritzeleien unserer gebildeteren Mitglieder, Kritzeleien, die dadurch besonders auffällig gemacht wurden, daß man sie sorgfältig entfernte. In der nach Kreosot riechenden Stille wartete ich, während die Sprühröhren sich automatisch füllten und leerten – sich Tag und Nacht füllten und leerten, ob jemand die Anlage benutzte oder nicht. Wenn ein kleines Opfer erschien, hatte ich nichts dagegen, ihm den Arm zu verdrehen, aber ich nahm ihm ungern seine Zigarettenbilder ab. Und Philip hatte sich verrechnet, obgleich ich sicher bin, daß er aus der Lehre noch einen Nutzen zog. Die Situation war gar nicht so einfach, wie wir uns vorgestellt hatten. Einige der älteren Jungens hatten es irgendwie erfahren und wollten ihren Anteil an der Beute haben, was mich in noch mehr Schlägereien verwickelte, die mir nichts einbrachten, und einige erhoben überhaupt Protest gegen die ganze Geschichte. Dann nahm die Menge der kleinen Buben ab, und schon nach ein oder zwei Tagen mußte ich dem Direktor Rede und Antwort stehen. Ein kleiner Junge war gefunden worden, wie er hinter einem Ziegelpfeiler am Holzschuppen seine Notdurft verrichtete; ein anderer hatte sich in der Klasse hübsch naß gemacht, war in Tränen ausgebrochen und hatte schluchzend gestanden, er hätte Angst gehabt, auszutreten wegen dem großen Jungen. Bald stand eine Reihe kleinerer Jungens vor dem Zimmer des Direktors: sie alle warteten darauf, Zeugnis abzulegen. Alle Finger deuteten einhellig auf Sammy Mountjoy.

Es war eine humane und aufgeklärte Schule. Wozu einen Jungen bestrafen, wenn man sein Schuldbewußtsein wecken kann? Der Direktor erklärte mir sorgfältig, wie grausam und unehrenhaft meine Handlungsweise sei. Er fragte mich nicht, ob ich es getan hatte oder nicht, er gab mir gar nicht erst Gelegenheit zu lügen. Er brachte meine Leidenschaft für die ägyptischen Könige mit der Versuchung, die mich überwältigt hatte, in Verbindung. Von Philip wußte er nichts und erfuhr auch nichts.

»Also, du magst Bilder wirklich gern, Sammy? Deshalb also? Nur, du mußt sie dir nicht auf diese Weise verschaffen. Zeichne sie doch selbst. Gib lieber so viel zurück, wie du kannst. Und – hier: die kannst du haben.«

Er schenkte mir drei ägyptische Könige. Ich glaube, er hat große Schwierigkeiten wegen dieser Zigarettenbilder gehabt. Er war ein freundlicher, bedachtsamer und gewissenhafter Mann, der seine Kinder auch nicht im entferntesten verstand. Er ließ den Stock in der Ecke stehen und überließ es mir, meine Schuld auf den Buckel zu nehmen.

Ist das der Punkt, nach dem ich suche?

Nein.

Das ist er nicht.

Aber das war nicht das Schwierigste, was Philip für mich fertigbrachte. Das nächste, was er tat, war ein Meisterstück der Leidenschaft. Für seine Lehrlingshand, nehme ich an, war es eine plumpere Äußerung, ein Flickwerk. Es enthüllt mir Philip als Person eines dreidimensionalen Films, nicht aber als einen flachen Film, als etwas, das wie ein Stück Eis auf der Oberfläche des Wassers auf große Tiefen schließen läßt. Er hatte immer viel mit einem Eisberg gemeinsam. Er ist immer noch blaß, immer noch in sich verschlossen und verschlagen, immer noch gefährlich für die Schiffahrt. Eine Zeitlang nach der Geschichte mit den Zigarettenbildern ging er mir aus dem Wege. Was mich anging, so raufte ich mehr denn je, und ich halte es für nicht eben klug, wenn die Erwachsenen behaupteten, ich hätte nun mit noch wütenderer Begier gerauft, um anderen zu schaden und wehezutun. In dieser Zeit hatte ich meine größte Stunde mit Johnny. Aus irgend einer dunklen und unbeherrschten Wut gegen etwas Undefinierbares nahm ich mir das einzige zum Ziel, von dem ich wußte, daß es einem Boxhieb nicht auswich – Johnnys Gesicht. Aber als ich seine Nase traf, stolperte er und schlug sich an der Ecke des Schulgebäudes den Kopf auf. Seine Mama kam und besuchte den Direktor – Johnny war sehr darauf bedacht, mich wissen zu lassen, daß er sie gebeten hatte, es nicht zu tun – und ich geriet wieder in Schwierigkeiten. Ich kann jetzt noch die Gefühle des Trotzes und der Isolierung nachempfinden: einer gegen alle. Zum ersten, freilich nicht zum letzten Mal ging man mir aus dem Wege. Der Direktor meinte, eine zeitweilige Isolierung würde mir den Wert sozialer Kontakte beibringen und mich davon überzeugen, daß es besser sei, die Leute nicht mehr als Punching-Ball zu benutzen.

In dieser Zeit schlich sich Philip wieder an mich heran. Er versicherte mich seiner Freundschaft, und wir wurden schnell vertraut miteinander, weil er der einzige Freund war, den ich hatte. Johnny hatte immer einen großen Respekt vor Autorität. Wenn der Direktor Schweigen gebot, dann war Johnny auf den Mund geschlagen. Johnny war unternehmungslustig, aber er wagte nichts gegen eine Autorität, die er respektierte. Philip hatte keinen Respekt vor Autorität, aber er war vorsichtig. So schlich er sich rasch wieder herbei. Vielleicht mag er sich damit unter den Lehrern sogar ein bißchen den Ruf eines treuen Freundes verschafft haben. Wer weiß? Jedenfalls war ich dankbar.

Wenn ich die Beziehung, die zwischen uns in diesen paar Wochen bestand, abwäge und beurteile, dann bin ich von Staunen überwältigt. Ist es denn wirklich möglich? War er denn so früh schon so gerissen? War er selbst so feige, so gefährlich, so vorbedacht?

Als er meiner sicher war, brachte Philip das Gespräch auf Religion. Dies war für mich Neuland. Hätte ich jetzt die Taufe empfangen, so wäre das eine Taufe mit Vorbehalt gewesen. Ich schlüpfte durch das Netz. Aber Philip gehörte zur Hochkirche; und seine Eltern waren streng und fromm, eine Seltenheit in jenen Tagen. Ich erforschte die Einzelheiten dieser unglaublichen Situation, soweit sie mir berichtet wurden, verstand aber sehr wenig davon. In der Schule wurde gebetet und gesungen, aber im Gedächtnis ist mir lediglich der Marsch haften geblieben, bei dessen Klängen wir zurück in unsere Klassenzimmer gingen, und der Vorfall, bei dem Minnie uns den Unterschied zwischen einem menschlichen Wesen und einem Tier demonstrierte. Ein- oder zweimal wurden wir von einem Pfarrer visitiert, aber es geschah nichts. Gewiß, ich mochte ganz gern, was wir von der Bibel zu hören bekamen. Ich war mit allem einverstanden, wenn es sich in den Grenzen einer Unterrichtsstunde hielt. Ich wäre jeder Konfession anheimgefallen, die sich von ihrer besten Seite gezeigt hätte.

Aber Philip, obwohl noch im kindlichen Alter, hatte begonnen, seine Eltern objektiv zu beobachten und war zu gewissen Schlußfolgerungen gelangt. Er mochte den Sprung noch nicht wagen, zögerte noch, da er nahe daran war, die Sache für eine Verrücktheit zu halten. Aber doch nicht ganz. Es lag an dem Hilfsgeistlichen. In irgend eine Klasse mußte Philip gehen – waren das Klassen im Konfirmationsalter oder war er nicht viel zu jung? Der Pfarrer hatte mit dieser Klasse nichts zu tun. Er war ein seltsamer, einsamer alter Mann. Es hieß, er arbeite an einem Buch, und er wohnte in dem geräumigen Pfarrhaus mit einer Haushälterin, die fast eben so alt war wie er.

In welcher Weise hatte Religion uns bisher berührt? Ich war neutral, und Philip quälte sich. Vielleicht hatte Johnny Spragg das beste Teil erwählt, indem er sich unbekümmert und ohne erst viel nachzudenken mit der Sache abfand. Er wußte, woran er war, wenn Miß Massey dafür sorgte, daß wir wußten, was wir wissen sollten. Und man wußte in der Tat, woran man mit ihr war – sie jagte einen in Schrecken und schlug zu wie der Blitz, wenn man nicht genau aufpaßte. Sie war gerecht, aber grimmig, eine magere, grauhaarige Frau, die schlechthin alles merkte. Eines Tages, an einem schönen Nachmittag – draußen vor dem Fenster sah man weiße Haufenwolken und blauen Himmel – hatten wir bei ihr Unterricht. Wir behielten Miß Massey im Auge, weil keiner etwas anderes zu tun wagte – wir alle außer Johnny. Er war wieder einmal seiner Hauptleidenschaft verfallen: zwischen den Wolken war ein Flugzeug aufgetaucht, es stieg, es vollführte Loopings, es kurvte und kreiste über den hohen Tälern Kents. Johnny machte das alles droben mit. Er flog. Ich wußte, was kommen würde, und unternahm vorsichtige Versuche, ihn zu warnen; aber der Wind pfiff in den Drähten, und der Motor dröhnte weich, und so war mein Flüstern verloren. Wir wußten, daß Miß Massey etwas gemerkt hatte, denn es lag eine erhöhte Spannung in der Luft. Sie fuhr fort zu sprechen, als wenn nichts Besonderes geschehen wäre. Johnny kurvte.

Sie beendete ihre Geschichte.

»Nun, wißt ihr, warum ich euch diese drei kleinen Geschichten erzählt habe? Was sagen sie uns, Kinder? Könntest du's uns sagen, Philip Arnold?«

»Ja, Miß.«

»Jenny?«

»Ja, Miß.«

»Sammy Mountjoy? Susan? Margaret? Ronald Wakes?«

»Miß. Miß. Miß. Miß.«

Johnny aber setzte gerade zu einem Looping an. Er saß fest, er sammelte unter dem Sitz die Energie, die ihn in seinen Himmel schwingen sollte. Er trug einen Helm, er war festgeschnallt, den Fuß leicht am Seitensteuer, die Hand am Steuerknüppel, im Bratfischduft des Motorenöls und im scharfen Wind. Er zog den Steuerknüppel langsam zurück, eine Riesenhand warf ihn hoch und rollte den oberen Teil des Bogens durch, während die Erde, dunkel und unerheblich, so leicht wie ein Schatten nach der Seite taumelte.

»Johnny Spragg!«

Johnny machte eine Bruchlandung.

»Komm her!«

Er kam polternd aus seinem Pult hervor, um die Kosten zu entrichten. Das Fliegen war immer kostspielig – zwei Pfund die Stunde zu zweit und dreißig Schilling solo.

»Warum hab ich euch diese drei Geschichten erzählt?«

Johnny hielt die Hände auf dem Rücken, das Kinn auf der Brust.

»Sieh mich an, wenn ich mit dir spreche.«

Das Kinn hob sich, wenn auch nur ganz wenig.

»Warum hab ich euch diese drei Geschichten erzählt?«

Wir konnten knapp hören, wie er die Antwort murmelte. Das kleine Flugzeug war weggeflogen.

»Weißnichtmiß.«

Miß Massey gab ihm rechts und links Ohrfeigen, genau mit jeder Hand, mit jedem Wort einen Schlag.

»Gott – «

Klatsch!
» – ist – «
Klatsch!
» – Liebe!«
Klatsch!
Klatsch! Klatsch! Klatsch!
Ja, man wußte, woran man war mit Miß Massey.

So war die Religion, wenn auch auf ungeordnete Weise, in unsere verschiedenen Lebensläufe eingetreten. Ich glaube, Johnny und ich fanden uns damit ab als mit dem unvermeidlichen Teil einer rätselhaften Situation, die sich unserer Kontrolle völlig entzog. Aber wir hatten es eben nicht mit Philips Hilfsgeistlichem zu tun gehabt.

Er war ein bleicher, gespannter Mensch, aufrichtig und fromm. Der Pfarrer hatte sich vor einer Menge von Ängsten und Enttäuschungen in eine eremitenhafte Wunderlichkeit zurückgezogen; und immer mehr und mehr Dinge der kirchlichen Arbeit fielen dem Pastor Anselm anheim. Er beherrschte seine Bürschchen und jagte ihnen Angst ein. Er paßte seine Predigt ihrem Niveau an. Er gewann Philip. Er schlüpfte hinter dessen Wachsamkeit, drohte mit seiner Menschenkenntnis, er machte von seiner Selbstsucht Gebrauch. Er schleppte sie vor den Hochaltar und brachte sie zum Knien. Bei ihm gab es keine romantischen Empfindungen, keine wallisischen Gefühlsduseleien. Er nannte die Dinge beim Namen. Er zeigte ihnen den Kelch. Er sprach von der *Queen Mary* oder sonst einem großen Werk, das gerade im Bau war. Er sprach über Wohlhabenheit. Er hielt ihnen den Silberbecher hin: habt ihr einen Groschen, Kinder, einen Silbergroschen?

Er neigte ihnen den Becher entgegen. Seht her, Kinder: das halten die ägyptischen Könige davon. Der Becher ist mit purem Golde eingefaßt.

Philip war erschüttert bis hinab in die Fußsohlen. Es war also schließlich doch etwas dran. Was auch dahinter stecken mochte: sie behandelten es mit ebenso tätiger Verehrung, wie sie alles andere behandelten. Sie verwendeten Gold darauf. In seinem schlauen, windungsreichen Verstand tauchte die Religion auf aus Betrug und Kleinkindermärchen und wurde zu einer furchtbaren Macht. Der Hilfsprediger ließ ihn nicht los; nachdem er ihn mit dem Becher niedergeschlagen hatte, machte er ihn mit dem Altar vollends fertig.

Ihr könnt sie nicht sehen, liebe Kinder, aber dort wohnt die Allmacht, die das Universum geschaffen hat und euch erhält. Es ist eine Gnade, daß ihr sie nicht sehen könnt, wie Moses sie nicht sehen konnte, obgleich er darum bat. Wenn die Schleier vor euren Augen gehoben würden, ihr würdet verbrannt und vernichtet werden. Lasset uns beten, demütig kniend auf unseren Knien.

Ihr mögt jetzt gehen, liebe Kinder. Denkt weiterhin an jene Macht, die uns erhebt, die uns tröstet, uns liebt und straft, die sich immerwährend um uns kümmert, ein Auge, das nimmermüde über uns wacht.

Philip ging weg auf wunden Füßen. Er konnte mir nicht sagen, was los war, aber jetzt weiß ich es. Wenn das, was sie sagten, Wahrheit war und nicht bloß eine andere Art elterlichen Geschwafels, was sollte dann aus Philip werden? Wie stand es dann mit den Anschlägen, mit der Diplomatie? Wie stand es dann mit der sorgfältig zu überlegenden Behandlung anderer Leute? Angenommen, es gab wirklich eine andere Wertskala, in der die Mittel nicht durch die Zwecke gerechtfertigt wurden? Philip konnte das nicht in Worten ausdrücken. Aber er konnte deutlich machen, wie dringend, wie verzweifelt er zu wissen begehrte. Für mich ist Gold niemals ein Metall gewesen, sondern lediglich ein Symbol. Mit Freuden nahm ich es aus der Schule mit: Myrrhen und schönes Gold, ein goldenes Kalb – wie schade, daß sie es zu Pulver zermahlen mußten! – das Goldene Vlies, goldener Hahnenfuß, Goldhaar, o feines Haar, Goldapfel, o Goldapfel, all das strahlte funkelnd vor meinen inneren Augen, und in Philips Becher sah ich wiederum nichts als ein Stück Mythus und Legende. Aber alle mieden mich, niemand sprach mit mir. Das war der Grund, warum Philip sich wieder zu mir gesellt hatte. Mit einer schrecklichen Scharfsichtigkeit hatte er meine Verlassenheit und meinen Groll, meine Prahlerei durchschaut. Schon damals wußte er für eine Sache den richtigen Menschen und den richtigen Augenblick zu finden.

Denn wie konnte man die Wahrheit dessen, was Pastor Anselm sagte, nachprüfen? Die einzige Methode war bestimmt diejenige, die man an einem unbeleuchteten Hause anwandte. Ich mußte die Klingel drücken und weglaufen. Philip wollte sich da aufstellen, wo er beobachten konnte, was passieren würde, um daraus den Schluß zu ziehen, ob jemand zu Hause war oder nicht. Ich mußte zuerst zu dieser Unternehmung ermuntert werden. Unter Ausnutzung meiner Verlassenheit und der Auswüchse meines Charakters manövrierte er mich in diese Sache hinein. Er erweckte zunächst meine Dankbarkeit. Hier gingen wir also zusammen am Kanal entlang. Er hatte zu mir in den Pausen gesprochen, wenn der diensthabende Lehrer gerade nicht hersah. Er war mein einziger wirklicher Freund. Nicht, daß mir an den anderen etwas lag, wie? Nein! Ich machte mir aus keinem etwas und würde dem Direktor das Fenster einschmeißen, bloß so, bloß um's ihm zu zeigen.

»Wetten, daß nicht?«

»Klar würd' ich.«

»Würd'st du nicht.«

»Ich würde einem Polizisten 's Fenster einschmeißen, verstanden!«

Philip führte das Thema ›Kirche‹ in die Unterhaltung ein. Es war Herbst, und es fing an zu dämmern. Es war die rechte Stunde für eine verzweifelt kühne Tat.

Nein, das Fenster nicht, sagte Philip, aber er wettete und wettete. So gingen wir weiter, abwechselnd waghalsig und prahlend, bis er mich hatte, wo er mich haben wollte. Ehe das Tageslicht vergangen und die Dämmerung zur Dunkelheit geworden war – ich könnte jeden Jungen in der Schule verhauen, aber das nicht, ich tu's nicht, ich wag's nicht – ehrlich gesagt, Sammy, tu's lieber nicht! und er kicherte, bleich vor Entsetzen und in die Hände klatschend in Erwartung von etwas Schlimmmem –

»Also gut, ich werde – verstehst du? Ich werde drauf pinkeln.«

Kichern, Klatschen, Zittern, Herzklopfen.

Und so, immer toller prahlend auf den herbstlichen Straßen, fand ich mich zuletzt bereit, den Hochaltar zu besudeln. O ihr Straßen, mit eurem kalten Geruch nach Kupfer und metallenem Geräusch, mit den dunklen Umrissen des Speichers und der Gaswerke, gepriesen sei eure Herrlichkeit unter dem ewigen Himmel. Gepriesen der größte von allen Speichern, halb versteckt abseits vom schimmernden Kanal zwischen Bäumen und Gebeinen.

Philip ging voran, tänzelnd und klatschend, und ich folgte, verstrickt wie ich war. Mir war nicht besonders kalt, aber meine Zähne hatten eine Neigung zu klappern, wenn ich sie nicht zusammenbiß. Unter der Brücke, die über den Kanal führte, mußte ich Philip zurufen, ein bißchen zu warten, und ich brachte auf dem Wasser konzentrisch sich ausbreitende Kreise und einen Schaumfleck hervor. Er lief voraus und kam zurück wie ein Hündchen, er sprang und wußte sich nicht zu lassen, als wenn ich sein Herr wäre. Während wir weitergingen, war mir, als wäre mit meinen Eingeweiden etwas nicht in Ordnung, und ich mußte in einem dunklen Durchgang wieder stehen bleiben. Aber Philip tanzte um mich herum, und er wettete, ich würd' es nicht wagen.

Wir kamen an die Steinmauer, den Eingang zum Friedhof, unter düsteren Eiben. Wieder blieb ich stehen und benutzte die Mauer, wie die Hunde sie benutzen, und dann drückte Philip die Klinke auf, und wir waren durch. Er ging auf Zehenspitzen, und ich folgte, während sonderbare Gestalten aus Dunkelheit sich vor meinen Augen ausdehnten. Die Grabsteine um uns waren hoch, und als Philip einen längeren Riegel in dem gähnenden Torweg hob, klang es wie an einem Schloßtor. Ich schlich mich hinter ihm hinein und streckte die Hand aus, um ihn in der noch dichteren Finsternis zu spüren, aber wir waren immer noch nicht drinnen. Da war noch eine Tür, weichgepolstert, und als Philip sie aufstieß, sprach sie zu uns: Wuff.

Ich folgte nach, Philip ließ mich durch. Ich kannte den Dreh nicht, und die Tür, losgelassen, sprach hinter uns wieder: wubb wuff!

Vor uns war meilenweit Kirche – zuerst der Eindruck einer Welt ausgehöhlten Gesteins, lauter Schatten, lauter polierte Rechtecke, die man nur erriet, undeutlich wie Nachbilder. Plötzlich dichtbei auftauchende Figuren. Ich zitterte von Kopf bis Fuß, die Zähne pfiffen mir, meine Haut zuckte und die Haare standen mir kribbelnd zu Berge. Philip war ebenso schlimm daran. Es muß bei ihm tatsächlich eine tiefe Not gewesen sein. Ich konnte nichts von ihm sehen als Hände und Gesicht und Knie. Sein Gesicht war dicht an dem meinen. Wir hatten einen wilden und irrsinnigen Wortstreit im Schatten der inneren Tür, wo ein Stapel Gebetbücher in Schulterhöhe auf einem Tisch lag.

»Es ist zu dunkel, ich sag dir doch, ich kann nichts sehen!«

»Du bist also 'n Feigling, reden kannst du, das 's alles!«

»Es ist zu dunkel!«

Wir rangen sogar miteinander, ungeschickt, ich konnte nichts ausrichten gegen seine unberechenbare weibische Kraft. Und dann war es nicht mehr zu dunkel. Die Entfernungen wurden sichtbar. Ich prallte gegen etwas Hölzernes, und grüne Lichter drehten sich um mich, dann sah ich einen Gang vor mir und riet mehr, als daß ich wußte, daß das der richtige Weg war. Aus metallenen Gittern auf dem Boden bliesen Wellen heißer Luft an meine Beine. Am Ende des Ganges erhob sich himmelhoch eine Anordnung matt schimmernder Rechtecke, und unter ihnen befand sich etwas Umfangreiches. Bei dem Altar war ein Licht, das flackerte dermaßen, als ob ein Wahnsinniger es hielte. Die Stille begann zu tönen, begann sich mit einem unheimlich hoch sirrenden Ton zu füllen. Stufen waren zu ersteigen, und dann erschien vor mir die Weiße eines Tuchs; am Ende oben zeichnete sich eine weiße Linie ab. Ich lief zurück zu Philip und trippelte durch die Wellen heißer Luft aus den Gittern am Fußboden. Wir stritten und rangen wieder miteinander. Mich beherrschte Scheu vor dem Ort, sie beherrschte sogar meine Redeweise.

»Aber ich habe doch schon dreimal, Phil – verstehst du denn nicht? Ich kann nicht mehr pinkeln!«

Philip tobte gegen mich aus dem Dunkeln; seine Wut war schwach, gemein, berechnet – mein Bruder.

»Also gut. Pinkeln kann ich nicht. Aber ich kann spucken.«

Ich ging zurück durch die heiße Luft, und ein Adler aus Bronze sah über mich hinweg. Obgleich der Abend fortgeschritten war, war es eher heller geworden als dunkler – genug, daß man rechts und links hohe Wände aus geschnitzter Eiche sehen konnte, einen Teppich, ein Muster aus Grau und Schwarz auf dem steinernen Fußboden. Ich stand an der untersten Stufe, so nahe wie ich nur wagte; aber jetzt war mir auch der Mund ausgetrocknet. Verzweifelt, wenn auch mit vollem Recht griff ich nach der Hoffnung auf ein weiteres Versagen.

Ich beugte mich vorwärts, um mich schwammen die grünen

Lichter, und ich vollführte die Bewegungen laut, damit Philip sie hörte.

»Ptah! Ptah! Ptah!«

Auf meiner rechten Seite explodierte das Weltall. Mein rechtes Ohr brüllte, Raketen, Kaskaden von Licht, Feuerräder gingen los, und ich tastete umher, traf ringsum auf Stein. Ein grelles Licht schien aus einem einzigen Auge auf mich herab.

»Du kleiner Teufel!«

Ich versuchte mechanisch, auf die Beine zu kommen, aber sie schlidderten unter mir weg, und ich fiel wieder hin vor dem zornigen Auge. Mitten im Singen und Brüllen vernahm ich nur ein einziges natürliches Geräusch: Wubb. Wuff.

Ich wurde über den steinernen Fußboden geschleift, und das Auge ließ einen Lichtstrahl tanzen über geschnitztes Holz, Bücher und glitzerndes Tuch. Der Küster hielt mich die ganze Zeit fest, und sobald er mich in der Sakristei hatte, drehte er ein Licht an. Ich war richtig gefangen. Aber ich konnte weder die Unverschämtheit noch den Gleichmut der Schwarzen Hand aufbringen, wenn sie von Sexton Blake und Pinker demaskiert wird. Der Fußboden und die Backe konnten sich nicht darüber einigen, wer oben war und wer unten. Der Küster hatte mich buchstäblich in eine Ecke gedrängt, und als er mich losließ, rutschte ich an der Wand herunter und lag da, ein knochenloser Haufen. Das Leben hatte sich plötzlich wieder hergestellt. Auf der einen Seite meines Kopfes war das Leben allerdings größer und unheilvoller als auf der anderen. Zur Rechten hatte sich mir nur ein Himmel voller Sterne von unendlicher Geschwindigkeit und gedämpftem Lärm, der ihren Flug begleitete, geöffnet. Unendlichkeit, Dunkelheit und Weltraum waren in meine Insel eingedrungen. Was normal blieb, zeigte sich als ein Licht, eine Kiste aus Holz, weiße Mäntel, die hingen, und ein Kranz aus Bronze – das alles war durch einen Bogen hindurch zu sehen, und ich sah, daß es jetzt erleuchtet war. Diese Welt des Schreckens und Blitzens war nur eine gewöhnliche Kirche, die für einen Abendgottesdienst hergerichtet wurde. Ich sah den Küster nicht an, ich kann mich nicht erinnern, was für ein Gesicht er damals hatte, ich sah bloß die schwarzen Hosen und die blanken Schuhe – denn in jedem Augenblick hätte ich vom Fußboden auffliegen und an der Decke neben dem einzigen elektrischen Licht die Knochen brechen können. Eine Dame erschien in dem Bogen, eine graue Dame mit einem Bündel Blumen in der Hand, und der Küster redete eine Menge und nannte sie Madam. Sie sprachen über mich, und derweil saß ich auf einem niedrigen Stuhl und betrachtete in der einen Richtung die Dame und in der anderen durch das Loch, das mir in die Seite des Kopfes gesprengt worden war, das Universum. Der Küster sagte, ich sei einer von mehreren. Was sollte er machen? Er mußte Hilfe haben, so weit war es jetzt gekommen, und die Kirche mußte verschlossen bleiben. Die graue Dame blickte zu mir herunter über ganze Erdteile und Ozeane und sagte ihm, der Pfarrer müßte das entscheiden. Der Küster öffnete also eine andere Tür und führte mich durch die Dunkelheit auf einem Kiesweg. Er sprach auf mich ein, ich verdiente die Rute, und wenn es nach ihm ginge, bekäme ich sie. Jungen! – Sie waren kleine Teufel, und es wurde jeden Tag schlimmer mit ihnen, wie die Welt überhaupt, und wo das noch enden sollte, das wußte er nicht, und auch sonst schien es keiner zu wissen. Der Kies fühlte sich an, als ob er gepflügt worden wäre, und meine Füße waren unsicher. Ich sagte nichts, versuchte aber mitzukommen, ohne hinzuschlagen. Dann stellte ich fest, daß der Küster meine Hand hielt und nicht mehr mein Ohr, und bald danach entdeckte ich, daß er sich nach der Seite beugte, die eine Hand unter meinem Ellenbogen und die andere irgendwo um den Leib. Die ganze Zeit redete er. Wir kamen zu einer weiteren Tür und zu einer anderen grauen Dame, die sie öffnete, sie trug aber keine Blumen, und der Küster redete immer noch. Wir gingen ein paar Treppen rauf und gingen über den Flur auf eine große Tür zu. Dies war wohl ein Klo, denn ich konnte hören, wie sich jemand da drinnen anstrengte:

»Uuh! – Aah! – uuh!«

Der Küster klopfte an die Tür, und drinnen raffte jemand sich auf und kam auf die Füße.

»Herein! Also herein! Was ist los?«

Wir gingen in ein Zimmer hinein, das dunkel war, und wir gingen über einen Teppich, der kein Ende nahm. Da war ein Pastor, der stand in der Mitte. Er war so groß, daß er mir bis in die Schatten zu ragen schien, die über allem lagerten wie ein Dach. Ich sah mir alles an und hatte sonderbarer Weise keine

Furcht und kein Interesse. Mir am nächsten war ein Teil der Hosen des Geistlichen. Sie waren scharf gebügelt außer an den Knien, unmittelbar vor meinem Gesicht, wo das Tuch ausgebeutelt war und blank wie schwarzes Glas. Wieder sprachen zwei Menschen miteinander über meinen Kopf und meine Aufmerksamkeit weg, in Ausdrücken, die mir nichts sagten, und die ich vergessen habe. Ich war mehr darauf bedacht und grübelte über die Möglichkeit nach, seitwärts zu entwischen; und ich dachte, ich würde am besten niederknien, nicht wegen des Pastors, sondern weil ich, wenn ich mich zu einem Ball zusammenrollte, mir vielleicht nicht mehr den Kopf zu zerbrechen brauchte, in welche Richtung ich rollen sollte. Ich wußte nur, daß der Pastor irgend etwas ablehnte, was er tun sollte, und daß der Küster auf ihn einredete.

Dann sprach der Pastor laut, und wie ich jetzt glaube, mit einer Art Verzweiflung: »Na, also gut, Jenner. Mir auch recht. Wenn ich schon gestört werden soll – «

Ich war allein mit ihm. Er ging ein paar Schritt fort, setzte sich in einen behaglich geformten Lehnstuhl am erloschenen Kamin.

»Komm her!«

Ich schob meine Füße vorsichtig über den Teppich und stand an der Lehne des Stuhls. Er neigte den Kopf, bewegte ihn an seinem schwarzen Oberschenkel entlang, sah mir forschend ins Gesicht und betrachtete mich eingehend von Kopf bis Fuß. Endlich faßte er wieder mein Gesicht ins Auge.

Er sprach langsam, wie abwesend: »Du wärst ein hübsches Kind, wenn du dich sauber halten würdest.«

Er griff tief in den Lehnen des Stuhls und geriet in ein unbeherrschtes Zittern. Ich sah, daß er sich anstrengte, sich von mir wegzubeugen, und ich blickte zu Boden, plötzlich beschämt wegen des mädchenhaften Wortes ›hübsch‹ und wegen meines offenbar abstoßenden Schmutzes. Wir verfielen in ein langes Schweigen, während ich bemerkte, daß seine schmalen Schuhe einwärts gekehrt waren. Und auf der rechten Seite brauste immer noch das Weltall, voll von Sternen.

»Wer hat dir gesagt, daß du's tun solltest?«

Das war Philip, natürlich.

»Ein kleiner Junge wie du wäre nicht auf einen solchen

Gedanken gekommen, ohne daß jemand es ihm beigebracht hätte.«

Armer Mann. Ich blickte auf und dann wieder zu Boden, ich machte mir klar, wie enorm umständlich die Erklärung war, sah ein, daß es über meine Kräfte ging und gab es auf.

»Nun sage mir doch, wie der Mann heißt, der dir gesagt hat, daß du's tun solltest, und dann kannst du gehn.«

Aber da war doch kein Mann. Da waren nur Philip Arnold und Sammy Mountjoy.

»Also, warum hast du's getan?«

Weil. Weil.

»Aber du *mußt* das doch wissen.«

Natürlich wußte ich das. Ich konnte mir im Geiste sehr wohl ein Bild von dem ganzen Vorgang machen, der mich in diese Lage gebracht hatte, ich sah es klar in jeder Einzelheit. Ich sah das, weil jener andere Geistliche, der mit Philip gesprochen, es als möglich hatte erscheinen lassen, daß die Kirche mehr Aufregendes und Abenteuerliches zu bieten hatte als das Kino; weil ich ein Ausgestoßener war und etwas zum Schadenstiften und Kaputtmachen brauchte, bloß um's ihnen zu zeigen; weil ein Junge, der Johnny Spragg so hart getroffen hatte, daß seine Mutti sich beim Direktor beschwerte, seinen Ruf zu wahren hatte; schließlich, weil ich dreimal unter den singenden Sternen gepinkelt hatte und nicht mehr konnte. Ich wußte so vieles. Ich wußte, daß ich mit der schrecklichen Geduld der Erwachsenen ausgefragt werden sollte. Ich wußte, ich würde niemals so wachsen, daß ich so groß und majestätisch würde, wußte, daß er nie Kind gewesen war, ich wußte, daß wir verschieden geschaffen waren auf den uns zugewiesenen und unveränderlichen Plätzen. Ich wußte, daß die Fragen richtig und sinnlos und unbeantwortbar sein würden, weil sie aus einer falschen Welt kamen. Sie würden gerecht und königlich und unmöglich sein, von hinter der hohen Mauer. Ohne nachzudenken wußte ich, daß die Fragen wie der Versuch sein würden, Wasser mit einem Sieb zu schöpfen oder einen Schatten mit der Hand zu fangen: und diese Erfahrung ist eine der bittersten der Kindheit.

»Nun sage endlich. Wer hat dir das beigebracht?«

Denn schließlich, wenn der Märchenglanz verschwunden ist,

die eingebildeten Feinde, die Piraten, Wegelagerer, Räuber, Cowboys, gute Männer und schlechte, dann stehen wir vor der stumpfsinnigen Tatsache, der Stimme des Erwachsenen und vor vier realen Wänden. Das ist der Moment, in welchem den Polizisten, Kontrollbeamten, den Lehrern und Eltern die Zerstörung unserer unversehrten Einfalt endgültig gelingt. Der Held ist gestürzt, da liegt er, wimmernd und wehrlos, ein Nichts.

Wie lange hätte ich das aushalten sollen? Hätte ich mich zu Tinker entwickeln und es ihm gleichtun sollen? Tinker wurde oft mit einer ausgesucht peinlichen Form der Vernichtung bedroht, wenn er die Aussage verweigerte. Aber mir wurde der Versuch, es ihm gleichzutun, und der Verdacht, es nicht tun zu können, dieses Mal erspart, denn plötzlich wollte ich nach Hause gehen und mich hinlegen; und schon das Nachhausegehen schien eine unmögliche Kraftanstrengung. In meinem Kopfe brauste das Weltall, die Milchstraße schwamm vorbei, die grünen Lichter der singenden Sterne dehnten sich aus und waren schließlich alles, was da war.

Meine Erinnerungen an diese Zeit sind undeutlich wie ein Gebirgsland bei Nebelwetter. Bin ich zu Fuß nach Hause gegangen? Wie konnte ich? Aber wenn ich getragen wurde, wessen Arme hielten mich? Irgendwie muß ich jedenfalls nach Rotten Row gelangt sein. Ich ging am nächsten Tag wie gewöhnlich zur Schule, das weiß ich noch deutlich. Vielleicht war mir nicht wie sonst zumute. Ich glaube, soweit ich mich entsinne, ich hatte das Gefühl, lange Zeit von Nieselregen besprüht worden zu sein, und als wäre ich ganz nahe daran gewesen, zu wimmern, aber es regnete gar nicht. Statt dessen war es warm auf meiner rechten Seite und ein Pochen in meinem rechten Ohr. Wieviele Tage? Wieviele Stunden? Schließlich saß ich in einem Klassenzimmer, und es mußte später Nachmittag gewesen sein, denn die beiden ungeschützten Lichter an ihren langen Hängeleitungen waren eingeschaltet. Ich hatte das Pochen im Ohr satt, ich hatte die Schule satt, ich hatte alles satt; ich hatte nur einen Wunsch: mich hinzulegen. Ich blickte auf das Papier, das vor mir lag, und ich konnte nicht darauf kommen, was ich zu schreiben hatte. Ich hörte flüstern und wußte, ohne daß ich es verstand, daß ich der Mittelpunkt der Aufregung und scheuer Aufmerksamkeit war. Ein Junge vor mir und einer links von mir wurden am Rock gezogen und sahen sich um. Es gab noch mehr Geflüster, so daß der Lehrer auf seinem Katheder unruhig wurde. Dann schob sich Johnny Spragg, der rechts von mir saß, von seinem Sitz und hob die Hand:

»Bitte, Sir! Sammy weint.«

Mama und Mrs. Donovan hatten mal was von Ohrenschmerzen gehört. Da gab es bestimmte Vorschriften zu befolgen. Eine Zeitlang war ich für alle Frauen in der Rotetn Row ein Gegenstand des Interesses. Sie versammelten sich, nickten und blickten herunter auf mich. Jetzt erst fällt es mir mit leichter Überraschung ein, daß wir unseren Oberstock nie benutzt hatten, weil der Mieter darin gestorben war. Vielleicht hoffte Mama auf einen neuen Mieter; oder es war vielleicht ein Zeichen ihres Verfalls, daß sie sich nicht mehr um das leere Zimmer kümmerte. Wir hatten immer unten gewohnt und geschlafen, ganz als ob er noch über den geweißten Dielenbrettern gehüstelt und geschnauft hätte; so durfte ich meine Ohrenschmerzen dicht am Herd haben, und das war ein ebenso behaglicher Platz wie irgend ein anderer. Mama unterhielt im Mittelteil ein tüchtiges Feuer. Die Dame mit der lederartigen Blattpflanze brachte einen Eimer Kohlen und gab ein paar Ratschläge. Sie gaben mir bittere weiße Tabletten zu schlucken, vielleicht Aspirin, aber das Universum bohrte noch immer ausdauernd und brachte das Ohrenweh mit. Die Dinge wurden überlebensgroß. Ich versuchte in einem fort, von dem Schmerz wegzukommen, aber er ging mit mir. Mama und Mrs. Donovan beratschlagten mit der Blattpflanzen-Dame, und sie beschlossen, mich zu bügeln. Mrs. Donovan brachte ein Bügeleisen herbei – mußte Mama denn immer borgen? – und es war schwer, mit einem Stück braunen Tuchs um den Griff. Es war wirklich aus Eisen, tief von Rost zerfressen und nur auf der Unterseite blank. Die Pflanzendame legte mir ein Stück Tuch auf die Kopfseite, während Mama das Eisen auf's Feuer setzte. Als sie es abhob, spuckte sie auf die blanke Seite, und ich sah die Spucke-Kügelchen tanzen, kleiner werden und verschwinden. Sie saß neben mir und bügelte mir die Kopfseite durch das Tuch hindurch, und die Pflanzendame hielt mir die Hand. Dann, während ich mit gutem Glauben die Wärme hinnahm, in der Hoffnung daß der Schmerz weggehen würde, öffnete sich die Tür, und herein trat der große Pastor, sich beugend. Mama nahm das Tuch und das Bügeleisen weg und stand auf. Der Schmerz war womöglich noch schlimmer geworden, und ich fing an, mich von der einen Seite auf die andere zu werfen und dann auf's Gesicht; und jedesmal, wenn ich gerade den großen Pastor zu sehen bekam, stand er immer noch da und hatte den Mund offen. Vielleicht regten sie sich und sprachen, aber ich habe keine Erinnerung daran. Wenn ich jetzt zurückblicke, scheinen sie so unbeweglich wie eine Gruppe von Steinen. Und dann begann der Schmerz an die Tür zu klopfen, wo ich war, in meinem eigensten, unverletzlichen Innersten, und ich machte Lärm und warf mich umher. Der Pastor verschwand, irgendetwas wurde beiseite geräumt, über feurige Schlünde und Meere von Finsternis unter wild flackernden grünen Sternen tauchte ein großer Mann im Zimmer auf, der rang mit mir, band mich, hielt mir die Arme fest und drückte mich nieder mit furchtbarer Kraft und sagte immer und immer wieder dasselbe: »Nur ein ganz winziger kleiner Stich.«

Hinter meinem rechten Ohr ist eine halbmondförmige Narbe zu sehen und eine Falte. Sie sind so alt, sie fühlen sich an, als ob sie natürlich und richtig wären. Ich bekam sie am selben Tag, oder wenigstens vor dem nächsten Morgen. Es gab damals kein Penicillin, keine Wunderdroge, die eine Infektion zu lokalisieren und einzudämmen imstande war. Wenn der Arzt überhaupt im Zweifel war, operierte er einfach drauf los, als ob es sich um ein Geschwür handelte. Ich kam an einem neuen Ort, in einer neuen Welt wieder zu mir. Ich lag über einer Schüssel, zu krank und schwach, um mehr zu bemerken als die Schüssel, irgendwas Weißes und einen braunen, blankpolierten Fußboden. Der Schmerz hatte jetzt nachgelassen, es war immer noch das dumpfe Pochen, das mich in der Schule zum Weinen gebracht hatte; aber jetzt war selbst das Weinen zu anstrengend. Ich lag betäubt und elend, mit einem Turban aus Gaze und Baumwolle und Binden um den Kopf. Mama erschien von Zeit zu Zeit. Ich sah sie damals zum ersten und letzten Mal nicht als die breite Gestalt, die sich vor die Finsternis schob, sondern als eine Person. Das Auge sieht manchmal, wenn es unter dem Einfluß von Drogen benommen ist, auf eine matte Weise vernünftiger und nüchterner, es sieht Dinge, die das gesunde Auge nicht sieht. In meinem Elend sah ich sie, wie ein Fremder sie gesehen hätte: eine massige, schon etwas gebeugte Gestalt, fleckig und schmutzig. Das Haar hing ihr fransenartig in die braune Stirn, ihr Gesicht war eine vierschrötige, quallige Masse, und in der einen Mundecke stak eine winzige Zigarette. Ich sehe jetzt die Hände mit den Wurstfingern, braun mit roten und blauen Verfärbungen, die das Einholnetz in den Schoß klemmten. Sie saß da, wie sie immer saß, in majestätischer Gleichgültigkeit, aber das Gas entwich bereits dem Ballon. Sie hatte wenig genug, mir mitzubringen, denn was soll eine Frau übrig haben, die sich sogar ein Bügeleisen borgen muß? Immerhin hatte sie daran gedacht und etwas gefunden, was sich finden ließ. Neben dem Kopfende des Bettes war eine Art Nachttisch, und da hatte sie eine Handvoll ziemlich schmutziger Zigarettenbilder hingelegt – meine geliebten Könige von Ägypten.

3

Und immer noch frage ich mich: »Ist's dort?« und gebe selbst die Antwort: »Nein, *dort nicht.*« Er ist so wenig ein Teil von mir wie irgend ein anderes Kind. Ich habe einfach einen besseren Zugang zu ihm. Ich kann mich nicht daran erinnern, wie er aussah. Ich zweifle, ob ich das überhaupt je gewußt habe. Er ist immer noch die Seifenblase, die in der Luft dahintreibt, angefüllt mit Freude oder Schmerz, was ich nicht mehr empfinden kann. In meiner Vorstellung sind jene Empfindungen durch Farben repräsentiert; zu dem, was ich empfinde, stehen sie in demselben äußerlichen Verhältnis wie das Kind selbst. Seine Unzulänglichkeit und seine Schuld haben gar nichts mit mir zu tun. Ich habe meine eigene Unzulänglichkeit und Schuld, die irgendwo wie Unkraut aus meinem Leben gesprossen sind. Die Wurzel kann ich nicht finden, wie ich's auch anstelle, ich kann nichts hervorholen, was zu mir gehört.
Die Krankenhaus-Abteilung war, als mein Kopf mir nicht mehr

wehtat, ein schöner Aufenthalt. Es stellten sich Komplikationen ein, es ging auf und ab mit mir. Ich war endlos lange in der Abteilung, so daß ich meine Vorstellung von der Welt der Rotten Row zu der Welt der Krankenhaus-Abteilung umschalten kann wie von einem Planeten zum andern. Von beiden Welten habe ich ein Gefühl der Zeitlosigkeit. Ich kann mich auf die Ärzte oder die Schwestern oder selbst die anderen Kinder durchaus nicht deutlich besinnen. Wenn so etwas haften bleibt, ist das bestimmt Zufall, denn wieso kann ich mich nicht daran erinnern, wer rechts und links neben mir lag? Aber mir gegenüber lag ein kleines Mädchen. Sie war sehr klein und schwarz und hatte feste Locken und ein rundes, schimmerndes, lachendes Gesicht. Niemand verstand die Sprache, die sie gebrauchte. Jetzt fällt mir ein, daß sie nicht wie die anderen Kinder ein Bett hatte, sondern eine Hängematte, weil sie, wenn sie am Fußende aufrecht stand, die obere Stange fassen und daran schaukeln konnte. Sie schwatzte die ganze Zeit. Sie lachte und sang, sie redete mit jedem in ihrer Reichweite in ihrer plapprigen, sinnlosen Sprache, sie schwatzte mit den Ärzten, Schwestern, Besuchern, mit der Oberin, mit den Kindern, vergnügt und unaufhaltsam. Sie war völlig ohne Furcht und Kummer, und jeder, der sie sah, hatte sie lieb. Aus der geraden Linie der Ziegelsteine schließe ich, daß sie kam, ihre Krankengeschichte hatte und wieder ging. Aber für mich, wenn ich an die Abteilung denke, ist sie immer da, ein Figürchen im weißen Nachthemd mit zwei pechschwarzen Händchen und einem schwarzen, blitzenden Gesicht, schaukelnd und lachend.

Auch auf die Oberin besinne ich mich, weil ich mit ihr ein bißchen mehr zu tun hatte als die meisten anderen Patienten. Sie war hochgewachsen und dünn. In ihrer strengen Art muß sie einmal sehr hübsch gewesen sein. Sie trug eine dunkelblaue Tracht und auf dem Kopf blendend weiße Flügel. Sie hatte weiße, schimmernde Manschetten, schmal am Handgelenk und etwas weiter werdend am Unterarm. Wenn sie die Abteilung betrat, hörte die Welt auf, sich zu drehen. Den Schwestern machten wir furchtbar viel zu schaffen, aber nicht der Oberin. Sie wurde mit Ehrfurcht umgeben. Vielleicht hatte die Unterwürfigkeit der Schwestern etwas damit zu tun, daß von ihr, wenigstens soweit ich in Frage kam, etwas Ehrfurcht Erwekkendes ebenso natürlich ausging wie Trost von einer Mutter. Sie leistete mir einen Dienst.

Eine der Schwestern sagte mir, meiner Mama gehe es nicht gut, was der Grund sei, warum sie mich nicht mehr besuchen komme. Ich nahm das gedankenlos zur Kenntnis, denn ich war gänzlich hingenommen von der unbegrenzten Welt der Abteilung. Irgendwie war mein Nachttischchen ebenso voll wie bei den anderen, und die Besucher schienen gar nicht unbedingt zu anderen Kindern zu gehören. Ich hatte, wie an allem anderen, auch meinen Anteil an den Besuchern; es gab ja alles so verschiedenartig, so reichlich, es war für alle gesorgt. Eines Tages kam die Oberin und setzte sich zu mir aufs Bett, statt daneben oder davor zu stehen. Sie sagte mir, daß Mama gestorben war – daß sie in den Himmel gekommen und sehr glücklich sei. Und dann holte sie den Gegenstand hervor, den ich mir schon immer gewünscht hatte, ohne zu glauben, daß er mir je gehören könnte: ein Briefmarken-Album und einige Umschläge mit sortierten Briefmarken. Jeder Umschlag hatte ein durchsichtiges Fenster, so daß man die farbigen Vierecke drinnen sehen konnte. Außerdem gab es eine Packung durchsichtiger Klappen, die eine Seite stumpf, die andere glänzend gummiert. Sie ließ mich eine Packung öffnen und zeigte mir, wie man die Klappen anbrachte und in den Album nach dem richtigen Land suchte. Sie muß eine lange Zeit bei mir verweilt haben, denn ich weiß noch, wie sie mit großer Sorgfalt eine Menge Marken einklebte. Ich bin außerstande, über irgendwelchen Kummer zu berichten. Nicht einmal eine Farbe kann ich sehen. Ich erinnere mich lediglich an einen ungeheuren keuchenden Atemzug, der das Gläschen mit der bitteren Flüssigkeit, welches die Oberin hielt, umstieß, so daß sie die Schwester um ein neues schicken mußte. So schlummerte ich schließlich ein über meinem Album, und als ich aufwachte, war die Station noch dieselbe, die sie immer gewesen: es war nur ein neues Faktum zum Leben dazugekommen – und wie mir jetzt scheint – bereits angenommen aus einem unerschöpflichen Brunnen des Annehmens.

Auch war ich nicht ganz ohne eigene Besucher. Der hochgewachsene Pfarrer kam zu mir und stand da und blickte hilflos auf mich herab. Er brachte mir ein Stück Kuchen von seiner

Haushälterin und wanderte wieder von dannen, an die Decke starrend und den Weg zur Tür findend mit seinen schleppenden Füßen. Auch der Küster kam und besuchte mich. Er saß ängstlich am Bett und versuchte, sich mit mir zu unterhalten; aber es war so lange her, daß er mit Kindern anderes zu tun hatte, als sie zur Kirche hinauszujagen, wenn sie Lärm machten, daß er nicht wußte, wie man das macht. Bei Tageslicht besehen, war er ein verschrumpeltes Männchen, er trug den schwarzen Anzug seines Berufs und eine schwarze Melone. Dieser Hut bereitete ihm Sorge, er legte ihn auf das Bett, dann nahm er ihn wieder weg und versuchte es mit dem Nachttischchen, dann nahm er ihn wieder an sich, als ob er sicher sei, daß sich früher oder später der richtige Platz finden werde, wo man in einem Krankenhaus passender Weise eine schwarze Melone hinlegen konnte. Vielleicht war er an rituelle Vorschriften, an eine exakte Wissenschaft der Symbolhandlungen gewöhnt. Er besaß eine hohe, kahle Stirn, keinerlei Augenbrauen und einen Schnurrbart, der in allem an den unseres Mieters erinnerte, außer in der Farbe. Man konnte sehen, wie er die letzten Strähnen seines schwarzen Haars quer über die Kahlheit seines Schädels festpomadisiert hatte. Ich empfand Scheu vor ihm, weil er scheu und beunruhigt war vor mir. Er sprach mit mir, als sei ich auch ein Erwachsener, so daß ich nicht klug wurde aus seiner komplizierten Geschichte. Ich konnte nicht herausfinden, was er meinte, und griff nur unzusammenhängende Einzelheiten auf, von denen die meisten auch noch auf Mißverständnissen beruhten. Er hatte, sagte er, mit einer Gesellschaft Schwierigkeiten gehabt, und ich schloß sofort auf eine Geheimgesellschaft. Sie hatten Leute hinten in der Kirche aufgestellt und sie während des Gottesdienstes laute Zwischenrufe schreien lassen. Das war schon schlimm genug; aber die Gesellschaft war sogar noch weiter gegangen. Leute – er wollte nicht gern Namen nennen, denn er sah ein, daß er keine Beweise hatte und vor Gericht keine einzige eidliche Zeugenaussage hätte beibringen können –, irgendwelche Leute hatten sich an dunklen Abenden eingeschlichen und Ornamente verdorben, Vorhänge heruntergerissen, nur weil sie meinten, die Kirche wäre zu hoch. Ich dachte an die schwindelnde Höhe der Rechtecke, hoch über dem Altar, und glaubte zu verstehen. Der Küster sagte, der Pfarrer sei immer hochgewachsen gewesen, aber seit den letzten paar Jahren scheine er immer höher und höher zu wachsen, und als Pastor Anselm kam, als Hilfsprediger natürlich, da war der ebenso hoch wie der Pfarrer oder sogar noch ein bißchen höher – tatsächlich, sagte der Küster, würde es ihn nicht überraschen, wenn er demnächst –

Aber da brach er ab und überließ es mir, leicht verwundert darüber nachzudenken, wie hoch man werden konnte, und was passierte, wenn man die Spitze erreichte. Wenn der Hilfsgeistliche so hoch wie der Pfarrer war, dann ragte auch sein Kopf in den Schatten, wenn er mitten auf dem Teppich stand. Ich hörte nicht mehr zu, während der Küster fortfuhr. Sein Gerede von Almosenbehältern, Meßgewändern, Bildern, Einkleidungen und Weihrauchgefäßen ging an mir vorbei. Im Geiste war ich mit einer dämmerigen Kirche beschäftigt, die voll war mit verlängerten Geistlichen.

Dann merkte ich, daß er von der Gelegenheit sprach, da er Philip und mich in der Kirche gehört hatte. Er drehte die Lichter immer erst im letztmöglichen Augenblick an; wenn Lady Crosby darauf wartete zu beichten, schaltete er erst dann die Lichter ein, wenn sie wegging. Pastor Anselm hatte ihm das geraten. Aber an den meisten Abenden tat er das sowieso: es war die einzige Möglichkeit, die Leute von der Gesellschaft zu fangen. Als er uns hörte, war er seiner Sache gewiß, er ergriff eine Taschenlampe und schlich aus der Sakristei und an den Chorstühlen entlang. Er sah, daß es nur ein kleiner Junge war, und darüber wurde er zornig.

Das interessierte mich. Er war so freundlich, es mir genau zu beschreiben, wie er an den Chorstühlen entlang geschlichen und dann auf Zehenspitzen herangekommen war. Er hatte ein ganz hübsches Stück Arbeit geleistet und mich richtig ertappt.

Er nahm die Melone vom Bett und legte sie auf das Nachttischchen. Er begann eifriger auf mich einzureden. Natürlich mußte es mit dem Ohr schlimm geworden sein, aber das hatte er nicht gewußt, nicht wahr, und die Gesellschaft hatte ihnen so viel zu schaffen gemacht ...

Er hielt inne. Er war rot geworden. Fahlrot. Er hielt mir seine rechte Hand hin.

»Wenn ich gewußt hätte, was daraus werden würde, dann hätt'

ich mir eher die Hand abgehackt. Es tut mir leid, mein Junge, sehr leid, mehr als ich sagen kann.«

Etwas zu verzeihen ist reinere Freude als Geometrie. Das hab ich seitdem festgestellt, als ein Stückchen Naturgeschichte des Lebens. Es ist wirklich ein Akt des Lebens, ein Ausbruch von Licht. Es ist so wirklich und präzis wie ein ästhetisches Genießen, nicht schwach oder weich, sondern wie Kristall und stark. Es ist das Zeichen und Siegel erwachsenen Zustandes, wie der Mann, der mit beiden Armen ausgriff und die Speere auf die eigene Brust lenkte. Aber Unschuld erkennt eine Kränkung nicht, und daher kommt es, daß die schrecklichen Sprüche wahr sind. Eine Beleidigung, einem Unschuldigen angetan, kann nicht vergeben werden, denn die Unschuldigen können nicht vergeben, was sie gar nicht als Beleidigung auffassen. Auch das, scheint mir, ist ein Stückchen Kulturgeschichte. Ich möchte annehmen, die Natur unseres Universums ist so beschaffen, daß die starke und kristallinische Handlung des Erwachsenen eine Wunde heilt und eine Narbe beseitigt, nicht heute, aber in Zukunft. Die Wunde, die sonst weiter geblutet hätte und ins Eitern geraten wäre, wird gesundes Fleisch, und die Handlung ist wie nie geschehen. Aber der Unschuldige, wie kann er das begreifen?

Worüber sprach der Küster dann mit mir? Tat ihm die ganze Geschichte leid, die ihren Anfang damals nahm, als Philip und ich unseren Plan zusammenbrauten? Aber diese Geschichte wußte er nicht, so hoffte ich wenigstens. Tat es ihm leid, daß kleine Jungen Teufel sind, daß ihre unverfrorene und gewalttätige Welt, wenn sie wollte, die hohen Mauern der Autorität zum Einsturz bringen möchte? Ich sah es durchaus ein, daß die Erwachsenenwelt mich richtig und gehörig für eine Tat bestraft hatte, die, wie ich sehr wohl wußte, herausfordernd und unrecht war. Nebelhaft und in Bildern mehr als in Gedanken erkannte ich, daß meine Bestrafung ganz angemessen war. Ich hatte zwar ziemlich trocken und unzureichend auf den Hochaltar gespuckt; aber ich hatte die Absicht gehabt, ihn zu bepinkeln. Meine Einbildung schauderte davor zurück, was möglicherweise alles hätte passieren können, wenn ich nicht schon dreimal gemußt hätte, ehe wir die Kirche erreichten. Männer wurden gehängt, aber kleine Jungens bekamen nichts

Schlimmeres als die Rute. Mit vernünftiger und billigender Einsicht begriff ich, daß zwischen Tat und Ergebnis eine genaue Parallele bestand. Warum sollte ich an Vergebung denken? Da war ja nichts zu vergeben.

Der Küster hielt immer noch die Hand hin. Ich betrachtete sie und wartete.

Schließlich seufzte er, nahm seine Melone vom Nachttischchen und stand auf. Er räusperte sich.

»Nun –«

Er drehte den Hut rundum in den Händen, sog an dem Schnurrbart, blinzelte. Dann war er gegangen, er ging schnell und still auf seinen beruflichen Latschen durch den Mittelgang und durch die Doppeltür.

Wubb. Wuff.

Wann entdeckte ich, daß der hochgewachsene Pastor jetzt mein Vormund war? Seine Motive kann ich nicht auseinandersetzen, weil ich ihn nie verstanden habe. Hatte er einfach die Bibel geöffnet und damit mein Schicksal entschieden? War er, mehr als ich mir vorstellen kann, durch mich gerührt? Hatte der Küster etwas damit zu tun? War ich Gegenstand einer Wiedergutmachung, nicht wegen der einen Ohrfeige, sondern wegen zahlloser versteinerter Beunruhigungen, Mißhelligkeiten, wegen alter Sünden und Unterlassungen, die zu undurchdringlich schwarzem Gestein verhärtet waren? Oder war ich nur eine verbotene Frucht, war ich jetzt erreichbar und nur noch nicht gegessen? Wie dem auch sei: das Resultat schien ihm nicht sehr gut zu tun, ihm nicht viel Frieden zu bringen. Andere haben ihn ebensowenig wie ich verstanden. Hinter seinem Rücken lachten sie immer über ihn – sie hätten ihm ins Gesicht gelacht, wenn er weniger Wert auf Einsamkeit gelegt und sich nicht so versteckt gehalten hätte. Sogar sein Name war lächerlich. Er hieß Pastor Watts-Watt. Seine Chorknaben fanden es sehr komisch, einander zu fragen: »Kennst du Watts-Watt?«[*] Ich wünschte jetzt, ich könnte in seine Geschichte zurückblicken. So zäh wie ich kann er niemals gewesen sein. Es muß ihm immer durch und durch gegangen sein.

So kam er ziemlich oft und hielt sich bei mir auf, versuchte zu

---

[*] Unübersetzbares Wortspiel: Der Name Watts-Watt ist lautlich gleich mit der Frage "What's what?«

sprechen, versuchte über mich Bescheid zu gewinnen. Er stand da, zog seine grauen Augenbrauen zusammen und schickte ab und zu unter ihnen einen Blick an die Decke. Alle seine Bewegungen waren so gewunden, als ob sie sämtlich durch einen plötzlichen Schmerz verursacht wären. Er bot ja so viel Körperlichkeit, derartige Längen, daß man die Bewegung verfolgen konnte, wie sie nach außen wanderte, seinen Leib seitwärts bog, seinen Arm ausstreckte und schließlich in der unwillkürlichen Geste einer geschlossenen Faust endete. Ob ich gern zur Schule ging? Ja, ich ging gern zur Schule. Gut – er bog sich, streckte den Arm aus, ballte die Faust. Es war wie eine Geschichte, in der nur Unsinn vorkommt; mit ihm zu sprechen, war, wie wenn man im Alptraum auf einer Giraffe reitet. Ja, sagte ich verschämt, ich mag Zeichnen sehr gern. Ja, ein bißchen schwimmen konnte ich. Ja, ich würde gern zur Mittelschule gehen, irgendwann einmal. Ja, ja, ja, lauter Zustimmung, aber keine Verständigung. Ob ich zur Kirche ging? Nein, das nicht – wenigstens – Ob ich gern gehen würde? Ja, ich würde gern gehen.

Nun – wieder die balancierende Bewegung, Biegung, Streckung, Ballung – auf Wiedersehen, mein liebes Kind, bis auf weiteres.

Und so muß es denn mit der Welt des Krankenhauses schließlich ein Ende genommen haben.

Wie alle Menschen habe ich mich bemüht, ein zusammenhängendes Bild vom Leben und der Welt zu gewinnen, aber ich kann das abschließende Wort über das Krankenhaus nicht schreiben, ohne zu sagen, wie ich als Erwachsener darüber urteile. Die Mauern werden durch ein ganz reines, sorgendes menschliches Mitgefühl aufrecht gehalten. Ich gehörte zu denen, die diese Wohltat empfingen, und ich weiß Bescheid. Wenn ich meine finsteren Bilder mache, wenn ich ins Chaos hinein blicke, dann muß ich daran denken, daß solche Stellen ebenso wirklich existieren wie Bergen-Belsen. Auch sie gibt es, sie sind ein Teil dieses Rätsels, das man Leben nennt. Es sind Backsteinmauern wie andere auch, Leute wie andere auch. Aber in der Erinnerung umgibt sie ein Glanz.

Das also ist alles, was ich von dem kleinen Samuel habe behalten können. Es war nicht gerade herrlich, was er hinterließ. Er war gefeit gegen Geistiges und gegen Schönheit. Er war hart wie eine Schuhsohle und teilte mehr Schläge aus, als er erhielt. Dennoch sollte ich mich sehr täuschen, wenn ich mich weigerte, etwas Besonderes an dieser Periode bis zu der Operation, bis zum Ende der Klinikwelt anzuerkennen. Lassen Sie es mich wieder in Bildern ausdrücken. Wenn ich mir den Himmel sozusagen in blendenden Farben vorstelle, die reine Weiße des Lichts in eine Kaskade von Farben aufgelöst, prächtiger als ein Pfauenrad, dann sehe ich eine der Farben mir zugeteilt. Ich war unschuldig, und ich wußte nichts von Unschuld; daher war ich glücklich, und ich wußte nichts von Glück. Vielleicht kann ein menschliches Wesen die volle Pracht der Farben gar nicht erleben, weil es diese Farben nur dann ertragen kann, wenn sie der Vergangenheit angehören oder einem anderen Menschen. Vielleicht gehören Bewußtheit und die Schuld, die Glücklosigkeit bedeutet, zusammen, und der Himmel ist wirklich das Nirwana des Buddhisten.

Das muß das Ende eines Abschnittes sein. In diesen Bildern ist keine Spur von Infektion zu entdecken. Der Geruch von heute, die grauen Gesichter, die mir über die Schulter gucken, haben nichts mit dem kindlichen Samuel zu tun. Ich spreche ihn hiermit frei. Er ist eine andere Person in irgend einem anderen Land, zu dem ich nur diesen objektiven und geisterhaften Zugang habe. Warum sind seine Gewalttätigkeit und Schlechtigkeit nur dort zuhause, aufbewahrt in einzelnen Bildern? Warum sollten ihm seine Lügen und Sinnlichkeiten, seine Grausamkeit und Selbstsucht vergeben worden sein? Denn vergeben sind sie ihm. Die Narbe ist weg. Der Geruch, ob unvermeidlich oder gewünscht, kam später. Ich bin nicht er. Ich bin ein Mann, der aus eigenem Willen zu diesem Spiel der Schatten geht, der sozusagen über ein fremdes Wesen zu Gericht sitzt. Ich suche nach dem Punkt, an welchem die ungeheuerliche Welt meines gegenwärtigen Bewußtseins anfing, und ich spreche den Jungen im Krankenhaus frei.

Hier?

Nein, nicht hier.

4

Und selbst bei der Gelegenheit, als ich auf dem Fahrrad auf das Verkehrslicht wartete, war ich nicht mehr frei. Da war eine Brücke über einen Strang von Eisenbahnschienen zwischen verräucherten Häuserzeilen von Süd-London, und die Verkehrsampeln waren dort etwas Neues. Sie sortierten den Verkehr in der Nord-Süd-Richtung aus dem Getröpfel, das um London herum östlich und westlich sich seinen Weg suchte. Sie waren damals noch so neu, daß ein Kunststudent wie ich sie nicht sehen konnte, ohne an Tusche und Wasserfarben zu denken, – Tusche für den an einen Punchball erinnernden Umriß, Wasserfarben für den Rauch und das Glühen und die verwischten herbstlichen Schattierungen am Himmel.

Nein. Ich war nicht gänzlich frei. Beinahe, aber nicht ganz. Denn dieser Teil von London hatte mit Beatrice zu tun. Sie sah diese rußige, verschmierte Brücke, und die Art, wie die Omnibusse vorsichtig über ihren Bogen fuhren, mußte ihr vertraut sein. In einer dieser Straßen mußte sie wohnen, in einem Zimmer in einem dieser trübseligen Häuser. Ich wußte den Namen der Straße, Squadron Street; ich wußte auch, daß der Anblick dieses Namens auf einer metallenen Tafel oder auf einem Pfosten mit Straßenschild mein Herz wieder zusammenpressen, die Knie erweichen, mir den Atem benehmen würde. Ich saß auf meinem Fahrrad auf der abwärts führenden Seite der Brücke, wartete auf das grüne Licht und auf die Möglichkeit, links um die Ecke zu rollen, und schon hatte ich meine Freiheit hinter mir gelassen. Ich hatte mir die beunruhigende Freude erlaubt, sie zu malen, ich hatte den entscheidenden Schritt vorwärts getan. Ich saß und wartete, wobei ich das rote Licht im Auge behielt.

Ungefähr eine Viertelmeile von hier erhob sich eine große Sektenkirche im Rauch zwischen den Häusern, und die Gefühle, die ich schon für erstorben gehalten hatte, begannen wieder zu sprießen wie Samenkörner, die ihre Hülsen sprengen. Mach ein Ende damit, und diese Empfindungen vergehen schließlich.

Aber ich hatte kein Ende gemacht. Während ich da saß, konnte ich wieder diese umfassende und wilde Eifersucht verspüren, wie zu Anfang; Eifersucht darauf, daß sie ein Mädchen war, die geheimste Eifersucht, die es gibt – darauf, daß sie Liebhaber nehmen und Kinder gebären konnte, daß sie so glatt war, so freundlich und anmutig, daß das Haar blühte auf ihrem Haupt, daß sie Seide trug und Parfüm und Puder gebrauchte; Eifersucht auf ihr Französisch, das so gut war, weil sie mit den anderen vierzehn Tage in Paris verlebt hatte, wohin zu reisen mir versagt war – Eifersucht, jener abgrundtiefe unerklärliche Haß auf anständige Frömmigkeit und diesen nur geahnten Sinn für das Abendmahl: und schließlich und vollständig die Eifersucht auf die Leute, die in ihre Gutwilligkeit, in ihr Gemüt eindringen mochten, in die geheimen Kostbarkeiten ihres Körpers, dahin gelangen mochten, wo ich, wenn ich umkehrte, niemals hoffen durfte zu sein – ich fing an, mir die Männer auf dem Gehsteig anzusehen, diese namenlosen Männer, die ihr Vorrecht genossen, in diesem Lande zu wohnen, das von Beatricens Füßen betreten wurde. Irgend einer mochte, konnte der Mann ihrer Zimmerwirtin sein oder ihr Sohn; der Sohn der Wirtin!

Die Verkehrslichter geboten immer noch Halt. Ich wurde gewahr, daß sich der Verkehr in den Straßen staute, es war also möglich, daß die Verkehrsampeln versagten. Wir wurden aufgehalten. Noch war es Zeit, umzukehren und wieder wegzugehen. Ein paar Tage, und die Gefühle würden versiegen. Aber sogar, als diese Möglichkeit sich bot, wußte ich, daß ich nicht umkehren würde; wie von selbst stieg ich vom Rad, hob es auf den Bürgersteig und rollte es unter dem roten Licht durch.

Mut. Dein Anzug ist sauber, wenn auch billig; dein Haar ist geschnitten und gekämmt; deine Visage ist zwar häßlich, aber gut rasiert und riecht leicht nach einem männlichen Parfüm, wie's in den Inseraten steht. Du hast dir sogar die Schuhe geputzt.

›Ich habe es ja nicht darauf angelegt, mich zu verlieben!‹

Ich fand, daß ich schon fünfzig Meter weiter war, ich schob immer noch mein Rad auf dem Bürgersteig, obgleich hier die Straße frei war. Ich kam an einem riesigen Bauzaun vorbei, an dem zehn Fuß hoch Bohnen und rote Backen zu sehen waren. Mein Herz schlug schnell und laut, nicht weil ich sie gesehen oder auch nur an sie gedacht hätte, sondern weil ich während des Gehens auf dem Bürgersteig endlich die Wahrheit meiner Lage begriffen hatte. Ich war verloren. Ich war gefangen. Ich konnte mein Rad nicht wieder über die Brücke zurück schieben; es gab kein Hindernis, mich körperlich aufzuhalten, und nur die letzte Möglichkeit, Beatrice zu sehen, konnte mich weiter treiben. Ich hatte laut aufgeschrien, alle meine Gefühle hinausgeschrien, die ihre Samenhüllen aufgebrochen hatten. Ich saß wieder in der Falle. Ich hatte mich selbst in die Falle begeben.

Denn wieder umkehren – was heißt das? Nicht nur alles, was vorausgegangen ist, sondern was noch hinzukam: daß ich das Pflaster und die Leute in ihrer Umgebung gesehen habe, daß ich auch noch den Sohn der Wirtin hinzuerfunden habe, das war nun viel schlimmer als zu Anfang. Umkehren, das würde irgendwo enden – in Australien vielleicht, oder in Süd-Afrika – irgendwo würde es nur auf diese Weise enden. Irgendwo würde mich gelegentlich einer ansprechen: »Haben Sie mal ein Mädchen gekannt namens Beatrice Ifor?«

Ich, mit taumelndem Herzen und starrer, schmerzvoller Miene: »Ja, 'n bißchen. In der Schule –«

»Sie ist –«

Was ist sie? Wurde Parlaments-Mitglied. Wurde von der Katholischen Kirche heilig gesprochen. Ist in der Ausstellungs-Jury.

»Sie hat einen Kerl geheiratet –«

Einen Kerl. Der Prinz von Wales könnte sie heiraten. Könnte Königin sein. O Gott, und ich auf dem Bürgersteig. Königin Beatrice, ihr Geheimnis versiegelt und bekannt, aber nicht mir –

Ich sprach zu den Bohnen: »Geht das immer so zu, wenn sich einer verliebt? Gehört denn so viel Verzweiflung zur Liebe? Dann ist Liebe weiter nichts als Wahnsinn.«

Und ich möchte sie nicht hassen. In mir ist etwas, das niederknien könnte, das wie von Mama und Evie sagen könnte: wenn sie nur da ist und für mich da ist, wenn sie nur bei mir ist und für mich und nichts anderes da ist, dann wollte ich nichts anderes tun, als sie anbeten.

Nimm dich zusammen. Du weißt, was du willst. Du hast dich entschieden. Jetzt mußt du dich dieser Hingabe nähern, Schritt für Schritt.

Sie kamen bereits aus dem Lehrerinnen-Seminar, ich konnte sie sehen, blonde Köpfe und dunkeläugige, kichernd und lachend in Grüppchen, einander zuwinkend und zwitschernd, so mädchenhaft und frei, die dünnen, die hochgewachsenen, die untersetzten, die plumpen, die kindlichen, die frühreifen, die vergnüglichen und die ernsten, welche Brillen tragen. Ich stand am Rinnstein, auf dem Rad sitzend, und wünschte ihnen Tod und Vergewaltigung, Bombenregen oder sonst eine Vernichtung, weil das nicht mehr als den Bruchteil einer Sekunde erfordert hätte. Und sie, natürlich, sie kam am Ende überhaupt nicht – konnte ja sein –, was zum Teufel hatte man eigentlich an einem Herbstnachmittag um halb fünf in einem Lehrerinnen-Seminar zu tun? Die Menge verlief sich. Wenn sie mich zuerst sah, wie ich da auf meinem Sattel in der Gosse saß, offensichtlich wartend, dann war das Spiel schon verloren. Ich mußte zufällig da sein, ich mußte fahren, wenn sie mich sah. So stieß ich mich ab und balancierte auf der Straße, so langsam wie im Zirkus, in der halben Hoffnung, daß es sich nun entscheiden mußte und daß sie nicht herauskommen würde, so daß mein sich schlecht benehmendes Herz imstande war, sich wieder zu beruhigen, aber Herz und Fahrrad taumelten weiter, und sie erschien mit zwei anderen, wandte sich und ging weg, ohne mich zu sehen. Aber das hatte ich zu oft im Bett überlegt, als daß mein Herz und die geschwollenen Hände mich im Stich gelassen hätten. Nun lief das Ganze mechanisch ab, Ergebnis furchtbar konzentrierten Denkens und Wiederholens. Ich fuhr wie zufällig, die eine Hand in der Tasche und die andere auf der Hüfte, ja sieh: ich fahre freihändig, schwankend, mal hierhin mal dorthin. Ich fuhr an ihr vorbei, und sie war hinter mir. Verdutzt sah ich mich um, griff nach der Lenkstange, bremste und schlidderte, bis das Rad am Bürgersteig hielt, sah mich mit gut gespielter, riesiger Überraschung um und grinste unverschämt: »Nanu, das ist doch Beatrice Ifor!«

Sie blieben also stehen, alle drei, während mein ausgeprobtes Geschwätz ihr keine Gelegenheit gab wegzugehen, ohne unhöflich zu sein; und die beiden anderen, diese gesegneten Dämchen, wußten gut Bescheid, sie wußten, wie man sich in solchen Fällen benimmt, und gingen beinahe sofort weiter, winkten zurück und kicherten.

» – fuhr gerade vorbei – hab ich mir nicht träumen lassen – das ist also Ihr Seminar, wie? Ich komme oft auf dieser Straße hier vorbei oder werde in Zukunft oft hier lang fahren. Ja natürlich. Ich fahre lieber mit dem Rad von einer Stelle zur andern – fahre nie im Bus. Kann Busse nicht ausstehn. Kurs in Lithographie. Waren Sie gerade auf dem Heimweg, zu Ihrer Bude? Nein, ich gehe gern zu Fuß. Darf ich tragen? Macht Ihnen das Spaß hier? Viel Arbeit? Es scheint, Sie kommen gut voran – ja. Hören Sie mal. Ich wollte gerade eine Tasse Tee trinken, eh ich weiter fahre – wie? – ach, aber Sie müssen! Wir gehen zu Lyons. Ja. Ich kann da das Rad abstellen – «

Da war ein rundes Tischchen aus imitiertem Marmor auf drei eisernen Beinen. Sie saß mir gegenüber. Ich hatte sie nun ganze Minuten lang für mich, aus allen Beziehungsmöglichkeiten des Lebens hatte ich diese eine heraus isoliert. Mit aller Anstrengung und Berechnung hatte ich das zuwege gebracht. In diesen Minuten mußte viel geleistet, allerhand festgestellt und entschieden werden, allerlei Schritte waren zu tun; sie mußte – o Ironie! – ein wenig näher dahin gebracht werden, wo ich meine Freiheit vollends verlieren sollte. Ich hörte, wie meine Stimme weiter plapperte, wie sie nach dem Schnürchen sprach, wie sie Vorschläge machte, die zu allgemein waren, um abgelehnt zu werden, ich hörte die zart angebrachten Anmaßungen, die zu einer Verpflichtung ausgebaut werden sollten; ich hörte, wie diese meine Stimme die erneuerte Bekanntschaft befestigte und diplomatisch ein klein bißchen weiter voran tastete; aber ich betrachtete ihr nicht zu malendes, unbeschreibliches Gesicht, und ich wollte sagen: du bist das geheimnisvollste und schönste Wesen im Weltall, ich will dich haben und deinen Altar und deine Freunde und deine Gedanken und deine Welt. Ich bin so eifersüchtig – bis zum Wahnsinn, ich könnte die Luft töten, weil sie dich berühren darf. Hilf mir. Ich bin wahnsinnig. Hab Erbarmen. Ich möchte du sein.

Die schlaue, skrupellose, lächerliche Stimme murmelte weiter.

Als sie aufstand und gehen wollte, ging ich mit und redete die ganze Zeit, und in meinen Reden brachte ich mich als einen angenehmen jungen Mann – oh, diese berechneten Geschichten! – zur Geltung, ich ließ den anderen Sammy verschwinden, den unverschämten und namenlos schlechten Sammy. Als sie auf dem Bürgersteig haltmachte, um sich zu verabschieden, benahm ich mich so korrekt, als ob sich nicht der Himmel um mich drehte. Ich erlaubte ihr zu gehen, die mit mir verbunden war mit einem Faden, der nicht stärker war als ein Haar; man konnte zwar nicht sagen, daß sie die Fliege verschlungen hätte, aber die Fliege war zum mindesten noch da und tanzte über dem Wasser – und sie, sie war auch noch da, sie hatte nicht mit dem Schwanz gezuckt und war nicht unter Felsen oder Wasserpflanzen verschwunden. Ich sah ihr nach, wie sie ging, und wandte mich meinem Fahrrad zu mit dem Gefühl, etwas erreicht zu haben – ein Treffen mit Beatrice ganz allein inmitten einer Menge, der Kontakt war wieder hergestellt. Ich fuhr nach Hause, das Herz ganz weich vor Entzücken, Güte und Dankbarkeit. Denn so war es gut. Sie war neunzehn und ich war neunzehn; wir waren männlich und weiblich, wir würden heiraten – obwohl sie das noch nicht wußte, nicht wissen durfte, sonst verschwand sie in den Wasserpflanzen oder Felsen. Außerdem war Frieden. Denn sie wollte heute abend über ihren Büchern sitzen und arbeiten. Nichts konnte sie anrühren. Bis zum nächsten Nachmittag – denn wer wußte, was sie am nächsten Abend machen würde? Tanzen? Kino? Mit wem? Immerhin, die Eifersucht brauchte erst morgen wieder in Kraft zu treten, und die nächsten vierundzwanzig Stunden war sie sicher. Ich umgab sie mit Dankbarkeit und Liebe, die weitgehend die Form des Segnens annahmen, ungeschlechtlich und großzügig. Die Habenichtse werden schon bei sehr wenig Gunst wild vor Entzücken. Wieder einmal, wie in der Schule, sehnte ich mich nicht danach, auszunutzen, sondern nach Schutz.

So also verband mich ein haarfeiner Faden mit ihr, und ich merkte nicht, daß ich mich mit jedem weiteren Faden mit einem weiteren dicken Kabel fesselte. Natürlich ging ich am nächsten Tag wieder hin, gegen mein besseres Wissen, aber einem verzweifelten Antrieb folgend, die Sache voranzutreiben, zu beschleunigen, und sie war nicht da, sie kam nicht. Darauf verbrachte ich einen elenden Abend und trieb mich am nächsten Tag den ganzen Nachmittag beim Seminar herum.

»Hallo, Beatrice! Sieht so aus, als ob wir uns ziemlich oft begegnen werden!«

Aber sie müsse sich beeilen, sagte sie, sie ginge den Abend aus. Da stand ich auf dem Bürgersteig vor Lyons wie vor einem unbetretenen Himmel, und gelähmt schaute ich ihr nach, als sie in den unabsehbaren Möglichkeiten des Ausgehens verschwand. Nun hatte ich reichlich Zeit, die Probleme der Liebesbindung durchzudenken. Ich fing an ahnungsweise einzusehen, daß ein Faden an beiden Enden angeknüpft sein muß, wenn er überhaupt halten soll.

Komisch.

»Hallo, Beatrice! Da sind wir wieder!«

Als wir an dem marmorgedeckten Tisch saßen, begannen mir die Pläne einzeln einzufallen.

»Haben Sie sich gestern abend gut amüsiert?«

»Ja, danke.«

Dann fragte ich, aus einem unerträglichen Zwang, zu wissen, das Herz schlug mir, und die Hand war mir feucht vor Angst und Zorn: »Was haben Sie getrieben?«

Sie trug, wie ich mich erinnere, ein Kostüm, grau, eine Art glatten Flanell mit abwechselnd grünen und weißen, senkrechten Streifen. Darunter trug sie eine Bluse, die etwas von ihrer Kehle und Brust freiließ. Zwei dünne Goldketten fielen über die seidige Haut und verloren sich in den Köstlichkeiten. Was hing da am Ende, zwischen den hesperischen Äpfeln? Ein Kreuz? Ein Medaillon mit einer Haarlocke? Ein Aquamarin, der da sich bewegt und schimmert, eine geheimnisvolle und unerreichbare Vollkommenheit?

»Was haben Sie gemacht?«

Der Gegensatz zwischen dem steifen Kostüm, der Männlichkeit der Rockaufschläge, der knappsitzenden Taille – und dem weiblichen Körper darin – weißt du eigentlich, was du mir antust? Aber es gab auch Veränderungen: jetzt ein leichter rötlicher Hauch über den Wangenknochen und ein gleichmütiger Blick unter den langen Wimpern. Plötzlich war die Luft zwischen uns mit Verständnis erfüllt – wir verstanden uns, indem wir sozusagen Kleingeld wechselten. Wir verstanden uns ohne Worte, die dazu gar nicht nötig waren. Sie wußte und ich wußte; trotzdem konnte ich das fatale Wort nicht zurückhalten.

Es vibrierte mir im Körper, es war wie ein Niesreiz, nicht auf-
zuhalten, es fuhr heraus in Wut und Verachtung und Schmerz:
»Getanzt?«
Die schwache Röte blieb diesmal. Das runde Kinn hob sich. Der
Faden spannte sich und riß.
»Also, ich muß sagen – «
Sie stand von ihrem Stuhl auf, nahm ihre Bücher.
»Es wird spät. Ich muß gehen.«
»Beatrice!«
Ich mußte hinter ihr herlaufen, während sie den Bürgersteig
entlang ging. Ich heftete mich an sie, ich ging neben ihr.
»Entschuldigen Sie. Nur, ich – ich hasse das Tanzen – es ist mir
widerlich! Und der Gedanke, daß Sie – «
Wir wurden aufgehalten und wandten einander halb zu.
»Haben Sie wirklich getanzt?«
Zu der Haustür führten drei Stufen, an jeder Seite lief ein
eisernes Geländer im Bogen herab. Keiner von uns hatte das
richtige Wort zur Verfügung. Sie wollte mir sagen, daß ich, angenommen, sie verstünde mich recht, ich doch wohl noch nicht
befugt sei, auf einer Auskunft zu bestehen. Mir war das Weinen nahe – sieh doch, wie ich brenne! Flammen schießen mir aus
dem Kopf und aus meinen Lenden und meinem Herzen! Sie
wollte sagen: wenn ich auch halb unbewußt dich als Gefährten
geschätzt habe – und du schienst natürlich unmöglich, nur leicht
gebessert, was dein Benehmen von neulich betrifft – wie sehr
ich mir auch Mühe gegeben habe, als normales weibliches Wesen zu reagieren und dir eine gewisse Annäherung zu erlauben: die Spielregeln müßten dann doch beachtet werden, du
aber hast sie gebrochen und meine Würde beleidigt.
So standen wir auf der untersten Stufe, ich, die Hand an dem
Geländer, roten Schlips in meiner Heftigkeit über die rechte
Schulter geweht.
»Beatrice! Haben Sie – ?«
Sie hatte so klare Augen, so ungetrübte Augen, grau, ehrlich,
da der Preis für Unredlichkeit ihr niemals geboten worden war.
Ich blickte hinein, ich spürte ihre unnachsichtige und fremde
Reinheit. Sie war ganz in sich selbst geschlossen. Nichts war ge-
schehen, was jemals dieses stille Wasser hätte aufrühren kön-
nen. Ich hielt ihr meine Hand hin, verzweifelnd und bittend,

stumm und hitzig in meiner rohen Jugend und all den Sturm-
fluten, die mich dahingeschwemmt hatten – was konnte sie
anders tun, als die Hand betrachten und warten und sich fragen, was ich eigentlich wollte?

»Haben Sie?«

Entrüstung und beleidigter Stolz, beides aber herabgestimmt,
denn der Faden war schließlich so haardünn gewesen, und aus
der Beleidigung viel Wesens machen, hieß stillschweigend an-
deuten, daß ich ihre Freiheit bedroht hatte.

»Kann sein.«

Und damit ging sie an mir vorbei und schwebte wundervoll
ins Haus.

Wie groß ist ein Gefühl? Wo ist die Tafel, an der man das in
Graden ablesen kann? Ich fand meinen Weg zurück, quer
durchs südliche London, wobei ich versuchte, aus meiner Stimmung herauszukommen. Ich sagte mir, es sei nicht nötig zu
übertreiben: du bist kein Erwachsener, sagte ich – es wird viel
schlimmere Dinge geben als dies. Es werden Zeiten kommen,
da wirst du sagen: hab ich jemals geglaubt, verliebt zu sein? Das
gab's einmal, vor langen Zeiten. Er war verliebt, Romeo. Lear
starb an gebrochenem Herzen. Aber wie soll man Vergleiche
anstellen? Wo in der langen Reihe trat Sammy auf? Denn jetzt
wanden sich mir rauhe Stricke um die Handgelenke, die Fuß-
knöchel und um den Hals. Sie führten mich durch die Straßen,
sie lagen ihr zu Füßen. Und sie konnte sie aufheben oder nicht,
ganz nach Belieben. Es war für mich eine Tortur, als ich weg-
fuhr, die Stricke meilenweit hinter mir herschleppend, die sie
nicht aufheben wollte. Vielleicht war sie selbst in anderer Richtung gebunden? Aber das glaubte ich nicht. An meinem Fieber-
zustand merkte ich, daß derartige Prozesse sich sehr schnell entwickeln. Ich war nebenbei ein spezialisierter Psychologe: ich hatte ihre Augen gesehen, ich kannte sie und ihr ungetrübtes Gemüt. Was für ein Narr war ich doch, daß ich darauf bestand zu
wissen, wo sie gewesen war, wo ich doch wußte, wie dünn der
Faden von Anfang an gewesen war. Ich hatte ja gar nichts zu riskieren. Ihr Wesen war unberührt geblieben, und die einzige Gefahr bestand darin, daß sie vielleicht irgendwo und irgendwie
auf die unerforschliche Gelegenheit traf und Feuer fing. Ich betrat mein Zimmer und schlug die Hände zusammen.

Die Partei war mir eine Erleichterung. Robert Alsopp saß in dem Lehnstuhl, und die Luft war geschwängert von Rauch und Wichtigkeit. Die anderen standen oder saßen oder lagen, voller Aufregung und Verachtung. Alles war blöd, Genossen. Aber verdammt nochmal, wenn irgendwer, dann wissen wir, wohin es geht. Nun seid still, Genossen. Genosse Mountjoy hat das Wort.

Genosse Mountjoy lieferte einen recht dürftigen Bericht. Tatsächlich hatte er über die ›Young Communist League‹ überhaupt keinen Bericht angefertigt. Er flickte sich was zurecht. Aber Rauch und die technischen Einzelheiten höhlten die Dringlichkeit und die Begeisterung aus, so daß ich zu einem lahmen Schluß kommend, zurechtgewiesen und angehalten wurde, eine Selbstprüfung vorzunehmen. Ich fing damit gleich an, und sie geht immer noch weiter; aber ich weiß noch, wozu ich mich zuerst entschloß, nämlich gleich in dieser Nacht an Beatrice zu schreiben, und zwar aufrichtig zu schreiben. Und ich erinnere mich auch, daß ich zweitens beschloß, Beatrice niemals aus ihrem Haus in dieses hier zu bringen, wo sie als erstes mit dem Genossen Alsopp ins Bett gehen mußte. Er hatte eine Frau, die ihn nicht verstand, gerade als ob er ein Bourgeois-Typ von Schullehrer wäre statt ein fortschrittlich gesinnter; aber wie das so ging, im Krieg mit nur einer oder zwei Wochen Urlaub, Verfall der Ehe und schließlich der Bruch, all die Aufregung – keiner merkte, daß das nicht Marxismus war, sondern die älteste und gewöhnlichste Geschichte der Welt. Immerhin, es versah unsere genießbaren Weiblichkeiten mit einer Art Beförderung und weihte sie sozusagen ein.

Genosse Wimbury sprach. Er war sehr groß und bestimmt, und auch er war Lehrer. Ich weiß noch, daß wir von Alsopp und Wimbury beherrscht wurden, weil sie – wenn ich es damals bloß hätte verstehen können – aus der Sache eine Posse machten. Alsopp hatte einen riesigen Kahlkopf, ein verwüstetes Gesicht mit einem quer darüber gekritzelten, feuchten, geilen Mund. Er war breit und, solang er am Tisch saß, recht eindrucksvoll; aber dann entdeckte man, daß er nicht saß, sondern stand. Er hatte die kürzesten Stummelbeine, die ich je bei einem Manne gesehen habe. Er saß gar nicht auf seinem Stuhl, er lehnte nur seine Sitzfläche daran. Wimbury dagegen hatte einen sehr kleinen Oberkörper, so daß sein schmales Kinn und sein Kaninchengesicht, wenn er neben Alsopp saß, eben über den Tischrand guckten. Aber wenn er aufstand, wurde sein Puppenleib von den beiden stelzenartigen Beinen bis an die Decke gehoben. An diesem Abend erteilte er uns den üblichen politischen Unterricht, und mit einer Unmenge von Zitaten und elementaren Gründen bewies er uns, daß es keinen Krieg geben würde. Alles war nur ein Komplott der Kapitalisten, irgendetwas zu tun, ich weiß nicht mehr was. Wir hörten zu und nickten bedächtig. Wir wußten ja Bescheid. Wir wußten, daß die Welt in ein paar Jahren kommunistisch sein würde: und wir hatten selbstverständlich recht. Ich versuchte, mich ins Zuhören zu versenken, aber ich wurde die Stricke nicht los.

In dieser Nacht schrieb ich Beatrice einen Brief. Die Weihnachtskarte hatte mich belehrt, daß Worte unsere einzige Möglichkeit des Mitteilens sind, es wurde also ein langer Brief. Ich wünschte, ich könnte ihn jetzt lesen. Ich bat sie, den Brief sorgfältig zu lesen – ich wußte ja nicht, wie gebräuchlich diese Eröffnung in solchen Briefen ist –, ich wußte nicht, daß es Tausende von jungen Männern in London gab, die in dieser Nacht ebensolche Briefe an ebensolche Heilige schrieben. Ich setzte ihr das mit der Schule auseinander, das mit dem angeblichen Aphrodisiakum. Ich griff zurück auf den ersten Tag, an dem ich neben Philip gesessen und versucht hatte, sie zu zeichnen. Ich erklärte ihr, was ich gesehen und zu sehen gedacht hatte. Ich sagte ihr, ich sei ein hilfloses Opfer, der Stolz hätte mich gehindert, ihr das klarzumachen, aber sie sei für mich Sonne und Mond, ohne sie müßte ich sterben; viel erwartete ich nicht – sie sollte ja nur in eine besondere Beziehung zwischen uns einwilligen, die meine Stellung mehr heben würde als diese verwünschten Zufallsbekanntschaften. Denn sie würde sich vielleicht doch etwas aus mir machen, sagte ich in meinem spießbürgerlichen Schriftstück. Vielleicht würde sie sogar – denn ich habe dich von Anfang an geliebt und werde dich immer lieben.

Zwei Uhr morgens und Herbstdunst, Londoner Nebel. Ich schlich heimlich aus dem Hause, denn die Familie, bei der ich wohnte, stand im Verdacht, meine Bewegungen den Behörden zu melden. Ich fuhr los, fuhr durch die Nacht und hatte Angst, der Brief könnte nicht rechtzeitig sein Ziel erreichen. Erst hielt ein Polizist mich an und schrieb meinen Namen und meine Adresse auf; dann hielten zwei mich auf. Das dritte Mal war ich mürbe genug, die Wahrheit zu sagen, und ich erzählte der Statue im blauen Mantel, daß ich verliebt sei, und so winkte er mir nur, weiterzufahren, und wünschte mir Glück. Endlich kam ich an ihre Tür, schob den Packen durch und hörte, wie er runterfiel. Als ich mich wieder über das Fahrrad bog, sagte ich zu mir selbst: wenigstens bin ich ehrlich gewesen, bin ehrlich gewesen, weiß nicht, was ich tun soll.

Wie reagieren sie eigentlich, diese weichen, gespaltenen Kreaturen? Wo ist das Zifferblatt, das die Grade ihrer Empfindungen anzeigt? Ich hatte meinen Geschlechtsumgang schon hinter mir, dafür hatte die Partei gesorgt. Sheila hieß sie, dunkel und schmutzig. Wir hatten einander ein bißchen flüchtiges Vergnügen verschafft, wie man eine Tüte Bonbons herumreicht. Das gehörte zu unserer absurden Unabhängigkeits-Erklärung, indem man sich so viel als möglich wie Alsopp benahm. Es war Freiheit. Aber die anderen Mädels, die zurückhaltenden, unberührten – wie empfanden und dachten sie? Oder sind sie wie Sammy in Rotten Row, eine durchsichtige Blase, umhergeweht, verwundbar aber unverletzt? Ganz gewiß, sie muß gewußt haben! Aber wie stellte sich die Situation dar? Zugegeben, der ganze physische Vorgang erscheint scheußlich und unaussprechlich – das ist durchaus richtig, ich weiß das –, als was erscheint dann die Liebe? Ist das etwas Abstraktes mit ein bißchen Menschlichkeit wie in den Tanzankündigungen von Piccadilly? Oder schließt Liebe unmittelbar eine Hochzeit mit Schleier, ein Haus mit ein? Sie hatte sich angekleidet und ausgekleidet, ihren zarten Körper gepflegt, jahraus jahrein. Dachte sie niemals mit schnellem Pulsschlag und Atem: er liebt mich, er möchte mir – das – antun? Vielleicht hat jetzt bei der zunehmenden Aufklärung die Jungfräulichkeit ihren geheiligten Stand verloren, und die Mädels gehen eifrig zum Schwimmen. Schließlich war es eine gesellschaftliche Übereinkunft. Sie gehörte zur niederen Mittelklasse, wo man noch aus Instinkt oder Gewohnheit intakt hielt, was man hatte. In jenen Tagen war das eine Klasse von großer Macht und Stabilität, unnobel und kleinlich. Ich weiß nicht, welche Aufregung mein Brief in ihrem Taubenschlag verursachte, wenn er überhaupt welche verursachte, ich konnte es nicht und kann's nicht, ich wußte und weiß nichts von ihr. Aber sie las den Brief.

Dieses Mal tat ich nicht so, als führe ich vorbei. Ich saß im Sattel, eine Hand auf der Lenkstange, einen Fuß auf dem Bordstein. Ich sah, wie sie aus den Doppeltüren herausströmten, und sie kam mit ihnen. Die beiden hübschen Dämchen hatte sie offenbar abgewimmelt, denn sie marschierten ohne Gekichere weg. Ich sah ihr ins Auge und schämte mich brennend meiner Beichte.

»Haben Sie meinen Brief gelesen?«

Das war keine Ausdrucksweise, die sie zum Erröten brachte. Ohne ein Wort zu wechseln, gingen wir zu Lyons und saßen schweigend da.

»Nun?«

Jetzt errötete sie doch ein wenig, sie sprach sanft und freundlich wie zu einem Kranken.

»Ich weiß nicht, was ich sagen soll, Sammy.«

»Ich mein' es ernst, mit jedem Wort. Du hast« – die Hände ausgebreitet – »du hast mich geschnappt. Ich bin geschlagen.«

»Wieso?«

»Es ist doch so eine Art Wettkampf.«

Aber ich sah, daß in ihren Augen immer noch kein Verständnis war.

»Vergiß es, Beatrice. Wenn du nicht verstehen kannst – hör zu. Sei ein bißchen gutwillig. Verstehst du? Laß mir die Chance – *bin* ich denn so abschreckend? Ich weiß, ich seh nicht nach was Besonderem aus, aber« – tief Atem holen – »aber du weißt doch, was ich fühle.«

Schweigen.

»Nun?«

»Dein Kursus. Der wird doch nicht ewig dauern. Dann wirst du nicht mehr hier vorbeikommen.«

»Mein Kursus? Was! Ach so – der! Ich meine, ich dachte, wenn du und ich – wir könnten im Freien spazieren gehen, und dann könntest du – ich bin wirklich ganz harmlos.«

»Dein Kurs?«

»Das hast du also doch erraten? Ich schwänze zur Zeit die Kunstakademie. Es gibt Dinge, die wichtiger sind.«

»Sammy!«

Jetzt begannen die ungetrübten Teiche sich zu füllen, mit Verwunderung und Schreck und einer Spur Neugierde. Dachte sie im stillen: es ist wahr, er liebt mich, er hat wirklich meinetwegen etwas getan? Alles in allem, ich kann, wie ich bin, geliebt werden. Ich bin nicht völlig leer. Ich habe eine Statur wie die anderen. Bin ich menschlich?

»Du kommst? Sag, daß du kommst, Beatrice!«

Sie erwies sich als in jeder Beziehung tugendhaft. Sie wollte kommen, aber ich mußte versprechen – nicht etwa als Gegenleistung, denn das wäre ja wie ein Handelsgeschäft gewesen – ich mußte versprechen, die Kunstschule nicht mehr zu schwänzen. Ich glaube, sie fing an, sich als ein Machtzentrum anzusehen, von dem aus sie mich zum Guten beeinflussen konnte; aber daß sie Interesse an meiner Zukunft nahm, entzückte mich dermaßen, daß ich es nicht weiter untersuchte.

Nicht am Sonntag. Am Sonnabend. Am Sonntag konnte sie nicht kommen, sagte sie, sozusagen milde überrascht darüber, daß irgendwer das von ihr erwarten sollte. Und so stieß ich zum ersten, und ich kann wohl sagen, zum letzten Mal auf einen Nebenbuhler. Das überraschte mich damals und überrascht mich noch jetzt: erstens, daß ich so in Wut geriet über diesen unerreichbaren Rivalen, zweitens, daß ich in physischem Sinne gar keinen hatte. Sie war so lieb, so einzigartig, so schön – oder machte ich mir, was ihre Schönheit betraf, etwas vor? Wären alle jungen Männer wie ich gewesen, Scharen von ihnen hätten jeden Weg bevölkert, den sie ging. Hatte außer mir kein anderer Mann dieses unersättliche Begehren, zu wissen, jemand anderer zu sein, zu verstehen – war ich der einzige, der in ihrer Nähe in einen Zustand geriet, der eine Mischung war aus Anbetung und Eifersucht und berauschter Schwellung? Gab es da noch andere, ist es die allgemeine Erfahrung, einer Gunst teilhaftig zu werden und einem Tumult von Seligkeit und Dankbarkeit zu verfallen und zugleich einem wilden Zorn darüber, daß man erst um die Gunst bitten muß?

Wir gingen zusammen bei grauem Wetter spazieren, und ich schüttete mein Talent vor ihr aus. Ich strich mich heraus. Wenn ich ihr die innere Nötigung beschrieb, die mich zum Malen zwang, kam ich mir wahrhaftig ganz wie ein Genie vor. Aber auf Beatrice wirkte das natürlich wie die Beschreibung einer Krankheit, die mir den Zugang zu einem anständigen, erfolgreichen Leben versperrte. Oder vielmehr, ich glaube das; denn all das ist bloß Vermutung. Es gehört zu meinem wirklichen Leben, daß ich's nicht verstehe. Überdies machte sie mir's nicht leicht, da sie selbst kaum sprach. Ich weiß nur, daß es mir gelungen sein muß, ihr ein Bild von meinem stürmischen Innern zu machen und in ihr damit einiges Staunen und Mitleid zu erregen. Doch war die Wahrheit im Ganzen um ein weniges geringer, die Wunde weniger tragisch und paradoxerweise weniger leicht zu heilen.

»Nun? Woran denkst du?«

Schweigen; abgewandtes Profil. Wir kamen von der Höhe herab, im Begriff, in einen feuchten Wald einzutreten. An seinem Rand blieben wir stehen, und ich nahm ihre Hand. Die letzten Fetzen meiner Selbstachtung fielen von mir ab. Nichts wagen, nichts gewinnen.

»Tu ich dir nicht leid?«

Sie ließ ihre Hand in der meinen liegen. Es war das erste Mal im Leben, daß ich sie anrührte. Ich hörte das Wörtchen davonwehen, vom Winde getragen: »Vielleicht.«

Ihr Kopf wandte sich, ihr Gesicht war nur ein paar Zoll von dem meinen entfernt. Ich beugte mich vor und küßte sie sanft und keusch auf die Lippen.

Wir müssen weiter gegangen sein, und ich muß geredet haben, aber ich weiß nicht mehr, was. Ich besinne mich nur auf mein Erstaunen.

Nicht nur darauf. Ich erinnere mich dessen, was ich entdeckt hatte. Ich war, durch einen gegenseitig ausgetauschten feierlichen Gruß, in den Stand eines Freundes aufgerückt. Ich hatte damit zwei Vorteile gewonnen. Erstens hatte ich nun einen Anspruch auf ihre Zeit, und sie konnte nicht mehr mit einem anderen männlichen Wesen ausgehen. Zweitens war ich berechtigt, bei seltenen Gelegenheiten einen ebenfalls streng keuschen Zoll einzuheimsen und Gute Nacht zu sagen. Ich bin fast überzeugt, daß Beatrice in diesem Augenblick ihre Geste als vorbeugend ansah. Freunde, das waren nette Jungen, und deshalb – so mag sie sich das gedacht haben – wenn Sammy ein Freund ist, wird er sich nett benehmen. Er wird dadurch normal werden. Liebe Beatrice!

Meinen Kommunismus behielt ich für mich. Das hätte meinem Rivalen nicht gepaßt. Er war offenbar ebenso eifersüchtig wie ich, in der Meinung, daß sich besudelt, wer Pech angreift. Aber um die Wahrheit zu sagen: wenn Nick mit seinem Sozialismus nicht gewesen wäre, hätte ich mich überhaupt nicht um Politik gekümmert. Ich schrie und nickte mit den übrigen, aber ich lief eigentlich nur deshalb mit ihnen mit, weil sie wenigstens eine Art Ziel hatten. Wenn Miß Pringles Neffe nicht gewesen wäre, der jetzt einen hohen Posten bei den Schwarzhemden hatte, dann wäre ich vielleicht selber ein Schwarzhemd geworden. Aber an jener Zeit war was Besonderes; wenn auch Wimbury sich selbst für überzeugt hielt, daß es keinen Krieg geben würde, so spürten wir doch das Kommende in den Knochen. Die Welt um uns rutschte unaufhaltsam durch einen Bogen in ein Chaos, wo Moral und Familie und private Verpflichtungen nichts mehr galten. Es lag eine Vorstellung in der Luft wie bei den alten Nordmännern, daß es keine Zukunft mehr gäbe. Vielleicht konnten wir eben deshalb uns mit einer so tiefen Unverantwortlichkeit dem Schlaf überlassen; nur, das mußte unter Leuten geschehen, die dasselbe Gefühl für das überstürzte Abrutschen hatten. Beatrice gehörte nicht dazu. Arbeiter der Welt – vereinigt euch!

Wir hatten einen Arbeiter. Die übrigen unserer Gruppe waren Lehrer und ein oder zwei Pfarrer, einige Bibliothekare, ein Chemiker, mehrere Studenten wie ich, und unser Paradestück: Dai Reece. Dai arbeitete im Gaswerk, wo er Kohlenschlepper war oder etwas Ähnliches. Ich glaube, Dai trug sich mit sozialen Ansprüchen und betrachtete unsere Gruppe als Adel. Er zeigte nie, auch nur im entferntesten eine Spur der Reaktionen, wie sie im Buche standen. Unsere Armee bestand tatsächlich aus lauter Generälen. Dai tat eine Weile ganz ordentlich, was ihm befohlen wurde, und ahnte nicht einmal, um was es sich handelte. Dann rebellierte er und wurde gemaßregelt. Wimbury und Alsopp und die übrigen waren alle Kommunisten im geheimen. Die einzigen, die öffentlich etwas für die Partei tun konnten, waren Studenten wie ich und natürlich Dai, unser Arbeiter. Er bekam so viel zu tun, daß er bei einer Versammlung der Ortsgruppe in eine Schimpfrede ausbrach: »Die ganze Woche sitzt du auf deinem dicken Hintern zuhause, Genosse, und ich soll jeden Abend in der Kälte rumlaufen und den blöden ›Worker‹ verkaufen, Mensch!«

Er wurde also gemaßregelt, und ich wurde auch gemaßregelt, denn es war der Abend, an dem ich Philip zu der Versammlung mitgebracht hatte, ohne um Erlaubnis zu fragen. Ich wollte, daß er bei mir bliebe, denn dann hätten wir uns über Beatrice und Johnny unterhalten können. Sonst wären wir wieder weggegangen und im zentralen London verschwunden. Was mich am meisten erstaunte, war der Ausdruck der Besorgnis in Philips bleichem Gesicht. Beinahe hätte man denken können, er sei verliebt, und es war symptomatisch für meinen Zustand, daß ich mich zu fragen begann, ob nicht auch er seine Karriere fortwarf, um sich Beatrice zu nähern. Aber Philip besah sich die Gesichter und schloß sich Dai an. Als die Versammlung zuende war, bestand er darauf, daß wir drei noch einen trinken sollten. Er nahm Dai in ein Kreuzverhör, und Dai behandelte ihn mit großem Respekt. Ich begann alsbald für Dai zu antworten, der sich als entsetzlich bürgerlich erwies und sich durchaus nicht als blendende Hoffnung der Zukunft benahm. Ich wurde warm und suchte Philip mit Überzeugung und Herztönen beizukommen. Aber er wich aus und zeigte sich beunruhigt. Er behandelte Dai auch mit einer Autorität, die ich nicht anerkennen mochte. Zuletzt entließ er ihn.

»Noch ein Bierchen, Dai, dann müssen Sie nach Hause. Ich habe noch einiges mit Mr. Mountjoy zu besprechen.«

Als wir allein waren, bestellte er für mich noch etwas zu trinken, aber er selbst nahm nichts mehr.

»Nun, Sammy. Du weißt also, wohin du gehst.«

Hals über Kopf, runter durch den dunklen Torbogen.

»Weiß das überhaupt jemand?«

»Dieser Kerl – dieser Wimbury. Weiß der's? Wie alt ist er?«

»Das weiß ich nicht.«

»Lehrer?«

»Natürlich.«

»Worauf will er denn hinaus?«

Ich trank aus und bestellte mir noch einen.

»Er arbeitet für die Revolution.«

Philip verfolgte die Bewegung meines Trinkens mit aufmerksamen Blicken.

»Wo geht er denn von hier aus hin?«

Ich muß mich längere Zeit besonnen haben, denn Philip fuhr fort mit Sprechen: »Ich meine – ist er richtiger Lehrer? Hilfslehrer?«

»Ganz recht.«

»Wenn er Kommunist ist, wird er nicht gerade Direktor werden.«

»Du bist doch ein ganz blöder, schrecklich kleinlicher – «

»Hör mal zu, Sammy. Was hat er denn davon? Was kann er werden?«

»Na!«

Aber was konnte denn Genosse Wimbury werden?

»Verstehst du nicht, Philip? Wir sind nicht um unsrer selbst willen dabei. Wir haben – «

»Das Licht gesehn – «

»Wenn du willst, ja.«

»Das haben die Schwarzhemden auch. Nun paß mal auf – fangt bloß nicht an, zu kämpfen.«

»Faschistenhunde!«

»Ich versuche, aus den Dingen klug zu werden. Ich bin auch auf ihren Versammlungen gewesen. Nun mach bitte keinen Fez daraus, Sammy. Ich bin doch – wie ihr sagen würdet – ich bin parteilos.«

»Du bist eben zu sehr verdammter Mittelstand, das ist dein Fehler.«

Das Trinken erwärmte mich, verlieh mir Tapferkeit und gab mir das Gefühl, im Recht zu sein. Ich begann eine ausführliche und mühsame Darlegung. Philip sah mich nur an, er sah mich dauernd an. Schließlich zog er seinen Schlips gerade und glättete sich das Haar.

»Sammy. Wenn der Krieg kommt – «

»Was für ein Krieg?«

»Nächste Woche, der Krieg.«

»Es gibt keinen Krieg.«

»Warum nicht?«

»Du hast doch Wimbury gehört.«

Philip begann zu lachen. Ich habe ihn nie so aufrichtig belustigt gesehen. Schließlich wischte er sich die Augen und sah mich wieder voller Ernst an.

»Willst du was für mich tun, Sammy?«

»Dein Porträt malen?«

»Halt mich auf dem laufenden. Nein. Nicht über Politisches. Den ›Worker‹ kann ich so gut lesen wie du. Aber laß mich nur eben wissen, was in der Ortsgruppe so vor sich geht. Die Stimmung. Der andere Kerl, der mit der Glatze – «

»Alsopp?«

»Was hat der denn davon?«

Ich wußte, was Alsopp davon hatte, aber das wollte ich ihm nicht sagen. Schließlich, Liebe war frei und das Privatleben weitgehend Nebensache – das eigene natürlich ausgenommen.

»Woher soll ich das wissen? Er ist ja älter als ich.«

»Du weißt nicht viel, nicht wahr, Sammy?«

»Trink nochmal einen.«

»Und du hast Respekt vor denen, die älter sind als du.«

»Hol sie der Teufel!«

Bier war in jenen Tagen kalt, für zwei Gläser kraftlos, beim dritten fing es an und man bekam goldene Flügel. Ich versuchte, Philip scharf anzusehen.

»Was hast du denn vor, Philip? Du kommst her, Schwarzhemd und Kommunisten –«

Philip blickte zurück, wie mir in meiner Benommenheit vorkam, mit einer Miene klinischer Kühle. Er tippte mit einem seiner weißen Finger an seinen langen Zähnen.

»Kennst du Diogenes?«

»Nie von ihm gehört.«

»Ging mit ’ner Lampe rum. Wollte einen ehrlichen Menschen finden.«

»Du bist aber verdammt unverschämt! Ich bin ehrlich, die Genossen auch. Ihr verfluchten Schwarzhemden.«

Philip beugte sich vor und starrte mir ins Gesicht.

»Dai braucht was zu saufen, mehr als alles andere. Was brauchst du mehr als alles andere, Sammy?«

Ich brummte vor mich hin.

Philip, nahe vor meinem Gesicht, sprach ganz laut.

»Steckrüben? Möchtest du vielleicht Steckrüben?«

»Was möchtest du denn?«

Ein taumelndes Auge nimmt manchmal ebenso richtig wahr wie das eines Berauschten. Nämlich nur das Wesentliche. Philip erschien in einem scharfen Licht. Im Gefühl meiner eigenen Unsicherheit, meines schief geratenen und unlogischen Lebens, das jetzt gerade einer umgekehrten Partitur glich, konnte ich begreifen, warum er nicht trank. Denn Philip, der blasse, sommersprossige Philip, der in jeder Linie seines Körpers von einer kosmischen Gemeinheit schlecht ausgestattet war, hielt sich selbst intakt. Was ich habe, das halte ich fest. Daher waren die knochigen Hände und das scharfkantige Gesicht, auf dem die Stirn auf jeder Seite eingedrückt war, als ob das Material dazu nicht gelangt hätte: alles das war gegen das Schenken versichert, es war von Natur unfähig zu irgend einer unbefangenen Großzügigkeit, verschlossen und argwöhnisch.

Ich will ihn beschreiben, wie ich ihn in diesem Augenblick sah. Er war besser angezogen als ich, sauberer und gepflegter. Sein Hemd war weiß, sein Schlips war unauffällig und saß korrekt. Philip saß nicht nachlässig da, sondern aufrecht mit gestrecktem Rückgrat. Er hielt die Hände im Schoß, die Knie geschlossen. Sein Haar war von einer merkwürdig undefinierbaren Beschaffenheit: es wuchs überall, aber so dünn, daß es dicht an seinem Schädel haftete wie eine gebrauchte Türmatte. Es war so unbestimmt, daß die großen hellen Sommersprosen den Haaransatz auf seiner fliehenden Stirn verwischten. Seine Augen waren blaßblau und erschienen im elektrischen Licht sonderbar nackt, weil er weder Augenbrauen noch Wimpern besaß. Nein, gnädige Frau, tut mir leid, diese Ware führen wir nicht zu diesem Preise. Dies ist nur ein Gebrauchsmodell. Seine Nase war ansehnlich genug, aber zu weich, und die Muskeln um seinen Mund brachten es eben noch fertig, ihn zu schließen. Und das Innere dieses Menschen, des Knaben? Ich hatte mit ihm um Zigarettenbilder hinterlistige Pläne ausgeheckt, ich hatte mit ihm in der dunklen Kirche gerungen – ich war von ihm betrogen und geschlagen worden – ich hatte seine Freundschaft akzeptiert zu einer Zeit, als mir an Freundschaft sehr gelegen war.

Das Innere dieses Menschen?

Ich konnte lächeln. Ich lächelte wirklich, mit einer zweckentsprechenden Verzerrung des Muskels.

»Was möchtest *du* denn, Philip?«

»Das hab' ich dir gesagt.«

Er stand auf und begann, seinen Regenmantel anzuziehen. Ich

wollte ihm schon vorschlagen, er sollte mich nach Hause begleiten, denn ich fing an, mich des Heimwegs nicht ganz sicher zu fühlen, aber er schnitt den Vorschlag ab, ehe er überhaupt ausgesprochen war.

»Mach dir nicht die Mühe, mich zum Bahnhof zu begleiten. Ich hab es eilig. Hier ist ein Umschlag mit meiner Adresse drauf. Denk dran. Nur ab und zu mal – laß mich's wissen, was in der Gruppe so vor sich geht. Was für eine Stimmung unter den Leuten ist.«

»Worauf zum Teufel willst du hinaus?«

Philip zog die Tür auf.

»Ich? Ich – ich verschaffe mir Einblick in den politischen Betrieb.«

»Einen ehrlichen Menschen. Und du hast keinen gefunden.«

»Nein. Natürlich nicht.«

»Und wenn du einen findest?«

Philip schwieg einen Augenblick, er hielt die Tür offen. Draußen war es dunkel, Regen blinkte. Er blickte zu mir zurück aus seinen nackten Augen, aus einer weiten, weiten Entfernung.

»Dann werde ich enttäuscht sein.«

Meine Trinkerei verbarg ich vor Beatrice, denn sie hielt die Kneipen nur für einen Grad weniger verdammt als die Englische Hochkirche. In ihrem kleinen Dorf, drei Meilen hinter Rotten Row, waren alle Säufer in der Englischen Hochkirche, und alle Jungen in schwarzen Anzügen gehörten den Sekten an. Die Hochkirche war mal ganz hoch oben, mal ganz tief unten; die Sekte hielt sich in der Mitte, das war die Klasse, die sich grundsätzlich die Füße nicht schmutzig machte. Ich verschwieg Beatrice eine Unmenge von Dingen. Ich sehe mich selbst, von Eile geplagt, ungekämmt, die Schuhe ungeputzt, das graue Hemd offenstehend, die blaue Jacke rechts und links ausgebeult von Krimskrams, bis die Taschen aussehen wie Tragbeutel – ich war recht stark behaart und rasierte mich immer, wenn ich mit Beatrice verabredet war. Ich war dankbar für den roten Schlips der Partei, weil er wenigstens ein Stück meiner Garderobe regelte. Was meine Hände anging, so kroch die Zigaretten-Färbung schon bis an die Handgelenke. Ich besaß weder Johnnys sonnige Einfalt noch Philips Zielstrebigkeit, und doch war ich für etwas da. Ich war für etwas bestimmt. Wenn ich tat, was mir befohlen war, wenn ich folgsam zeichnete und malte, wurde ich verständig gelobt. Ich würde vielleicht einen guten Lehrer abgeben, einen Mann, der alle Fesseln kannte und bei allem begriff, warum es getan werden mußte. Man mochte irgend ein Problem aufwerfen, und ich konnte die richtige, die akademisch gesicherte Antwort liefern. Aber manchmal spürte ich, daß ich mit dem Brunnen innen in mir verbunden war, und dann machte ich mich los. Ich wurde von einem geradezu körperlichen Gefühl leidenschaftlicher Gewißheit befallen. Nicht jene Bindungen – sondern dies war's! Dann stellte ich die Welt der Erscheinungen auf den Kopf, ich griff hinein und hinab, ich zerstörte wütend und schaffte neu, nicht um des Malens und überhaupt eigentlich der Kunst willen, sondern wegen dieser ganz konkreten Hervorbringung selbst. Wenn ich, wie Philip und Diogenes, nach dem ehrlichen Menschen in meinem eigenen besonderen Bereich gesucht hätte, dann hätte ich ihn gefunden, und zwar mich selbst. Kunst ist Mitteilung, aber sie ist es nur zum Teil. Das übrige ist Entdeckung. Ich bin immer auf Entdeckungen aus gewesen.

Ich sage das nicht, um mich zu entschuldigen – oder doch? Man kann nicht zwei Moralsysteme haben, eins für Künstler und eins für das übrige. Das ist ein Mißverständnis von beiden Seiten. Wer auch immer mich beurteilt, der muß mich beurteilen wie einen frömmelnden Krämer. Wenn ich einige gute Bilder gemalt habe – die Leute darauf gestoßen habe, daß man die Welt auch anders ansehen kann –, so habe ich ihnen andererseits keinen Zucker verkauft oder die Morgenmilch auf die Türschwelle gestellt. Ich sage das vielleicht, um zu erklären, was für eine Sorte junger Mann ich war – mir selber erkläre ich das. Andere Zuhörer kann ich mir nicht denken. Hier bin ich, ebenso wie auf der Leinwand, ein Geschöpf, das sich selbst eher entdecken als mitteilen kann. Und die ganze Zeit, schwankend zwischen Abneigung und Dankbarkeit, strebte ich angestrengt zu Beatrice, wie ein vertäutes Boot, an dem die Flut zieht und zieht. Man kann es dem Boot nicht übelnehmen, wenn es sich endlich losreißt und dahin schwimmt, wohin das Wasser es trägt. Dieser junge Mensch, der erst sein Vergnügen fand an der Lebenslust zu saugen, dann Betäubung und dann nichts, wie man schließlich Zigaretten nur noch aus Gewohnheit raucht, der trank, zuerst, weil es der Wirklichkeit einer Wand oder eines Türsturzes einen durchsichtig leuchtenden Glanz verlieh, und dann, um aus einer Welt von Unsinn in eine Welt von apokalyptischer Bedeutung zu entkommen, der sich in die Arme der Partei warf, weil dort die Leute wußten, wohin es mit der Welt ging – dieser junge Mensch, ungebändigt, unwissend, nach Hilfe suchend und sie ablehnend, stolz, liebend, leidenschaftlich und besessen: wie kann ich ihm seine Handlungen verübeln, da er in jener Zeit weit davon entfernt war, Freiheit zu schmecken oder zu erhoffen?

Aber Beatrice hoffte, mir gutzutun. Wir gingen wieder spazieren. Wir schrieben einander Briefchen. Ich wurde vertraut mit ihrem Wortschatz, und bald gab es nichts mehr an ihr zu entdecken. Sie stand an einem Baum, und ich legte den Arm um sie und bebte, aber sie bemerkte das gar nicht. Ich war entschlossen, gut zu sein, mich hochanständig zu benehmen, alle Spukgeister ein für allemal zu verbannen. Ich beugte mich und legte meine Wange an ihre. Ich blickte, wohin sie blickte.

»Beatrice.«

»Mm?«

»Wie ist es, wenn man wie du ist?«

Eine vernünftige Frage, die aus meiner Bewunderung Evies und Mamas stammte, aus den Phantasien meiner heranwachsenden Jugend, aus der schmerzlichen Erfahrung des Entdeckens und Erkennens. Eine unmögliche Frage.

»Wie bei andern auch.«

Wie ist es, wenn man das Zentrum der Welt eines anderen ist, so weich und schön und anmutig, so sauber und rein von Natur, wenn man bis zum Wahnsinn begehrt wird, wenn man lebt unter diesem Haar, hinter den großen unaussprechlichen Augen, wenn man das Heben und Senken der behüteten Zwillinge spürt, das Tal, den Abhang zur schmalen Taille, wie ist es, verletzlich und unverletzlich zugleich zu sein? Wie mag es sein, wenn man im Bad ist und im Waschraum und auf dem Pflaster geht mit kürzeren Schritten und hohen Absätzen; wie ist es, wenn man den zarten Duft kennt, den der Körper aushaucht, und der daran schuld ist, daß mir das Herz zerspringt und die Sinne schwimmen?

»Nein, Sag's mir.«

Und kannst du das alles fühlen bis hinaus zu den Rundungen? Weißt du und fühlst du, wie hohl dein Bauch ist? Wie ist es, wenn man vor Mäusen Angst hat? Wie ist es, vorsichtig und gelassen-heiter zu sein, beschützt und voll Frieden? Wie kommt ein Mann dir vor? Ist er immer bekleidet, bekleidet mit Jacke und Hose, ist er kastriert wie die Gipsabgüsse im Zeichensaal?

Beatrice regte sich ein wenig, als wenn sie den Baum verlassen wollte. Wir lehnten uns beide an ihn, sie auch an mich, und ich hatte ihr den Arm um die Taille gelegt. Ich mochte sie nicht loslassen.

Und über alledem, selbst noch jenseits der duftenden Kostbarkeiten deines weißen Körpers, dieses Körpers, der mir so nahe ist und unerreichbar, über alledem: was ist dein Geheimnis? Das ist keine Frage, die ich an dich richten kann, denn ich kann sie ja kaum für mich selbst in Worte fassen. Aber da man die Freiheit des Willens so erleben kann wie den Geschmack von Kartoffeln, da ich in deinem Gesicht und um dein Gesicht etwas sah, das ich nicht zeichnen und dessen ich mich kaum erinnern kann – da ich außerstande bin, ein Bild von dir anzufertigen, das der lebendig atmenden Beatrice auch nur entfernt ähnlich sieht, so hab doch Erbarmen und gib mir Einlaß in dein Geheimnis. Ich hab mich dir ergeben. Ich überlasse mich der Flut. Selbst wenn du nicht weißt, was du bist, gib mir Einlaß.

»Wo lebst du, Beatrice?«

Sie fuhr plötzlich wieder auf.

»Halt still. Nein, du dummes Mädchen, ich will ja nicht deine Adresse haben. Drinnen. Meine Schläfe liegt an deiner Schläfe. Lebst du da drinnen? Wir können keinen Zoll getrennt sein. Ich lebe im Hinterkopf, ganz drinnen – eher im Hinterkopf als vorne. Bist du auch so? Lebst du – hier, hier? Wenn ich meine Finger um deinen Nacken lege und aufwärts streiche, bin ich dran? Noch näher?«

Sie entzog sich mir.

»Du bist – laß das, Sammy!«

Wie weit reichst du? Bist du der dunkle, zentrale Fleck, der sich nicht selbst prüfen kann? Oder lebst du in einer anderen Art und Weise, nicht denkend, sondern dich in gelassener Heiterkeit ausstreckend und in Gewißheit?

Aber der Verführerduft war stärker.

»Sammy!«

»Ich sagte dir ja, ich liebe dich. O Gott, weißt du nicht, was das heißt? Ich will dich haben, ich will alles von dir haben, nicht bloß kalte Küsse und Spaziergänge – ich möchte bei dir sein und in dir und auf dir und um dich herum – ich möchte in dir aufgehen – ich möchte, daß wir eins sind – ich möchte verstehen und verstanden werden – o Gott, Beatrice, Beatrice, ich liebe dich – ich möchte du sein!«

Das war der Augenblick, da sie hätte entkommen können, weit genug, um mir einen Brief zu schreiben und mir aus dem Wege zu gehen. Es war tatsächlich ihre letzte Chance, sie wußte es nur nicht. Und vielleicht war, als meine stärkeren Arme sie festhielten, in ihrer abweisenden Haut einige Wärme und körperliche Erregung.

»Sage, daß du mich liebst, oder ich werde verrückt!«

»Sammy – sei vernünftig. Wenn jemand –«

»Zum Teufel mit dem Jemand. Dreh dein Gesicht her.«

»Ich dachte –«

»Dachtest, wir wären Freunde? Ja, ja, sind wir auch, oder nicht?«

»Ich dachte –«

»Das stimmt nicht. Wir sind nicht Freunde, wir können überhaupt nicht Freunde sein. Fühlst du das nicht? Wir sind mehr – wir müssen mehr sein. Küß mich.«

»Ich möchte nicht. Hör, Sammy – bitte! Laß mich nachdenken.«

»Du sollst nicht denken. Fühlen. Kannst du das nicht?«

»Ich weiß nicht.«

»Heirate mich.«

»Wir können doch nicht. Wir sind beide in der Ausbildung – wir haben kein Geld.«

»Aber sag, daß du willst. Irgendwann. Wann wir können. Willst du?«

»Da kommt jemand.«

»Wenn du mich nicht heiratest, werde ich –«

»Sie werden uns sehen.«

»Dann werde ich dich töten.«

Der Mann und die Frau kamen den Weg entlang, Hand in

Hand, sie hatten wohl einige ihrer Probleme gelöst. Sie sahen überall hin, bloß nicht nach uns. Sie kamen außer Sicht.

»Nun?«

Und zwischen den kahlen Zweigen fing Regen an zu sprühen und zu tröpfeln. Töten ist eines, Regen ein anderes. Wir gingen weiter, ich ein wenig hinter ihrer Schulter.

»Nun?«

Ihr Gesicht war leicht gerötet und feucht und blank. Winzige Perlen und Diamanten hingen ihr büschelweise im Haar.

»Beeilen wir uns lieber, Sammy. Wenn wir diesen Bus nicht erreichen, dann kommt eine Ewigkeit keiner mehr.«

Ich packte sie am Handgelenk und schwang sie auf dem Pfad herum.

»Ich habe dich was gefragt.«

Sie hatte noch immer klare Augen, ganz ruhig, ungetrübt. Sie waren heiter, heller vor Widerspenstigkeit oder Triumph.

»Du hast gesagt, du machtest dir was aus mir.«

»Oh, mein Gott!«

Ich sah ihren schlanken Körper, ich spürte, wie zart der Knochen ihres Schädels war, wie rund und wehrlos ihr Hals.

»Wir können doch noch lange, lange nicht heiraten.«

»Beatrice!«

Sie näherte sich mir ein wenig und sah mich offen an aus hellen, freundlich gesinnten Augen. Sie bot mir die Wange zu einem erlaubten Kuß.

»Willst du? Sag, daß du willst!«

Sie lächelte und äußerte, was ihr letztes Zugeständnis war, beinahe ein Ja: »Vielleicht.«

5

Denn dieses ›Vielleicht‹ war das Kennzeichen von allem, was wir unternahmen. Nichts war sicher in unserem Verkehr. Ich hätte sie ›Vielleicht‹ nennen sollen statt Beatrice. Je lauter ich im Kielwasser der Partei nach ihr schrie, desto eindringlicher sagte mir eine innere Stimme, nicht töricht zu sein, und daß keiner irgendeiner Sache sicher sein könnte. Das Leben watete knietief im Schatten, es tappte blind umher, alles war relativ. So konnte ich also Beatrices ›Vielleicht‹ als ›Ja‹ verstehen.

Ein junger Mann, dem nur der Geschlechtstrieb als sicher gilt, der, wenn überhaupt, für ihn den einzigen positiven Wert im Leben darstellt... Habe Angst vor der Lust, verdamme sie, verherrliche sie – niemand kann leugnen, daß es sie gibt. Was die Kunst betraf, sagte man nicht – und der Jugend, der alle Quellen menschlichen Wissens zur Verfügung stehen, fehlt es an nichts als an Zeit, um alles zu wissen –, hieß es also nicht in den dicken und ungelesenen Lehrbüchern, die Wurzel der Kunst sei im Geschlechtsleben zu suchen? Und traf das nicht bestimmt zu, da so viele kluge Leute es behaupteten, und, was der Sache noch mehr Nachdruck verlieh, sich dementsprechend verhielten? Also war die kitzelnde Lust, der gemeinsame kleine Tod oder Selbstmord weder bedeutungslos noch sündhaft, sondern der Altar, der uns von den Trümmern eines Tempels geblieben ist. Aber tief wie ein uraltes Erfahrungsgut saß in uns das Wissen, daß die Lust, wenn sie alles war, nur eine kümmerliche Rückkehr zur Geburt war, zu den Beschämungen und Vergeblichkeiten des Heranwachsens. Immerhin hatte ich Beatrice nun in den Umkreis des Geschlechtlichen eingeführt. Sogar sie mußte wissen, daß Heiraten und der Geschlechtsakt etwas miteinander zu tun haben. Meine Schenkel wurden schwach, meine Lungen kochten über, wenn ich daran dachte.

»Sammy! Nein!«

Denn es gab natürlich nur eine einzige Antwort auf jenes ›Vielleicht‹, und ich versuchte, sie zu umschlingen – sie blieb unbeteiligt. Dann geriet ich, ich erinnere mich deutlich, ins Zittern, als ob Liebe und Geschlecht und Leidenschaft eine Krankheit wären. Ich zitterte regelmäßig von Kopf bis Fuß, als hätte jemand einen Kontakt in mir eingeschaltet. Da stand ich im winterlichen Sonnenschein, unter den Regentropfen und rostig braunem Laub und zitterte regelmäßig, als sollte ich nie wieder aufhören, und eine Traurigkeit griff aus mir ins Leere, ohne zu wissen, was sie wollte; denn es gehört zu meiner Natur, daß ich verehren, anbeten muß, und das stand weder in den Lehrbüchern noch war es im Verhalten derer zu finden, die ich mir zum Vorbild genommen, und so hätte ich es, ohne es zu wissen, über Bord geworfen. Daher war diese Traurigkeit unverständlich, und sie stand in den Augen dieser lächerlichen, unmännlichen, zitternden Kreatur, so daß Beatrice Angst davor bekam. Welcher Verehrer, wie er im Buche steht, hat je angefangen zu zittern und zu weinen? Ihre bessere Natur oder ihr gesunder Menschenverstand hätte vielleicht auf der Stelle die Beziehung abgebrochen, wenn ich mich nicht abgewandt und mit aller Anstrengung bemüht hätte, meiner Empfindung Herr zu werden. Das war ein altbekanntes Verhalten und daher durchaus nicht erschreckend. Das Zittern ging vorbei, und plötzlich war ich von der Einsicht überwältigt, daß hier sich das Ende eines langen Weges in der Ferne zeigte. Eines Tages, jawohl, eines wirklichen Tages und nicht in der Phantasie, würde ich ihren lieben Körper gewinnen. Sie würde mein sein, jenseits jeden Zweifels, jeder Eifersucht.

Ich wandte mich wieder um und begann vor lauter unerträglicher Erregung zu plappern. So führte ich sie auf dem Wege weiter, plappernd und lachend, sie erstaunt und schweigend. Ich verstehe jetzt, wie seltsam diese Reaktionen ihr erschienen sein müssen; aber mir kam es damals so vor, als seien sie ganz natürlich. Es war ein Mangel an Gleichgewicht, der, wie ich jetzt glaube, in Wahnsinn hätte enden sollen, und vielleicht glaubte sie das damals auch. Aber für mein Gefühl verschwanden damals alte Narben. Der Haß des Verfolgers ging in Dankbarkeit auf. Die Brände, in mir entzündet durch überhitzte Empfindungen, schwelten damals aus: ich entfaltete mich, ich schwelgte in tiefem Herzensfrieden; darüber, unsichtbar und wild, tanzte das Entzücken.

Ich glaube nicht einen Augenblick, daß sie mich damals liebte. Was das betrifft, so habe ich mich selbst gefragt, wieviele Leute überhaupt etwas von der vollkommenen Hingabe und Abhängigkeit wissen? Sie war viel mehr von Gewohnheit bestimmt, davon, wie dergleichen sich immer abspielt. Sie war jetzt verlobt, und vielleicht war ich nötig als schattenhafter Begleiter durch das Leben im Lehrerinnen-Seminar; ein Begleiter, mit dem sie sich um so leichter abfinden mochte, als sie fühlte, wie gut sie mir tat. Wenn sie überhaupt ans Heiraten dachte, so lag das in ferner Zukunft, sozusagen am Ende des Films, es war eine goldene Glut, ganz nahe am Ende. Aber ich hatte bestimmte Gedanken und Absichten.

Heute bin ich erstaunt, wie scheu und unwissend ich war. Nach all den leidenschaftlichen Vorstellungen vom Bett wagte ich zuerst kaum, sie zu küssen, und unternahm nur noch ganz schüchterne Vorstöße. Sie wies sie natürlich ab, und gerade das brachte das Hauptbedürfnis in den Vordergrund, und die Unmöglichkeit, noch Jahre zu warten.

»Mädchen empfinden nicht so.«

»Ich bin kein Mädchen!«

Ich war es wirklich nicht. Ich habe niemals so ausschließlich als Mann ein weibliches Wesen begehrt. Aber sie war ein Mädchen, ihre Empfindungen und körperlichen Reaktionen waren so verschlossen wie die einer Nonne. Sie selbst blieb verborgen. Die ganz Zeit klopfte und hämmerte ich schließlich an der Tür, hinter der sie sich eingeschlossen hatte. Wir sahen uns nach wie vor, wir küßten uns, wir planten, in einigen Jahren zu heiraten. Ich schenkte ihr einen Ring, und sie kam sich nun fertig und endgültig erwachsen vor. Ich konnte ihr eine Hand leicht auf die linke Brust legen, vorausgesetzt, daß meine Hand die Bekleidung nur von außen berührte. Was darüber hinausging, stieß auf ihren energischen Widerstand. Ich bin nie imstande gewesen, die Gedankenbahnen genau zu verfolgen, die ihre Reaktionen diktierten. Vielleicht hatte sie gar keine Gedanken, sondern nur Reaktionen. Es ist besser zu heiraten, statt zu brennen. Wie ich dem heiligen Paulus recht gab! Aber wir konnten nicht heiraten. So küßte ich den kalten Rand ihrer Lippen, legte ihr eine Hand auf die verborgene Brust und stand in Flammen wie ein Heustadel.

Ich beschaffte mir ein Wohn-Schlafzimmer und entzog mich der angeblichen Fürsorge einer Wirtin. Wenn Beatrice nicht gewesen wäre, hätte das Zimmer sehr öde ausgesehen; aber ich gedachte, sie darin zu verführen.

Dafür hatte ich keine Vorbilder als im Kino, und es diesen nachzutun, das konnte ich mir nicht leisten. Ich konnte Beatrice nicht mit Luxus umgeben, konnte keinen Zigeuner-Primas beschaffen, der sich ihr ins Ohr geigte. Dieses Zimmer mit seiner Liegecouch, zu schmal für zwei, wenn sie sich nicht umschlangen oder übereinander lagen, dieses Zimmer mit seiner braunen

Täfelung und rosa Lampe war auch keine Hilfe. Die Van Gogh-Sonnenblumen waren natürlich ein Kunstwerk, aber gab es in London ein einziges möbliertes Zimmer, das sie nicht enthielt? Aber es gab nichts, das Beatrice dorthin locken konnte, außer unserer Armut. Es war billiger, auf der Couch zu sitzen, als in einem kleinen Lokal Kaffee zu trinken; es war sogar billiger, als im Freien spazieren zu gehen, denn man mußte einen Zug oder Bus benutzen, um dem Rauch zu entkommen. Als ich sie endlich in das Zimmer gebracht hatte, wußte ich wohl warum, sie aber mochte sehr wohl gedacht haben, daß ich nur lobenswerte Sparsamkeits-Motive im Sinne gehabt hätte.

Sie kam; und es ergaben sich unabsehbare, öde Strecken des Schweigens. Denn dies glich so wenig meinen fieberhaften Phantasien, daß sie gar nicht so unmittelbar anziehend auf mich wirkte. Sie machte mich toll, einfach weil sie da war; aber ich war außerstande, die Kluft ihres Schweigens zu überschreiten. Sie saß auf der Couch, die Ellbogen auf den Knien und das Kinn zwischen beiden Handflächen, und blickte freundlich vor sich hin. Zuweilen hockte ich mich vor sie und fing ihren Blick.

»Woran denkst du jetzt?«

Dann lächelte sie ein wenig und schüttelte den Kopf. Wenn ich in der Stellung sitzen blieb, richtete sie sich auf und schaute an mir vorbei. Es sah wie Langeweile aus, aber es war eine seltsame und unberührte Zufriedenheit mit dem Vorgang des Lebens. Friede und Ruhe erfüllten sie. Hinter ihr wußte sie die Religion mit ihren Sicherungen, und im übrigen war sie zufrieden, in ihrem hübschen Leibe zu sitzen. Niemand sagte ihr, daß dies eine Sünde sei, dieser ruhige und selbstische Genuß ihrer eigenen zarten Wärme und Glätte; eher sagte man ihr, es sei Tugend und Anständigkeit. Ich verstehe jetzt, daß sie in ihrer nonnenartigen Unschuld folgsam dem schmutzigen und tiefen Pfuhl aus dem Wege ging, in dem andere lebten, in dem ich lebte. Aber all das würde in Ordnung kommen, nicht wahr? Denn sie sollte mich ja heiraten, und das eben war's, was nette Jungen brauchten: man verschwand zu zweit in einem goldenen Nebel, die Torheit war dann ausgelöscht.

»Woran denkst du?«

»Dies und das.«

»Über uns?«

»Vielleicht.«

Draußen vor dem Fenster verdunkelte sich die lange Straße, die in den Winter führte, eine Lichtreklame wurde sichtbar: ein Viereck von roten Worten, um das eine gelbe Linie im Kreise lief. Eine ganze Meile von Straßenlaternen ging an, sie entzündeten sich flackernd zu einem stumpfen Gelb, als seien sie plötzlich erwacht. Es blieben nicht viele Minuten übrig.

»Woran denkst du jetzt?«

Sie war nun so weit, sie stand auf, erlaubte mir eine behutsame Umarmung und ging gleichmütig weg in ihrer weiblichen Unberührtheit.

Ich möchte wissen, woran sie damals dachte. Noch heute bringt sich mich in Verwirrung, so undurchsichtig ist sie. Auch wenn sie es unschuldig genoß, sie selbst zu sein, wie eine junge Katze vor dem Feuer, so muß doch irgendwer einen Zugang zu ihr gehabt haben – ein junges Mädchen vielleicht, wenn schon ich nicht? Würde man sich vorstellen können, daß sie ihren eigenen Kindern zugänglich wäre? Würde, wer ein ganzes Leben mit ihr zubrachte, sie zuerst durchschauen können, um dann darin den ganzen Umriß ihrer Seele zu erkennen?

Aber sie gewöhnte sich an mein Zimmer – an unser Zimmer, wie ich es allmählich nannte. Ich gab mir alle Mühe, ihr näher zu kommen, ich arbeitete mit allen Mitteln, durchtriebenen und logisch durchdachten. Ich tat unserer körperlichen Scheu Gewalt an, ich barg mein Gesicht in ihrem Haar und flehte sie an –vielleicht ohne an die Schmalheit der Couch zu denken – ich flehte sie an, mit mir zu schlafen. Das wollte sie nicht, natürlich, und ich spielte eine andere Karte aus: sie sollte mich sogleich heiraten, es sollte auch geheim bleiben –

Beatrice wollte nicht. Worauf wollte sie hinaus? Was wollte sie eigentlich? Tat sie nichts, als daß sie mir Gleichgewicht verschaffte? Hatte sie überhaupt die Absicht, mich zu heiraten?

»Heirate mich! Jetzt gleich!«

»Aber wir können doch nicht!«

»Warum nicht?«

Wir hatten kein Geld. Es war, als hätte sie irgend ein Abkommen unterzeichnet, nicht zu heiraten, als wäre es nicht anständig –

Das arme Mädchen hatte sich mir ausgeliefert.

»Dann geh mit mir ins Bett –«

»Nein.«

»Ja. Warum nicht?«

»Es wäre nicht –«

»Was wär' es nicht? Ich soll also leiden, weil du – Ich soll also warten – du weißt, was ein Mann ist – alles, weil du irgendein verdammtes Abkommen unterzeichnet hast, damit du als Schulmamsell versauerst –«

»Bitte, Sammy –«

»Ich liebe dich.«

»Laß mich los.«

»Verstehst du nicht? Ich liebe dich. Du liebst mich. Du solltest zu mir kommen, mit Freuden, wir beide zu einander, all deine Schönheit hingeben, mit mir teilen, – warum sperrst du mich immer aus? Liebst du mich denn nicht? Ich dachte, du hättest mich lieb!«

»Hab ich auch.«

»Dann sag es mir.«

»Ich liebe dich.«

Aber sie wollte noch immer nicht. Wir saßen auf dem Rand der schmalen Lagerstatt und gerieten in lächerliche Ringkämpfe; nichts als Albernheiten kamen dabei heraus. Nach einiger Zeit schlief selbst das Begehren darüber ein, und wir saßen dann eben Seite an Seite, und ich trieb dann plötzlich Konversation und erzählte von einer Ausstellung oder den Bildern, die ich gerade malte. Manchmal setzte ich diese Art Unterhaltung fort – wenn man so einen Monolog eine Unterhaltung nennen kann –, wo ich sie eine Viertelstunde zuvor abgebrochen hatte.

Beatrice gehörte meinem einzigen Rivalen. Sie konnte also nicht über ihren Körper verfügen und ihn mir hingeben. So dachte sie, und sie handelte danach. Und wir konnten noch nicht heiraten. Sie kam von Zeit zu Zeit in mein Zimmer und saß mit mir auf dem Bettrand. Warum tat sie das? Hatte sie den Salzgeschmack der Neugier im Munde, wagte sie sich vor bis an den Rand der Erregung? Oder was war das?

»Ich werde verrückt.«

Sie hatte einen ganz wundervoll schmiegsamen Körper, der nachzugeben schien, wo man ihn auch berührte; aber als ich diese frivole Bemerkung fallen ließ, versteifte sich ihr Körper in meinen Armen.

»So etwas darfst du niemals sagen, Sammy.«

»Ich werde verrückt, sage ich dir!«

»Laß das, hörst du!«

Damals war Verrücktheit noch nicht so in Mode wie jetzt. Die Leute behaupteten nicht so frischweg, sie seien gestört oder schizophren. Ich darf von mir behaupten, daß ich in diesen wie in vielen anderen Dingen meiner Zeit voraus war. Also war Beatrice, wo heute ein Mädel sein Mitgefühl zeigen würde, einfach erschrocken. Sie gab mir den Hebel, den ich brauchte.

»Ich glaube, ich bin wirklich verrückt, ein bißchen –«

Wenn ein menschliches Wesen erst einmal seine Freiheit verloren hat, ist der grausamen Verstrickungen kein Ende abzusehen. Ich muß, ich muß, ich muß. Man sagte einmal, die Verdammten in der Hölle seien gezwungen, die unschuldigen Lebenden mit Krankheiten zu quälen. Aber ich weiß jetzt, daß das Leben vielleicht noch schrecklicher ist als diese einfältige mittelalterliche Auffassung. Wir sind jetzt und hier im Leben gezwungen, einander zu quälen. Wir können beobachten, wie wir zu Automaten werden; wir können nur Schrecken empfinden, wenn unsere entfremdeten Arme die Instrumente ihrer Leidenschaft gegen diejenigen erheben, die wir lieben. Die ihre Freiheit verlieren, können sich selbst zusehen, wie sie hilflos gezwungen sind, das am hellichten Tage zu tun, bis die Frage entsteht, wer wen foltert. Die Besessenheit trieb mich zu ihr. Aber, natürlich, wenn sie einmal ihre Furcht überwunden hätte und wir im Liebesspiel so eng ineinander verflochten wären, dann würde der Glanz einer sonnigen Zukunft nicht mehr enden.

Meine Verrücktheit war wagnerisch, in dunklen Nächten trieb sie mich hinaus ins Freie, und ich stiefelte in den Hügeln umher. Ich hätte einen weiten Umhang tragen sollen.

Durch den Pförtner ließ ich ihr sagen: Mr. Mountjoy möchte Miß Ifor sprechen.

»Sammy!«

Es war ein Viertel vor acht morgens.

»Ich mußte kommen und dich sehen. Um sicher zu sein, daß du existierst.«

»Aber wie bist du hergekommen um diese Zeit?«

»Ich wollte dich sehen.«

»Aber wie – «

»Ich wollte – ach so, das? Ich bin die ganze Nacht gewandert, immer geradeaus.«

»Aber – «

»Wenn ich dich sehe, bin ich gesund. Ich mußte kommen und dich sehen. Jetzt ist alles in Ordnung.«

»Du wirst noch zu spät kommen, Sammy, du mußt gehen. Ist dir auch wohl?«

Die Gewissensbisse im Müssen, die Tränen standen mir nahe. Was ist Wahnsinn schließlich? Kann einer, der vorgibt wahnsinnig zu sein, behaupten, er sei bei Verstand?

Das Müssen, die Tränen.

»Ich muß es tun. Ich weiß nicht warum. Ich muß einfach.«

»Oh, hör mal, Sammy – hier weiß man nicht, daß ich – Ich bringe dich nach der Bus-Haltestelle. Komm, weißt du die Nummer? Du mußt gleich ins Bett gehen.«

»Du wirst mich nicht verlassen?«

»Hör mal – Lieber!«

»Also so bald wie du kannst, ja gleich nachher – «

»Ich versprech es dir.«

Die oberen Sitze des Bus wurden unterwegs zeitweise von Baumzweigen gestreift. Ich schwankte auch ohne dies und schüttelte mich wie ein Betrunkener:

›Ich versteh nichts. Ich weiß überhaupt nichts. Ich laufe auf Schienen. Ich muß. Ich kann nicht anders. Das Leben ist stärker als ich. Ich könnte mir Tritte versetzen oder mich umbringen. Ich lebe, aber soll das heißen, daß ich mich lediglich wie ein Insekt benehme? Herum renne und krabbele? Ich könnte ja weggehn. Könnte ich das? Könnt' ich wirklich weggehn? Übers Meer. Wo die gemalten Wände auf mich warten, dahin könnt' ich. Aber ich bin festgebunden, ich kann nicht anders.‹

Die Brustmuskeln ziehen sich krampfhaft zusammen, auf den Handgelenken treten die Sehnen hervor, das Herz schlägt schneller, bis die Luft ganz mit roten, sich ausdehnenden Flekken erfüllt ist, und dann begreifst du, daß du wieder atmen müßtest; denn selbst in der erbarmungslosesten Bedrängung soll der Mensch ihr nicht seine körperlichen Reflexe ausliefern, nein – er kann ja innerlich leiden, ohne sich die Luft zum Atmen abzudrosseln –, da, dachte ich, ich habe mir die Last vom Rücken weggepustet.

Sie kam zu mir, nachgiebig und zugleich gebieterisch, denn sie bestand energisch darauf, daß ich regelmäßig aß und dergleichen. Sie war sehr lieb. Sie führte nur einen Scheinkampf mit mir. Sie war meine Vernunft. Ich war bereit, alle Folgen auf mich zu nehmen, und ich versicherte ihr atemlos, daß es keine Folgen haben werde. Und dann legte sich Beatrice, nach der ich vier Jahre gefiebert, willig hin, schloß die Augen und setzte eine geballte Faust tapfer auf die Stirn, als sollte sie eine Tetanusspritze erhalten.

Und wie stand es mit Sammy?

Es konnten keine Folgen eintreten, weil keine Ursache bestand.

Worauf hatte er es eigentlich abgesehen? Wie kam es, daß in diesem triumphierendsten, jedenfalls genußreichsten Augenblick seiner Laufbahn der Anblick des demütigen, willfährigen und angstvollen Opfers nicht nur weniger erregend war als die geringste seiner sexuellen Phantasien, sondern sogar lähmend bis zur Unmöglichkeit wirkte? Nein, sagte sein Körper, nein, dies durchaus nicht. Wie sollte ich mich überhaupt für geschlechtlich besonders erregbar halten, wenn diese Fähigkeit, die in allen Literaturen für selbstverständlich gilt, mir beim Fallen eines Schlüpfers nicht zur Verfügung stand? Es scheint also auf irgend eine Art Gemeinsamkeit anzukommen. Wenn sie durchaus als Opfer gelten sollte, so konnte ich nicht ihr Henker sein. Wenn sie Angst haben mußte, dann schämte ich mich bis ins Körperliche, daß sie Angst vor mir haben sollte. Dies schien mir nicht zu der allgemeinen Auffassung zu stimmen, nach dem ein Mann entweder völlig unfähig oder heroisch bereit, jawohl, bereit war. Es gab Gradunterschiede. Aber weder ich noch Beatrice waren bereit, das zuzugeben. Andererseits waren die Gefühle, die ich für sie hegte, ohne Zweifel sehr heftig, um nicht zu sagen, pathologisch. Erleichterten sie es mir denn nicht, mit ihr fertig zu werden? Sie aber war, angesichts meiner Tollheit wie auf Grund ihres religiösen Tabus, außerstande, an diesen Augenblick, diese vor-eheliche Handlung anders als mit dem Gefühl der Sündhaftigkeit, der Furcht und der Liebe zu denken, die natürlich mit einander in Konflikt lagen. Unbewußt setzten wir uns beide in Musik um. Die Art, mit der sie ihre Knie öffnete, war sozusagen opernhaft heroisch, dramatisch und entmutigend. Ich konnte da nicht einstimmen. Mein Instrument war auf Moll gestimmt.

Aber natürlich gab es andere Möglichkeiten. Ich war noch nicht erfahren genug, um zu wissen, daß sexuelle Vereinigung nicht der Weg war, zu einander zu finden. So bestand ich beharrlich darauf, statt auf der Stelle aufzugeben – das Bewußtsein meiner eigenen Männlichkeit stand natürlich auf dem Spiel. Wir nahmen allmählich an, daß es das beste sei, wenn sie sich den Liebkosungen unterwarf, was, wie alle alten Weiber wissen, schließlich zu gutem Ende führt. Ich hielt meine warme, undurchschaubare Beatrice im Arm, triumphierend in einer Art Kummer und Mitleid; und Beatrice weinte und wollte nicht weggehen, aber mußte dann doch, und das war die Strafe dafür, daß wir so voreilig waren. Sie trug ihr Geheimnis mit sich zum Seminar und ertrug die Mienen, die es erraten mochten, dann kam sie zurück; sie ging zur Kirche und trieb da irgend etwas, gelangte zu irgend einer Übereinkunft – und ging wieder mit mir ins Bett. Ich war voller Liebe und Dankbarkeit und Entzücken, aber mir schien, als käme ich Beatrice durchaus nicht näher, als hätte ich gar nichts mit ihr gemeinsam. Sie blieb das Opfer auf der Streckfolter, wenn diese ihr auch einigen Genuß bereitete. Aber es war nichts darin, was uns gemeinsam sein konnte; denn die arme Beatrice war frigide. Sie wußte eigentlich gar nicht, was wir trieben; sie wußte gar nicht, um was es sich handelte.

»Fühlst du denn gar nichts?«

»Ich weiß nicht. Vielleicht.«

Sie wurde womöglich noch schweigsamer. Sie ordnete nicht mehr an. Statt in ihrer Miene einen Anhaltspunkt zu suchen, nach dem zu suchen, was sich dahinter verbarg, hatte ich den Eindruck, daß ich selbst beobachtet wurde. Nach unseren einseitigen Umarmungen wanderte ich gewöhnlich im Zimmer auf und ab und dachte darüber nach, daß, wenn dies alles war, es nichts gab, was uns zu wahrhafter Einheit binden konnte. Sie lag dann still auf dem schmalen Bett, und ihre Augen folgten mir, solange es mir beliebte zu wandern. Sie war nicht unglücklich. Wenn ich an die folgende Zeit denke und mir Beatrice vorstelle, wie sie unter mir liegt, dann ist das nicht bloß eine sexuelle Vorstellung. Sie begann sich einer bestimmten Stellung im Leben anzupassen. Sie fing an, zu mir aufzublicken, zu mir zu gehören, von mir abzuhängen, sich an mich zu klammern, sie begann tatsächlich, mir ›untertan‹ zu sein oder wie es in der Trauungsformel heißen mag. Instinktiv wurde sie allmählich, was sie für eine verheiratete Frau hielt. Was sie dazu beitrug, war negativ, nachdem das heroische Opfer geleistet war. Der Tod der Jungfräulichkeit zahlt für alles.

Ich liebte sie und war dankbar. Wenn man jung ist, kann man nicht glauben, daß eine menschliche Beziehung so sinnlos sein kann, wie sie aussieht. Man denkt immer, morgen kommt die Offenbarung. Aber in Wirklichkeit hatten wir uns einander längst offenbart. Was anderes gab es da nicht zu erfahren.

Zuweilen, wenn ich allein war, dachte ich wohl an die Zukunft. Was für ein Leben würde das sein? Ich würde malen, natürlich, und Beatrice würde immer um mich sein und Tee machen. Wahrscheinlich hatte sie dann Kinder und würde ihnen eine sehr gute Mutter sein. Ich fing an, verzweifelt darüber nachzudenken, nicht etwa, wie ich sie verlassen, sondern wie ich mich dazu zwingen könnte, bis zu der wunderbaren Persönlichkeit vorzudringen, die irgendwo in ihrem Leib verborgen sein mußte. Ein so anmutiger Körper konnte doch nicht der Tempel seiner selbst sein, sondern mußte ein Heiligtum beherbergen.

»Ich werde dich jetzt malen, deinen Körper malen. Nackt. So wie er jetzt ist. Ganz locker und lässig.«

»Nein. Das darfst du nicht.«

»Ich werde aber. Leg dich dahin. Ich werde die Gardine aufziehen – «

»Nein! Sammy!«

»Die können von drüben nicht reinsehen. Nun liege still.«

»Bitte!«

»Hör mal, Beatrice – hast du nicht neulich zugegeben, daß die Venus von Rokeby schön ist?«

Sie wandte das Gesicht ab. Sie wurde mal wieder gegen Tetanus geimpft.

»Ich werde dein Gesicht überhaupt nicht malen. Ich brauche nur den Körper. Nein, nicht wieder aufrichten, liege nur still.«

Beatrice lag still, und ich begann zu zeichnen.

Als die Zeichnung fertig war, nahm ich sie wieder. Oder vielmehr: ich beendete, was der Bleistift begonnen hatte. Das Liebesspiel ging davon aus, daß sie unfähig war, daran teilzunehmen. Das Liebesspiel wurde ein Akt der Ausbeutung. Ich begriff jetzt, daß sie unseren Verkehr nicht genießen oder bejahen konnte, weil sie dazu erzogen war, es nicht zu tun. All die kleinen Bücher und gelegentlichen Gespräche, all das seichte Zeug waren machtlos gegen das Schwergewicht ihrer prüden Sektenmoral. Ihre ganze Erziehung hatte dafür gesorgt, daß sie frigide war.

Es ist schwer für einen Mann, über eine Frau irgendetwas zu wissen. Aber wie ist es, wenn er leidenschaftlich ist: kann er ihr schweigsames Stillhalten durchbrechen und an sie gelangen? Spürt sie nichts als eine Art unschuldiger Schlüpfrigkeit? Kann sie an nichts teilhaben?

»Woran denkst du jetzt?«

Ihr Körper war ein ständiges Entzücken. Ob sie sich regte oder sich still verhielt, sie war vollkommen in Farbe und Gestalt. Und doch war sie irgendwie nicht vorhanden.

»Woran denkst du jetzt – ?«

Trotzdem, von dem Moment an, da sie sich mir hingab und ihre Jungfräulichkeit durch mich verlor, begann sich in unserer Beziehung etwas zu ändern. War sie vorher einfach nicht dagewesen, so neigte sie sich jetzt mir zu, schmiegte sich an mich, umklammerte mich. Als ob ich von Anfang an darauf gewartet hätte, beugte sie sich unter meinen Willen. Sie blickte mit hundetreuen Augen zu mir auf, sie vertraute meiner Führung.

»Worüber sollen wir uns unterhalten?«

Ich wurde ärgerlich. Ich versuchte, irgend ein Entgegenkommen zu erzwingen. Aber wir konnten uns nicht einmal von gleich zu gleich balgen und raufen: immer bestand dabei ein Niveau-Unterschied. Sobald sie im Ton meiner Stimme eine gewisse Härte heraushörte, packte sie mich und hielt mich fest, wobei sie ihr Gesicht an mir verbarg.

Ich versuchte, ihr mein Verhalten zu erklären.

»Ich möchte doch gern aus dir klug werden. Schließlich wollen wir doch fürs Leben zusammensein, – wo bist du eigentlich? Was bist du? Wie ist es, wenn man wie du ist?«

Dann zitterten ihr die Arme – diese Arme, die in der Beuge des Ellenbogens so zart waren, nur dafür geschaffen schienen, zu umfangen – ihre Brüste und ihr Gesicht drängten sich an mich, waren verborgen.

Ungeduldig und zornig. Weiter im dringlichen Befragen. »Bist du überhaupt menschlich? Bist du denn keine menschliche Person?«

Unter bebenden Handgelenken und schüttelndem langen Blondhaar flüsterte sie mir zu: »Vielleicht.«

Jetzt fällt es mir allmählich ein, daß wir in dieser Zeit uns nie offen Auge in Auge ansahen. Entweder sehe ich sie als weißen Körper, den Kopf im Haar verborgen, oder sie hält mich umschlungen und blickt zu mir auf aus großen, treuen Augen, das Kinn gegen meinen Magen gedrückt. Sie blickte gern aufwärts. Sie hatte ihren Turm gefunden und umklammerte ihn. Sie war mein Efeu geworden.

Es gab Tage, an denen wir zufrieden waren – es muß solche Tage gegeben haben. Ich muß mich erinnern, daß das ›letzte Mal‹ gar nicht Liebe war, sondern nur gegenseitige Betörung. Fast zwei Jahre fuhren wir so fort, bis der Krieg seine Wellchen und dann seine Wogen zu uns anschwemmte. Wir schrieben uns Briefe, wenn wir uns nicht sehen konnten. Ich war voller witziger Einfälle und Einwände; sie voller Einfalt und kleinem Geplauder. Sie kaufte sich ein Kleid. Glaubte ich, daß Grün ihr gut stand? Der Dozent für Hygiene war sehr nett. Sie hoffte, wir würden zu irgend einer Zeit imstande sein, uns ein Häuschen zu leisten. Wenn wir verheiratet waren, würde sie sich ihre Kleider selber anfertigen müssen. Auf manchen ihrer Briefe erschien in der Ecke links oben ein Zeichen, ein Kreuzchen, das anzeigte, daß wir wieder mal für die nächsten Wochen sicher waren, kein Kind zu haben, was damals ohnehin nicht sehr nahe lag. Mit ihrer Arbeit ging es schlecht voran, und sie kam nachgerade deswegen in Druck, aber es schien ihr nicht sehr viel auszumachen, außer in Hygiene. Der Dozent für Hygiene war sehr nett. Unvernünftigerweise ließ ich mich eher in die letzte grausame Anstrengung hinein treiben, statt entschlossen auf das Ziel loszugehen, zu ihr zu gelangen.

Ich muß hier vorsichtig sein. Wie weit war auf meiner Seite bewußte Grausamkeit beteiligt? Wie weit lag es an ihr? Niemals im Leben hatte sie mir gegenüber auch nur eine entgegenkommende Bewegung gemacht, wenn ich sie nicht mit Tobsucht überschüttete wie ein Wasserfall. Sie war im Leben äußerst passiv. Dann kam die lange Geschichte eines erschöpfenden

Kampfes um sie, meine Hölle – so real wie nur irgendetwas im Leben real sein kann. Habe ich sie mir selbst geschaffen? Lag es an mir? Entzündete ich in ihrem Gesicht das Licht, an das ich mich erinnerte, oder legte ich es nur hinein? Tat ich das? Ich sah sie auf dem Podium im Zeichensaal, dahinter die Brücke, und sie sah mich nicht. Dennoch war ich nicht imstande, den Abstieg, auf den wir uns nun begaben, zu bremsen oder aufzuhalten. Was auf meiner Seite Liebe gewesen war, leidenschaftliche und verehrende Liebe, was ein triumphierend Gemeinsames sein sollte, ein Einswerden, die Durchdringung eines Geheimnisses, die aus meinem Leben zu der rätselhaften und heiligen Höhe des ihren steigen sollte, wurde zu einem verzweifelt erbärmlichen und grausamen Versuch, ihr irgendwie ein Entgegenkommen abzuringen. Schritt für Schritt stiegen wir den Weg sexueller Ausbeutung hinab, bis aus der Gemeinsamkeit, an die ich ursprünglich geglaubt, eine Heimsuchung wurde.

Aber selbst hier, in den Kloaken meines Gedächtnisses, bin ich keiner Sache sicher. Wie empfand dieses gute Mädchen, diese unbeschriebene Tafel die Behandlungen? Was dachte sie darüber, wenn sie überhaupt daran dachte? So viel ich sehen konnte, wurde sie dadurch noch unterwürfiger, noch hundemäßiger, noch geborgener. Es sind Erinnerungen an meinen eigenen Fehlschlag, an meine eigene Erniedrigung, nicht die ihre. Die Phantasien eines Halberwachsenen, die, was mich anging, nur halb verwirklicht wurden, erwiesen sich als traurig, langweilig und peinlich. Sie bekräftigten die Realität des physischen Lebens und vernichteten jede andere Möglichkeit, und das physische Leben wurde nicht nur dreifach real, sondern dreifach verächtlich. Und tief unter allem regte sich die Angst vor Hilflosigkeit und Verlust.

Die Fortschritte in der Lüsternheit zwangen ihr die Arme noch enger um meinen Leib. Ich konnte ihr Gesicht nicht malen, aber ihren Körper malte ich. Ich malte sie als Körper, und es sind gut gemalte und schreckliche Bilder, furchtbar, denn sie erzählen von Wut und Unterwerfung. Sie brachten mir mein erstverdientes Geld ein – außer dem Porträt des Bürgermeisters natürlich – und eines ist öffentlich ausgestellt, so daß ich hingehen und jene Zeit wiedersehen kann, mein Zimmer –

unser Zimmer – und versuchen kann zu verstehen, ohne Entschuldigung oder Mitleid. Da hängt also die fertige Vollkommenheit ihres lieblichen, gespaltenen Leibes. Das Licht vom Fenster schlägt Goldfunken aus ihrem Haar und verstreut sie über ihre Brüste, ihren Bauch und ihre Schenkel. Es war nach der letzten und besonders erniedrigenden Stufe des Mißbrauchens, daß ich sie gemalt hatte, und in meiner Selbstverachtung fügte ich die Schatten der elektrischen Lichter von Guernica hinzu, um des Schreckens habhaft zu werden, aber da gab es keinen Schrecken, dessen man habhaft werden konnte. Es hätte ihn geben sollen, aber es gab ihn nicht. Das elektrische Licht, das wie eine öffentliche Prostitution brennen sollte, scheint eine Unerheblichkeit zu sein. Gold gibt es da, Gold, vom Fenster her verstreut. Es gab da Hundetreue und große Augen und Unterwürfigkeit. Ich betrachte das Bild und erinnere mich, wie das verborgene Gesicht aussah; wie sie da lag nach meinem brutalen Akt, der mich die Selbstachtung kostete, und wie sie aus dem Fenster blickte, als ob sie gesegnet worden sei.

6

Damals war die große Zeit der Kommunistischen Partei in England. Kommunist zu sein, das bedeutete eine gewisse Hochherzigkeit, das Gefühl, ein Märtyrer zu sein, und das Gefühl, für einen Zweck zu leben. Ich fing an, mich vor Beatrice in dem Aufruhr der Straßen und Versammlungshallen zu verstekken. Da gab es eine Versammlung im Rathaus, bei der ein Ratsherr die Gründe angeben wollte, die ihn dazu bewogen, sich der Partei anzuschließen. Der Beschluß war von oben gekommen. Der Ratsherr war ein Geschäftsmann, und da sein Betrieb ›geschlossen‹* blieb, konnte er gar nicht auf eine Verbesserung seiner Lage hoffen, das heißt: das Vertrauen der Regierung genießen. Es gab keinen Grund, seinen Glauben nicht auf der Stelle und sogleich nutzbringend zu verwenden. Das war im

* Betrieb, in dem sämtliche Arbeitnehmer der Gewerkschaft angehören müssen.

Herbst, ein naßkalter Herbst der Verdunkelung und des Scheinkriegs[2]. ›Warum ich mich der Kommunistischen Partei anschließe‹, so stand es auf den Zetteln und Plakaten, und die Halle war gedrängt voll. Er kam gar nicht dazu, seine Ansprache zu halten, es gab stürmisches Hoch- und Nieder-Rufen, Stühle kippten um, im dicken blauen Zigarettenrauch entstanden einzelne Wirbel, man rief, man schrie, man brüllte. Irgendwer begab sich an das rückwärtige Ende der Halle, und es entstand dort eine Rauferei, bei der Zeitungen flogen und Glas zerklirrte. Ich sah nach dem Ratsherrn, dessen Mund sich wie in einem Stummfilm regte, bis eine Flasche ihn über dem rechten Auge traf und er hinter dem grünbezogenen Tisch verschwand. Ich wollte ihm zu Hilfe eilen, als jemand die Lichter ausdrehte und ein Polizeipfiff ertönte. Wir schleppten seinen lahmen Körper vom Podium herunter, hinaus durch einen Seiteneingang und in sein Auto, ich und seine Tochter, wobei die Polizei Wache stand, denn schließlich war er doch ein Ratsherr. Im Dunkeln gab es noch viel Lärm, und ich kann mich noch auf die ersten Worte besinnen, den ihr Mund, den ich nicht sah, aus dem Aufruhr an mich richtete: »Haben Sie den Schuft gesehen, der diese verdammte Flasche geschmissen hat?«

Ich hatte Taffy noch nie zuvor gesehen, aber als meine Augen sich an die Verdunkelung gewöhnten, konnte ich kaum glauben, was ich da zu sehen bekam. Sie war dunkel und frisch. Sie hatte die Art Gesicht, die immer, selbst im Bade, nach Make-up aussieht – ganz schwarze Augenbrauen, einen großen, roten Mund. Sie war das hübscheste Mädel, das ich je gesehen, ein glattes Profil mit weichen Wangen und zwei Grübchen, die in bestürzendem Gegensatz standen zu ihrer Tenorstimme und einschüchternden drastischen Sprache. Sie betupfte ihres Vaters Kopf mit einem Taschentuch und knurrte immer wieder: »Ich könnt' diesen Scheißkerl umbringen.«

Wir brachten ihn ins Krankenhaus und warteten. Dann kam ein Augenblick, wo wir beide einander ansahen, Auge in Auge, und mit einem Mal war uns klar, daß wir ein Dutzend Dinge gemeinsam hatten. Wir brachten ihn nach Hause, und ich wartete wieder, unten in der Halle, während er zu Bett gebracht wurde – ich wartete, obgleich nicht ein Wort gefallen war. Sie

* »Phoney war« – die Zeit zwischen Polenkrieg (1939) und dem Frankreichfeldzug (1940).

kam die Treppe herunter und stand da, und da war nichts zu tun als einander anzuschauen, und es war unnötig etwas zu sagen. Sie nahm ein Halstuch um – von ihrem Vater, glaub ich –, und wir gingen zusammen hinaus. Wir gingen in eine verdunkelte Kneipe und saßen Hand in Hand, und beide waren wir betäubt von dem überwältigenden Gefühl des Erkennens. Dann küßten wir uns, ganz offen, ohne uns zu scheuen und ohne Trotz, als wenn wir allein wären und nicht einen Meter von uns entfernt Leute ständen. Wir waren eben woanders, tief versunken, und wir beide erkannten, ohne einen Augenblick daran zu zweifeln, daß wir einander nie mehr verlassen sollten. Ich weiß jetzt nicht mehr, wie viel wir darüber sagten oder wie viel wir fühlten. Noch in derselben Nacht kam sie in mein spartanisches Zimmer, und wir liebten uns, wild und gegenseitig. Schließlich waren wir ja Kommunisten, und unser Privatleben ging nur uns beide was an. Die Welt war im Begriff, zu explodieren. Keiner von uns würde lange leben. Dann ging sie nach Hause und überließ es mir, an ihren nächsten Besuch und an Beatrice zu denken. Was sollte ich mit ihr machen? Was konnte ich machen? Taffy aufgeben? Vermutlich war das die Muster-Antwort des Moralisten. Aber mußte ich nun den Rest meines Lebens mit Beatrice zusammen verbringen und die ganze Zeit wissen, daß ich Taffy liebte?

Am Ende tat ich gar nichts. Ich sorgte lediglich dafür, daß sie nicht zusammentrafen. Die arme Beatrice langweilte mich. Der frühere Zauber, die vertraute Kraft war erstorben oder ausgebrannt. Ich wünschte nicht mehr, sie zu verstehen, ich glaubte nicht mehr, daß sie ein Geheimnis besäße. Sie tat mir leid, und sie brachte mich an den Rand der Selbstbeherrschung. Ich versuchte, das zu verbergen, ich hoffte, daß die Zeit eine Lösung bringen werde, aber ich war einfach nicht hart genug, mit Gleichmut damit fertig zu werden. Beatrice bemerkte das; sie wußte, ich war kälter und zurückhaltender geworden. Ihr Griff, mit dem sie mich festhielt, wurde fester, ihr Gesicht, ihre Brüste bohrten sich geradezu in meine Magengegend. Vielleicht, wenn ich damals den Mut gehabt hätte hinabzusehen, ihr ins Auge, dann hätte ich all den Schrecken und die Angst gewahrt, die sich den Bildern, die ich von ihr malte, nicht mitteilten; aber ich blickte ihr nie in die Augen, denn ich schämte mich. Beatrice umklammerte mich in Angst und Tränen und sagte nichts.

Sie war die betrogene Frau, wie sie im Buche steht, sie war die geschändete und hilflose Unschuld. Jetzt, bei so großem zeitlichen Abstand bringe ich den Zynismus oder die Gleichgültigkeit auf, dieser Unschuldmiene mit einigem Zweifel zu gedenken. War das wieder ein opernhaftes Spiel? Ich kann mir nicht vorstellen, daß ihr viel seelische Kräfte zur Verfügung standen. Sie war aufrichtig. Sie war wirklich hilflos und entsetzt. Der Griff ihrer Arme verriet eine Mitleid erregende Kraft, mit der sie körperlich zu halten suchte, was ihr seelisch entglitt. Jetzt lernte ich Tränen kennen, jetzt, wenn ich brutal genug gewesen wäre, hätte ich rufen können: Jetzt hab ich meine Genugtuung für das zerwühlte Bett meiner Schulzeit. Jetzt sah ich wirklich das Wasser des Kummers, das schwerflüssig wie Honig in den Wimpern hing oder die Wange hinunterlief wie das Ausrufungszeichen am Anfang eines Satzes im Spanischen. Wenn sie mich nicht in meinem Zimmer besuchte, oder wenn die Anforderungen ihres Lehrgangs im Seminar es ihr unmöglich machten, mich zu sehen, riß sie ein Blatt aus meinem alten Buch. Sie fing an, mir Briefe zu schreiben. Briefe, die nicht aufhörten zu fragen: Was war los? Was hatte sie getan? Was konnte sie tun? Liebte ich sie nicht mehr?

Eines Tages ging ich auf einem Landweg spazieren und gelangte auf die Hauptstraße. Da konnte ich endlich sehen, was den Lärm verursachte. Ein Auto hatte eine Katze überfahren und sie um ungefähr fünf ihrer neun Leben gebracht, und nun schleppte sich das arme, entsetzlich zugerichtete Tier davon und schrie und bettelte darum, getötet zu werden; und ich lief weg, die Finger in den Ohren, und ich hatte mir das sich windende Tier aus dem Sinn geschlagen und konnte wieder mein Spiel der Vermutungen und Vorstellungen spielen. Denn schließlich, sagte ich mir, ist in dieser begrenzten Welt nichts sicher außer der eigenen Existenz, also muß man dafür sorgen, daß dieser Sultan in Ruhe und Behaglichkeit lebt. So wäre denn meine Jagd nach Beatrice nichts anderes als die äußerste Spannung des einäugigen Männchens, des gereckten Gliedes. In dem merkwürdigen und halb vergessenen Bilde, wie Beatrice auf dem Atelier-Podium stand vor der Palladio-Brücke, sah ich jetzt nur noch, wie weit die Selbst-Täuschung gehen kann. In ihrem Gesicht war kein Leuchten, bestimmt nicht. Unter ihrer Haut, wenn man genauer zusah, gab es Flecken, und unter jedem Augenwinkel ein kleines dunkles Dreieck, das von langen Nächten erzählte. Jetzt konnte sie nur noch die Anklägerin spielen, den häuslichen Kummer, der sich nicht bannen läßt, und das ist eine Schuld, die wir in diesem begrenzten Universum leicht bezahlen können.

So gingen Taffy und ich unbekümmert unseren Weg weiter. Verglichen mit meinem niedrigen Lebensstandard war sie eine Dame. Sie war anspruchsvoll, außer wenn es ihr einfiel, daß wir ja zu der Avantgarde des Proletariats gehörten. Sie besaß auch ein bißchen Geld – nicht genug, um einen Ehemann oder Liebhaber zu unterhalten, aber genug, um zu helfen. Daher gab ich mein Zimmer und meine Adresse auf – ich kündigte nicht und zahlte keine Miete; und wo in dem eingebombten Kellergeschoß, in dem verrückt schiefen Mauerwerk, in dem Viereck zertrümmerten Betons, aus dem Blumen hervorsprossen, sollte ich das Geld auch einzahlen – aber ich schlich ein oder zwei Tage zurück, um den Brief aus dem Kasten zu holen, den Brief, den Beatrice mir schrieb, als sie mich nicht mehr ausfindig machen konnte. Er war voller Vorwürfe, schwächlicher, sanfter, angstvoller Vorwürfe. Ich traf Taffy, und wir waren eine Weile entfremdet. Sie wußte etwas, und sie schmollte. Wir hatten eine der endlos langen, vernunftvollen Unterhaltungen über die Beziehung zwischen Männer und Frauen. Man war ja nicht eifersüchtig, man hatte Verständnis, wenn einer mit einer dritten Person sein Vergnügen fand. Nichts war ja auf die Dauer zu erwarten, alles war relativ. Geschlechtsleben war Privatsache, Sexus eine klinische Angelegenheit. Und seit es Empfängnisverhütung gab, fiel der Grund für streng geregeltes Familienleben weg. Und dann umklammerten wir uns plötzlich, als ob wir das einzig Stabile in einem Erdbeben seien. Ich knurrte ihr in den Nacken: »Heirate mich, Taffy, um Gottes willen, heirate mich.«

Und Taffy schnüffelte unter meinem Kinn, fluchte heiser, packte mich und rieb ihr Gesicht an meinem Pullover.

»Wirf du nur einen Blick nach 'ner anderen Frau, und der Teufel wird dich frikassieren.«

Ich verließ meine Notunterkunft bei der Y. M. C. A., und wir zogen auf Taffys Kosten in ein kleines Atelier. Hinterher fiel uns ein, uns standesamtlich trauen zu lassen, und die Zeremonie bedeutete uns nichts, außer daß es uns nun nun freistand, wieder in das Atelier zu gehen. Ich bekam einen Brief von Beatrice über Nick Shades, der damals noch an einer Schule unterrichtete, und ich wußte nicht, sollte ich ihn öffnen oder nicht. Nick schrieb ebenfalls, es war ein gekränkter Brief. Beatrice war auf der Suche nach mir zu allen gemeinsamen Bekannten gelaufen. Ich sah sie im Geiste auf den Türschwellen stehen, rotübergossen vor Scham über das alles und doch gezwungen fortzufahren: »Wissen Sie, wo Sammy Mountjoy ist? Ich glaube, ich habe seine Adresse verlegt – «

Ich öffnete den Brief, und in den ersten Zeilen bat sie mich um Verzeihung; aber ich las nicht weiter, denn der Anblick der ersten Seite wirkte auf mich wie ein Stich mit dem Messer. In der Ecke links oben hatte sie ein Kreuzchen gezeichnet. Es bestand keine Gefahr für uns.

Noch eins ist mir im Gedächtnis geblieben: die Erinnerung an einen Traum, so lebhaft, daß er aus meiner Lebensgeschichte nicht wegzudenken ist. Ich gehe fluchtartig auf einer endlos langen vorstädtischen Straße, und die Häuser zu beiden Seiten sind unansehnlich, ungestrichen, aber auf eine kümmerliche Art anständig. Beatrice läuft mir nach, sie ruft laut und schrill wie ein Vogel. Es ist Abend in der schrecklichen Szenerie, und ringsum kriechen die Schatten immer näher. Und aus den Kellern und Gossen steigt das Wasser, so daß ihre Füße triefen und planschen: aber ich habe das Wasser irgendwie vermieden. Es steigt um sie höher und höher.

Aber was Taffy und mich betrifft, so richteten wir uns in den vier Wänden ein und zogen uns, als die Bomben zu fallen begannen und die Zeit meines Soldatwerdens näher kam, von der Partei allmählich zurück. Wir tauschten unsere Lebensgeschichten aus, meine ein bißchen zurechtgemacht, und die ihre vielleicht auch. Wir erlangten einen außerordentlichen Grad von Sicherheit, wenn wir nicht voneinander die ganze Wahrheit erwarteten, da wir sehr wohl wußten, daß das unmöglich ist, und uns gegenseitig von vornherein allgemeiner Vergebung versicherten. Beatrice wurde mir immer undeutlicher, wie die Partei. Ich erzählte Taffy von ihr, und das Kreuzchen tat das Seine. Taffy bekam ein Baby.

Was hätte ich anders tun können, als von Beatrice wegzulaufen? Ich meine, was ich sonst hätte tun sollen oder was ein anderer getan hätte. Ich meine einfach, daß ich, so wie ich mich beschrieben habe und wie ich mich rückblickend sehe, nichts anderes tun konnte als wegzulaufen. Ich konnte die Katze nicht töten, um ihren Leiden ein Ende zu machen. Ich hatte die Kraft zu wählen verloren. Ich hatte meine Freiheit vertan. Man kann mir aus der mechanischen und hilflosen Reaktion meiner Natur keinen Vorwurf machen. Ich war, was ich geworden war. Der junge Mann, der sie auf die Folter spannte, ist in jeder Einzelheit ein anderer als das Kind, das die Straße entlang an dem Herzog im Antiquitätenladen vorbei geschleppt wurde. Wo war die Teilung? Welche Wahl hatte er?

Damals ungefähr sah ich Johnny – ich sah ihn in einer vollkommen deutlichen, ganz bestimmten Szene, die mir als Maßstab unserer Verschiedenheit im Gedächtnis geblieben ist. Ich ging eines Nachmittags wieder einmal auf dem Lande spazieren, auf der Flucht vor mir selbst – ich kam gerade zur Höhe von Counters Hill, wo die Straße hinüber zu springen scheint. Johnny sauste auf seinem Motorrad über die Höhe mir entgegen, und ich mußte aus dem Weg springen. Er muß auf der anderen Seite mit hundertfünfzig Stundenkilometern hinaufgefahren sein, so daß es, nachdem er die Höhe erreicht hatte und mir erschien, aussah, als sauste er geradeswegs in die Luft und flöge vorüber. Ich sehe ihn noch, wie er, sechs Zoll über der Straße, sich vom Himmel abhebt. Die linke Hand hält er auf der Lenkstange. Er biegt sich zurück und wendet den behelmten Kopf, so weit er kann, zurück und nach rechts. Das Mädchen blickt ihm über die Schulter, sie hat den rechten Arm um ihn geschlungen, und ihr Haarschopf fliegt im Wind. Johnny hat ihr den rechten Arm um den Kopf gelegt, und seine rechte Hand ruht oben drauf, und sie küssen sich bei voller Geschwindigkeit auf der Kimme einer unübersichtlichen Höhe, unbekümmert darum, was gewesen ist und was kommen muß – denn was kommen muß, ist vielleicht nichts mehr.

Mir war die Zerstörung recht, die der Krieg mit sich bringt, all der Tod und Schrecken. Mochte die Welt zusammenbrechen. In der Welt, in der ich lebte, war Anarchie, und Anarchie herrschte auch in der Welt im großen – zwei Zustände, so gleichartig, daß der eine den anderen hervorgebracht haben konnte. Die zerschmetterten Häuser, die Flüchtlinge. Tod und Qualen: finde dich damit ab, es ist der Lauf der Welt, und es kommt wenig darauf an, wie man sich selbst verhält. Warum sich die Mühe machen, in einer Privatangelegenheit zu morden, wenn man öffentlich Menschen erschießen kann und auch noch öffentlich dafür belobt wird? Wozu um ein geschändetes Mädchen so viel Aufhebens machen, wenn Mädchen zu Tausenden in Stücke gerissen werden? Es gibt für die Bösen keinen Frieden, aber der Krieg mit seiner Verwüstung und Gier und Verantwortungslosigkeit ist ein sehr guter Ersatz. Ich machte von der Möglichkeit des Zerstörens nur wenig Gebrauch, weil ich schon zur Genüge als Kriegskünstler bekannt war.

Kein Schießgewehr für Sammy. Er wurde statt dessen Kriegsberichter.

»Also hier?«

»Nein. Hier nicht.«

7

Wo also? Ich bin in mancher Hinsicht klug, ich kann durch eine Ziegelmauer ungewöhnlich weit sehen, und daher müßte ich eigentlich imstande sein, meine Frage selbst zu beantworten. Wenigstens kann ich erzählen, wann ich die Fähigkeit des Schauens erlangte oder wann sie mir zuteil wurde. Dr. Halde sorgte dafür. In Freiheit hätte ich niemals überhaupt eine Fähigkeit erlangt. Dann war also der Verlust der Freiheit der Preis, der dafür gefordert wurde, die unumgängliche Voraussetzung einer neuen Art des Wissens? Aber das Resultat meiner Hilflosigkeit, aus der diese neue Art stammte, war auch das verzweifelte Elend Beatricens und zugleich recht erfreulich für Taffy. Ich kann mich nicht überzeugen, daß meine geistigen Fähigkeiten bedeutend genug sind, um sowohl das Gute wie das Schlimme zu rechtfertigen, das sie zeitigten. Und doch erwuchs die Fähigkeit, durch die Ziegelmauer hindurchzuschauen, direkt und unvermeidlich mit Haldes Hilfe, der auf mich, ausgerechnet auf mich, verfallen war. Ich sehe noch den Raum, überdeutlich, in welchem er den Prozeß in Gang brachte. Die Gestapo hatte gestern die Hüllen heruntergerissen und die grauen Gesichter aufgedeckt.

Der Raum war real, sachlich und schmutzig.

Das Hauptstück der Ausstattung war ein riesiger Tisch, der ein Drittel der Bodenfläche einnahm. Der Tisch war alt, poliert, und hatte ausgebuchtete Beine wie ein Flügel. Auf jeder Seite waren Papiere in Stößen gehäuft, die Mitte des Tisches war freigelassen für die Schreibunterlage des Kommandanten. Wir befanden uns ihm gegenüber und sahen ihm ins Gesicht, nur daß er saß und wir standen. Hinter ihm standen Aktenschränke, und die Pappschilder auf jeder Schublade waren sorgfältig mit Frakturschrift ausgefüllt. Hinter und über dem Stuhl des Kommandanten hing eine große Photographie des Führers. Es war ein harmlos aussehender Raum, voll und ohne jeden Komfort. Einige der Papierstöße auf dem Tisch hatten schon lange gelegen, denn man konnte sehen, was der Staub ihnen angetan hatte.

Hereinmarschieren, rechts um, grüßen.

»Captain Mountjoy, Sir.«

Aber nicht der Kommandant saß in seinem Stuhl, auch nicht sein kleiner fetter Stellvertreter. Der da saß, war ein Zivilist. Er trug einen dunklen, zweireihigen Anzug, und er lehnte sich in den Drehstuhl zurück, die Ellbogen auf den Lehnen und die Fingerspitzen aneinander. Links und hinter ihm standen der Stellvertreter des Kommandanten und drei Soldaten. Dann waren da noch zwei namenlose Gestalten in der Uniform der Gestapo. Damit war der Raum voll; aber ich konnte nirgendwohin blicken als gerade auf den Mann, der vor mir saß. Habe ich hinterher gut sagen, daß ich ihn schon gern mochte, mich zu ihm hingezogen fühlte, daß ich mit ihm ebenso viel Zeit hätte verbringen mögen wie mit Ralph und Nobby? Ich hatte auch Angst, das Herz klopfte mir wie rasend und fing an, mit mir wegzulaufen. Damals wußten wir noch nicht genau, wie schlimm die Gestapo war, aber wir hatten allerlei gehört und daraus Vermutungen gezogen. Und er war ein Zivilist – zu hoch im Rang, um Uniform zu tragen, außer wenn ihm danach zumute war.

»Guten Morgen, Captain Mountjoy. Sollen wir Mister sagen oder gar Samuel oder Sammy? Möchten Sie gern einen Stuhl haben?«

Er wandte sich und sprach rasch zu einem der Soldaten mir zur Linken, der mir einen Metallstuhl mit einem Sitz aus Tuch hinschob. Der Mann beugte sich vor.

»Mein Name ist Halde. Doktor Halde. Wir wollen einander näher kennenlernen.«

Er konnte auch lächeln, nicht ein frostiges Lächeln, sondern auf eine offene und freundliche Art, so daß die blauen Augen aufstrahlten und die Backen sich bis zu den Jochbeinen hoben. Und nun hörte ich, wie perfekt er Englisch sprach. Der Kommandant sprach zu uns meistens mit Hilfe eines Dolmetschers oder kurz in kehligem Deutsch-Englisch. Aber Dr. Halde sprach besser Englisch als ich. Mein Englisch war das ungehobelte, präzise Zeug, wie man es gewöhnlich spricht, aber seins hatte dieselbe asketische Vollkommenheit wie sein Gesicht. Er verfügte über eine Reinheit der Aussprache, die mit einem klaren und logischen Geist Hand in Hand geht. Meine Aussprache war lässig und eilig, die Stimme eines Menschen, der nie sein Gehirn zur Ruhe erzogen, niemals nachgedacht hat, niemals einer Sache sicher gewesen ist. Seine Stimme dagegen war die eines Ausländers, erregungslos, die Stimme einer fremden Idee, eine Stimme, die man besser in mathematischen Symbolen als in gedruckten Worten hätte wiedergeben können. Und obgleich seine P's und B's deutlich artikuliert waren, erschien der Unterschied zu scharf, um einen Bruchteil zu scharf, als wenn ihn drinnen in der Nase etwas gekniffen hätte.

»Besser?«

Doktor – was für ein Doktor? Sein Kopf war außerordentlich zart gebildet. Auf den ersten Blick sah er rundlich aus, weil der Blick zunächst an der blankpolierten Glatze haften blieb, über die das schwarze Haar gebürstet war; ging man aber tiefer, sah man, daß ›rund‹ nicht das richtige Wort war, weil das ganze Gesicht und der Kopf in einem Oval umrissen waren, oben breit und zum Kinn spitz zulaufend. Viel Raum nahm seine Stirne ein, sie war der breiteste Teil des Ovals, und das

Haar war aus ihr zurückgewichen. Die Nase war lang, und die Augenhöhlen lagen nicht sehr tief. Die Augen selbst waren von einem erstaunlichen Kornblumenblau.

Philosophie?

Aber was an seinem Gesicht am meisten auffiel, war nicht die feinknochige Struktur, sondern wie fest das Fleisch darauf saß. Aus der allgemeinen Beschaffenheit solcher Gewebe kann man eine Menge Schlüsse ziehen. Wenn es lediglich durch Krankheit hinschwindet, können die allgemeinen Folgen des Leidens nicht verborgen bleiben. Die Augen werden stumpf, und unter ihnen bilden sich Säcke. Aber dieses Fleisch war gesund, es war blaß und gerade noch zureichend, um die vordere Hälfte des Kopfes anständig-menschlich bedeckt erscheinen zu lassen. Ein bißchen weniger, und der bloße Schädel kam durch. Die Linien in diesem Gesicht waren nicht gerade vom Leiden gezogen, sondern von Nachdenklichkeit und guter Laune. Wenn er das Gesicht in die schönen Hände nahm, in die fast durchscheinenden Finger, wirkte er wie ein Asket. Der Mann hatte den Körper eines Heiligen.

Psychologie?

Psychologie!

Plötzlich fiel mir ein, daß ich den Stuhl hätte zurückweisen sollen. Vielen Dank, ich ziehe es vor, zu stehen. Das war's, was ein Held bei Buchan tun würde. Aber ich hatte dieses unwiderstehliche Gesicht vor mir, dieses sichere und überlegene Englisch. Ich hatte mich bereits hingesetzt, in einen Stuhl, der auf dem unebenen Fußboden leise wackelte. Mit einem Mal war ich verwundbar, saß in einer Falle massigen Fleisches, ein Mann, der einen Knüppel schwang gegen einen Florettfechter. Der Stuhl wackelte wieder, und ich hörte meine Stimme, sie klang hoch und auf eine absurde Weise verbindlich.

»Vielen Dank.«

»Zigarette?«

Auch das mußte man ablehnen, weit von sich weisen – aber dann fiel mein Blick auf meine Finger, die bis zum zweiten Knöchel gefärbt waren.

»Vielen Dank.«

Dr. Halde griff hinter den Papierstapel zu seiner Rechten, brachte eine silberne Zigarettendose zum Vorschein und knipste sie auf. Ich beugte mich vor, ich griff in die Dose und sah, was sich hinter dem Stoß Papier befand. Nobby und Ralph hatten sich große Mühe mit dem Versuch gegeben, das archaische Lächeln des siebzehnten Jahrhunderts zu vermeiden; aber diese wie aus Papiermaché verfertigten Köpfe mit den clownhaft verzerrten Gesichtern hätten kein Kind getäuscht. Am Ende hätten sie besser daran getan, mich dabei helfen zu lassen, oder es bei dem Haar und den über die Gesichter gezogenen Decken bewenden lassen sollen.

Dr. Halde hielt mir ein silbernes Feuerzeug entgegen mit einer ruhigen Flamme. Ich schob einen halben Zoll der Zigarette in die Flamme und zog sie zurück, Rauch ausstoßend.

Nonchalant.

Dr. Halde begann zu lachen, so daß die Backen unter jedem Auge einen richtigen Wulst bildeten. Meistens behielt er seine Blässe, aber unter jedem Wulst war ein ganz schwacher Anflug von Rot zu sehen. Seine Augen strahlten, seine Zähne schimmerten. An den äußeren Winkeln der Augen krauste eine V-förmige Anordnung von Fältchen die Haut. Er wandte sich um und bezog den Stellvertreter in seine entzückte Heiterkeit mit ein. Dann wandte er sich mir wieder zu, setzte die Fingerspitzen gegeneinander und beruhigte sich. Er war einen Zoll oder zwei größer als ich. Er blickte infolgedessen auf mich herunter, freundlich und amüsiert.

»Wir sind beide keine gewöhnlichen Menschen, Mister Mountjoy. Zwischen uns besteht schon jetzt eine gewisse undefinierbare Sympathie.«

Er breitete die Hände aus.

»Ich sollte in meiner Universität sein. Und Sie sollten in Ihrem Atelier sein. Ich wünsche Ihnen aufrichtig, daß Sie dahin zurückkehren können.«

Diese Worte, die Nationen außer acht lassend, hatten es in sich: eine bedenkliche Reife, als wenn der nächste Satz schon alles beantworten werde. Er sah mir ins Auge, als fordere er mich auf, die Angelegenheit über das vulgäre Geschwätz hinaus auf ein Niveau zu heben, in dessen Atmosphäre gebildete Männer zu irgend einer Einigung kommen könnten. Mit einemmal fürchtete ich, daß er mich ungebildet finden könnte, ich fürchtete eine Menge unbestimmbarer Dinge.

Plötzlich fingerte ich an meiner Zigarette.

»Haben Sie sich verbrannt, Mister Mountjoy? Nein? Gut.«
Er hielt mir einen Aschenbecher aus Porzellan hin, auf dem eine rheinische Flußlandschaft zu sehen war. Ich nahm den Aschenbecher und setzte ihn vorsichtig in meiner Nähe auf den Tisch.

»Sie verschwenden Ihre Zeit. Ich weiß nicht, wie sie entkommen sind und wohin sie gingen.«
Er sah mich einen Augenblick schweigend an. Er nickte ernsthaft.

»Das mag wohl sein.«
Ich schob meinen Stuhl zurück und stemmte zu beiden Seiten des Sitzes eine Hand ein, um aufzustehen. Ich begann mit der unglaubwürdigen Annahme zu spielen, daß das Verhör vorüber sei.

»Nun, dann –«
Ich wollte mich erheben, aber eine schwere Hand fiel auf meine linke Schulter und drückte mich fest. Ich erkannte die Farbe des Stoffs am Ärmel, der das Handgelenk bedeckte. und die physische Berührung von etwas, das ich eigentlich hätte fürchten sollen, machte mich statt dessen zornig, so daß ich fühlte, wie mir das Blut in den Nacken stieg. Aber Dr. Halde blickte mit gerunzelter Braue an meiner Schulter vorbei und vollführte mit beiden Händen, die Flächen nach unten, beruhigende Gesten. Die schwere Hand ließ meine Schulter los. Dr. Halde holte eine weißbatistene Wolke aus der Tasche und putzte sich umständlich die Nase. Er litt also an einem Schnupfen, seine Nase war wirklich versperrt und sein Englisch wirklich perfekt.

Er faltete den Batist zusammen und lächelte mich an.

»Das mag wohl sein. Aber wir wollen ganz sicher gehen.«
Meine Hände waren zu groß und plump. Ich schob sie in die Taschen meines Waffenrocks, wo sie sich unnatürlich vorkamen. Ich zog sie heraus und bohrte sie in die Hosentaschen. Ich sagte die Sätze mechanisch auf, als wenn ich sie auswendig gelernt hätte. Selbst beim Sprechen wußte ich, daß sie nichts waren als ein Reflex der Nerven.

»Ich bin Offizier und Kriegsgefangener. Ich bitte, mich der Genfer Konvention entsprechend zu behandeln.«

Dr. Halde ließ einen Laut hören, der halb ein Lachen, halb ein Seufzer war. Er lächelte traurig und vorwurfsvoll, als ob ich wieder das Kind sei, das in seiner Klassenarbeit einen Fehler gemacht hat.

»Natürlich sind Sie das. Gewiß doch.«

Der stellvertretende Kommandant sprach mit ihm, und es gab plötzlich einen schnellen Wortwechsel. Der Stellvertretende sah bald mich an, bald Dr. Halde, und erhob wütende Einwände. Aber Halde blieb Sieger. Der Stellvertretende klappte die Hacken zusammen, schmetterte einen Befehl und verließ mit den Soldaten den Raum. Ich war allein mit Halde und den Gestapobeamten.

Dr. Halde wandte sich wieder mir zu.

»Wir wissen alles über Sie.«

Ich antwortete augenblicklich:

»Das ist eine Lüge.«

Er lachte aufrichtig und bedauernd.

»Ich sehe, unsere Unterhaltung wird ständig von Stufe zu Stufe springen. Natürlich können wir nicht alles über Sie wissen, wir können überhaupt von niemandem alles wissen. Nicht einmal über uns selbst können wir ganz genau Bescheid wissen. Das haben Sie doch wohl gemeint?«

Ich sagte gar nichts.

»Aber sehen Sie, Mister Mountjoy, ich meinte etwas viel Näherliegendes, auf einer Stufe, auf der gewisse Mächte operieren, auf der man gewisse Schlüsse ziehen kann. Wir wissen zum Beispiel, daß Sie die Askese, besonders wenn Sie Ihnen aufgezwungen wird, sehr schwierig finden würden. Ich – andererseits – verstehen Sie? Und so weiter.«

»Nun und?«

»Sie waren Kommunist. Ich auch, früher. Das ist eine Jugendsünde.«

»Ich verstehe nicht, was Sie sagen.«

»Ich werde ehrlich Ihnen gegenüber sein, obwohl ich nicht sagen kann, ob Sie ehrlich gegen mich sein werden. Krieg ist grundsätzlich unmoralisch. Meinen Sie nicht auch?«

»Das mag stimmen.«

»Man muß dafür oder dagegen sein. Ich habe meine Wahl unter vielen Schwierigkeiten getroffen, aber getroffen habe ich

sie. Vielleicht war es die letzte Wahl, die ich treffen werde. Sind Sie mit dieser internationalen Unmoral einverstanden, Mister Mountjoy, so kann dem Menschen alles mögliche Unangenehme zustoßen. Sie und ich, wir wissen, wohin es mit der Moral in Kriegszeiten kommt. Schließlich sind wir Kommunisten gewesen. Der Zweck heiligt die Mittel.«
Ich drückte die Zigarette in dem Aschenbecher aus.
»Was hat das alles mit mir zu tun?«
Er vollführte mit der Zigarettendose eine umfassende Bewegung, ehe er sie mir wieder hinhielt.
»Für Sie und mich ist dieser Raum hier die Wirklichkeit. Wir haben uns jeder einer Art gesellschaftlicher Maschine ausgeliefert. Ich bin in der Macht meiner Maschine, und Sie befinden sich absolut in meiner Macht. Wir sind beide dadurch entwürdigt, Mister Mountjoy, aber es ist nun einmal so.«
»Warum stochern Sie an mir herum? Ich sag Ihnen, ich weiß nichts!«
Ich hielt die Zigarette in den Fingern und fummelte nach einem Streichholz. Mit einem »O bitte!« reichte er mir das Feuerzeug.
Ich brachte mit beiden Händen die Zigarette in die Flamme und sog an dem weißen Mundstück. Da waren die Umrisse zweier Männer, die in bequemer Haltung dabeistanden, aber ich hatte ihre Gesichter nicht gesehen, ich konnte kein Gesicht sehen außer dem besorgten, vornehmen Gesicht hinter dem Feuerzeug. Er legte das Feuerzeug hin, legte die Hände auf die Schreibunterlage und beugte sich mir zu.
»Wenn Sie nur die Situation so sehen könnten, wie ich sie ansehe! Sie waren willens, so willens, ich möchte sagen: so darauf bedacht« – die Hände ballten sich – »Mister Mountjoy, glauben Sie mir, ich – Mister Mountjoy. Vor vier Tagen sind mehr als fünfzig Offiziere aus einem anderen Lager entkommen.«
»Und Sie wollen, daß ich – Sie möchten, ich –«
»Augenblick. Sie sind – nun, noch sind sie in Freiheit, man hat sie noch nicht gefangen, sie sind noch nicht wieder im Lager.«
»Na also, das ist doch gut für sie!«

»Jeden Augenblick kann ein ähnlicher Ausbruch aus diesem Lager unternommen werden. Zwei Offiziere, Ihre Freunde, Mister Mountjoy, haben dies schon getan. Unsere Informationen besagen, daß die Disziplin einen Ausbruch größeren Maßstabs aus diesem Lager unwahrscheinlich, aber nicht unmöglich erscheinen läßt. Es darf nicht dazu kommen – wenn Sie nur wüßten, wie sehr es nicht geschehen darf!«

»Ich kann Ihnen nicht helfen. Es ist das Recht des Gefangenen, daß er zu entwischen versucht.«

»Sammy – bitte um Verzeihung, Mister Mountjoy. Wie gut haben Sie sich in Ihre militärische Erziehung gefügt! Habe ich am Ende unrecht? Sind Sie wirklich nichts als ein loyaler, einfältiger britischer Soldat des Königs?«

Er seufzte, lehnte sich zurück.

»Warum haben Sie mich Sammy genannt?«

Er lächelte mir zu, der ich das Lächeln erwiderte, und auf seinem Gesicht wurde aus Winter Frühling.

»Ich habe versucht, aus Ihnen klug zu werden. Ich habe mich an Ihre Stelle versetzt. Eine unverzeihliche Unverfrorenheit natürlich, aber Krieg ist Krieg.«

»Ich wußte nicht, daß ich überhaupt so wichtig sei.«

Er hörte auf zu lächeln, griff nach unten und blätterte in Papieren, die er einer Brieftasche entnahm.

»Hier können Sie sehen, wie wichtig Sie sind, Mister Mountjoy.«

Er warf mir zwei kleine Aktendeckel über die Schreibunterlage zu. Sie waren schmutzig und abgenutzt. Ich öffnete sie und untersuchte die Paragraphen in diesem unverständlichen Frakturdruck, die gekritzelten Anfangsbuchstaben und Namen, die runden Stempel. In dem einen sah mich Nobbys Photo an und in dem anderen Ralph – Ralph, der für den Photographen posierte und sich mit Absicht halb verblödet und ausdruckslos gab.

»Sie haben sie also erwischt.«

Dr. Halde gab keine Antwort, und etwas in dem Schweigen, vielleicht irgend eine Spannung veranlaßte mich, rasch den Kopf zu heben und meine Feststellung in eine Frage zu verwandeln.

»Haben Sie sie gefangen?«

Dr. Halde sagte immer noch nichts. Dann holte er die weiße Batistwolke heraus und putzte sich wieder die Nase.

»Es tut mir leid, aber ich muß Ihnen sagen, daß Ihre Freunde tot sind. Sie wurden beim Fluchtversuch erschossen.«

Lange Zeit schaute ich die blassen Photographien an; aber sie sagten gar nichts. Ich versuchte, mich aufzuraffen, ich sagte mir im stillen und versuchsweise: jedem ist die Brust von einer Handvoll Blei zerrissen worden, sie haben beide ihr Ende gefunden, diese unermüdlichen Cricketspieler, sie haben das Ende des Spiels gesehen und erkannt. Sie waren meine Freunde, und ihre mir vertrauten Körper verfaulen nun.

Also, du empfindest nichts?

Vielleicht.

Halde sprach sanft:

»Nun, verstehen Sie jetzt, Mister Mountjoy? Es ist lebenswichtig, daß kein weiterer Mann aus dem Stacheldraht hinaus gelangt – um der Gefangenen willen, um unsertwillen, um der Menschlichkeit willen, um der Zukunft willen –«

»Sie verdammtes Schwein.«

»Aber ja, gewiß. Das versteht sich doch von selbst, undsoweiter.«

»Ich sage Ihnen, ich weiß nichts.«

»Und wenn ich dann geneigt bin, oder, wenn es so weit kommt, daß ich die Aufgabe übernehme, eine Wiederholung dieser Fluchtversuche zu verhindern – an wen soll ich mich wenden? Von allen Männern in diesem Lager: wessen Umstände sind so gut bekannt, wer hat andauernd über Malerei und Farbtöne gesprochen, über Lithographie? Und außerdem« – er starrte mich aus seinen übergroßen Kornblumen-Augen an – »wer unter all diesen Männern würde sich wahrscheinlich so vernünftig benehmen? Soll ich vielleicht den Major Witlow-Brownrigg als Hebel ansetzen, diesen steifen Herrn, und ihn biegen, bis er bricht, oder soll ich ein geschmeidigeres Material wählen?«

»Ich sage Ihnen –«

»Es kommt für mich darauf an, daß ich in der Lage bin, das Lager schnell und plötzlich durchzukämmen mit der absoluten Gewißheit, das zu finden, was ich suche, und wo es zu finden ist. Bitte, bitte, hören Sie mir zu. Ich muß die Druckerpresse stillegen, die Werkzeuge beschlagnahmen, die Uniform, die Zivilkleider, ich muß das Radio vernichten, ich muß geradewegs auf den unterirdischen Gang losgehen und ihn zuschütten –«

»Aber ich –«

»Bitte hören Sie zu. Ich bin auf Sie verfallen, nicht nur, weil Sie zu der Organisation gehören müssen, sondern weil Sie ein Künstler sind und daher objektiv und was Besonderes unter Ihren Kameraden: ein Mensch, der weiß, wann Verrat kein Verrat mehr ist, und wann man eine Regel, einen Eid brechen muß, um einer höheren Wahrheit zu dienen –«

»Zum letzten Mal, ich weiß nichts!«

Er breitete die Hände aus, die offenen Handflächen auf dem Tisch.

»Ist das vielleicht vernünftig, Mister Mountjoy? Bedenken Sie doch, was alles auf die gegenteilige Schlußfolgerung weisen könnte: Ihre verschiedenen Fähigkeiten, Ihre Freundschaft mit den beiden Offizieren – sogar Ihre frühere Mitgliedschaft bei einer Partei, die berühmt ist wegen ihrer Untergrundtätigkeit – Oh, glauben Sie mir, ich habe großen Respekt vor Ihnen und große Abneigung gegen meine eigene Arbeit. Ich verstehe Sie auch, so weit ein Mensch einen anderen verstehen kann –«

»Das können Sie nicht. Ich verstehe mich ja selbst nicht.«

»Aber ich bin objektiv, denn wenn ich mich auch in Ihre Haut versetzen kann, so kann ich sie doch beliebig verlassen, kann jedenfalls herausschlüpfen, ehe der Schmerz anfängt –«

»Der Schmerz?«

»Und so weiß ich objektiv, bestimmt, in aller Ruhe, daß Sie an diesem oder jenem Punkte unserer leider unglücklichen Beziehung – daß Sie, wie soll ich das ausdrücken –?«

»Ich werde nicht sprechen. Ich weiß nichts.«

»Sprechen. Ja, das ist das richtige Wort. An irgend einem Punkte, Mister Mountjoy, werden Sie sprechen.«

»Ich weiß nichts. Nichts!«

»Augenblick. Wir wollen Ihnen zunächst ein Angebot von hohem Wert machen. Ich werde Ihnen über sich selbst Aufklärung verschaffen. Niemand, keine Liebende, kein Vater, kein Schulmeister könnte das für Sie tun. Sie alle wären behindert durch

Konventionen und Menschenfreundlichkeit. Nur unter solchen Bedingungen wie hier, den Bedingungen eines elektrischen Ofens, kann die glutflüssige, blendende Wahrheit von einem menschlichen Angesicht zum andern geäußert werden.«

»Nun?«

»Welcher Embryo würde, wenn er zu wählen hätte, die Leiden der Geburt durchmachen, nur um Ihr Alltags-Bewußtsein zu erreichen? Es ist keine Gesundheit in Ihnen, Mister Mountjoy. An nichts glauben Sie genug, um dafür zu leiden oder froh zu sein. Es gibt nichts, das an Ihre Tür geklopft und von Ihnen Besitz ergriffen hätte. Sie besitzen sich selbst. Geistige Ideen, selbst die Idee der Treue gegen Ihr Vaterland, haften nur lose an Ihnen. Sie warten in einem staubigen Wartesaal. Sie warten auf irgend einen Zug auf irgend einer Strecke. Und zwischen den Polen des Glaubens, ich meine den Glauben an materielle Dinge und den Glauben an eine Welt, die von einem höchsten Wesen geschaffen ist und erhalten wird, zwischen diesen Polen zittern Sie schwankend hin und her, Tag für Tag, Stunde um Stunde. Nur das, was Sie nicht umgehen können, die Brandhitze des Geschlechts und des Schmerzes, wobei Sie die eine gern verlängert und die andere möglichst nicht wiederholt haben möchten, das ist alles, was zwar Ihr Alltagsbewußtsein nicht zugeben würde, aber das Leben als Erfahrungstatsache aufzuweisen hat. O gewiß, Sie sind bis zu einem gewissen Grade der Freundschaft fähig und bis zu einem gewissen Grade der Liebe, aber das zeichnet Sie in keiner Weise vor den Ameisen oder Spatzen aus.«

»Dann beschäftigen Sie sich doch lieber nicht mit mir.«

»Haben Sie denn keinen Sinn für das Tragikomische unserer Situation? Wenn das, was ich beschrieben habe, alles wäre, Mister Mountjoy, dann würde ich eine Pistole auf Ihren Kopf richten und Ihnen zehn Sekunden Zeit geben, sich zum Sprechen zu entschließen. Aber in Ihnen ist etwas Geheimnisvolles, das wir beide nicht durchschauen. Daher muß ich, selbst wenn ich beinahe sicher bin, daß Sie sprechen würden, wenn Sie irgend etwas mitzuteilen hätten, den nächsten Schritt tun und die Quälerei verschärfen, um die Kluft zwischen dem ›beinahe‹ und dem ›sicher‹ aufzufüllen. O ja! Es ekelt mich dann vor mir selbst, aber was hilft das Ihnen?«

»Können Sie nicht begreifen, daß ich einer Drohung nicht widerstehen könnte?«

»Und daher muß ich die Maßnahmen ergreifen, als wenn ich überhaupt nichts von Ihnen wüßte. Ich werde so tun, als ob Sie weder bestochen noch durch Furcht bewegt werden könnten. Ich biete Ihnen also nichts als die Chance, Menschenleben zu retten. Erzählen Sie mir alles, was Sie von der Flucht-Organisation wissen, und Sie werden bleiben, was Sie waren. Weder mehr noch weniger. Sie werden von diesem Lager in ein anderes versetzt, das mehr oder weniger komfortabel ist. Woher wir unsere Informationen haben, wird verborgen bleiben.«

»Warum sprechen Sie nicht mit meinem Vorgesetzten?«

Blaue Kornblumen.

»Wer würde einem älteren Offizier vertrauen?«

»Warum wollen Sie mir nicht glauben?«

»Wer würde Ihnen glauben, Mister Mountjoy, wenn er noch einigen Verstand hat?«

»Was hat es dann für einen Zweck, mich nach der Wahrheit zu fragen?«

Eine traurige, schmerzliche, kritische Miene. Die Hände ausgebreitet.

»Selbst wenn das wahr ist, Mister Mountjoy, muß ich fortfahren. Darüber sind Sie sich doch bestimmt klar? Oh, ich gebe zu, wir sitzen zusammen in der Kloake – wir beide, bis zum Hals!«

»Na, also!«

»Was wünschen Sie sich am dringendsten in der Welt? In die Heimat zurück? Das könnte man arrangieren – ein geistiger Zusammenbruch – einen Monat oder zwei in einem angenehmen Sanatorium, ein paar Dokumente unterzeichnet, und schon ist die Sache geschafft – nach Hause, Mr. Mountjoy. Ich bitte Sie flehentlich.«

»Ich fühle mich ein bißchen schwindlig.«

Die Innenseite meiner Hände fuhren mir übers Gesicht. Ich konnte spüren, wie die ölige Feuchtigkeit herunterlief.

»Oder wenn die Heimat Ihnen nicht so unmittelbar attraktiv erscheint – wie wäre es mit einer zeitweiligen anderweitigen Erholung? Ich versuche das so rücksichtsvoll wie möglich auszudrücken, der ich nicht von Geburt daran gewöhnt bin, von Ihrer reichen Sprache Gebrauch zu machen: aber haben Sie nicht manchmal das Gefühl, daß die beiden Geschlechter zu sehr des gemeinschaftlichen Austausches beraubt sind? Die diesbezüglichen Hilfsquellen Europas stehen zu Ihrer Verfügung. Man sagt mir, Sie sind – «

Seine Stimme verlor sich darauf in der Entfernung. Ich öffnete die Augen und sah, daß ich mich am Tischrand festhielt, ich sah, daß meine Finger im Weggleiten feuchte Spuren hinterließen. Nur ein ganz winziger Stich. Eine Art schluchzender Wut stieg würgend in meiner Kehle auf.

»Sie Narr! Glauben Sie nicht, ich würde aussagen, wenn ich was wüßte? Ich sage Ihnen, ich weiß nichts – nichts!«

Sein Gesicht war weiß, glänzte von Schweiß und Mitleid.

»Armer Junge. Wie scheußlich ist doch das Ganze, Sammy. Ich darf doch Sammy zu Ihnen sagen? Natürlich, die Hilfsquellen Europas sind nichts für Sie. Verzeihen Sie mir. Geld? Nein. Ich glaube nicht. Nun gut. Ich habe Sie auf eine Zinne des Tempels geführt und Ihnen die ganze Erde gezeigt. Und Sie haben sie zurückgewiesen.«

»Ich habe sie nicht zurückgewiesen. Verstehen Sie denn nicht, Sie, Sie – ich weiß nichts – «

»Sie haben es mir nur nahegelegt, dahinter zu kommen. Oder vielleicht haben Sie recht und wissen in der Tat nichts. Sind Sie ein Held oder nicht, Sammy?«

»Ich bin kein Held. Lassen Sie mich gehen.«

»Glauben Sie mir, ich wünschte ich könnte das. Aber wenn noch welche ausbrechen, werden sie erschossen. Ich kann in dieser Sache überhaupt nichts riskieren. Keinen Stein darf ich liegen lassen, Sammy, keine Lagergasse unerforscht.«

»Mir wird schlecht.«

Er verfiel in Schweigen. Ich schwankte zurück in meinen Zahnarztstuhl, der schief wackelte, als ob er ein Sitz aus Metall und Tuch, auf einem unebenen Boden sei. Der Führer in seiner furchtbaren Macht glitt beiseite und verschloß sich dann wie die Hände eines Hypnotiseurs.

»Lassen Sie mich gehen. Verstehen Sie denn nicht? Sie würden mir nicht trauen. Nobby und Ralph – sie fielen vielleicht auf, aber selbst wenn sie das nicht getan hätten: nichts hätte sie dazu verleitet, mich ins Bild zu setzen – ich weiß jetzt, was sie von mir wollten, aber die ganze Zeit müssen sie einen Vorbehalt gehabt haben: ›Können ihm nicht trauen, er würde quatschen – merkwürdig verdrehter Kerl, dem fehlt was innerlich – ‹«

»Sammy! Sammy! Können Sie mich hören? Wachen Sie auf, Sammy!«

Ich tauchte aus dem Chaos wieder auf, ich wurde erbarmungslos aus den unnennbaren Gegenden zurückgeholt. Zum ersten Mal hatte ich eine Pause, in der ich gern für immer und ewig hätte verweilen mögen. Nicht um zu sehen, nicht um zu wissen oder vorwegzunehmen, nicht um zu empfinden, sondern einfach, weil das Bewußtsein der Identität das nächstbeste Mittel ist zu vollkommener Unbewußtheit. Innerlich betrachtet, stand ich nicht, saß nicht, lag nicht, ich war ins Leere hineingehängt.

»Nun, Sammy?«

Etwas zupfte an mir, was mich an die Kornblumen erinnerte. Ich öffnete die Augen, und er saß immer noch mir gegenüber. Ich sprach zu ihm ohne allen Rückhalt, um ihn zum Verständnis zu bewegen.

»Können Sie kein Erbarmen haben?«

»Es liegt im Karma unserer beiden Nationen, daß wir einander foltern müssen.«

Mit den Händen auf dem Tischrand redete ich ihm eindringlich zu.

»Ist es Ihnen denn nicht klar? Sie kennen mich. Seien Sie doch vernünftig. Glauben Sie, ich gehöre zu der Sorte Menschen, die etwas bei sich behalten können, wenn sie bedroht werden?«

Er antwortete nicht sogleich, und als das Schweigen andauerte, ging mir allmählich das Unvermeidliche auf. Ich wandte sogar meinen Blick von ihm ab, unfähig wie ich war, das Geschehen zu beeinflussen. Der Führer war da, und die beiden Bilder, durchsichtig geworden, glitten genau ineinander über. Der Rahmen um die Photographie war wie gewöhnlich aus Leder und hatte es nötig, erneut dekoriert zu werden. Einer der Gestapo-Leute stand lässig da, und als mein Blick sein Gesicht streifte, sah ich, wie er eine Hand vor den Mund hielt und gähnte. Das endlose Gespräch in einer ihm fremden Sprache hielt ihn ab von seinem grauen Kaffee und pappigen Brötchen. Dr. Halde wartete, bis mein Blick sich wieder seinem Gesicht zuwandte.

»Und Sie können verstehen, Sammy, daß ich sicher gehen muß.«

»Ich habe Ihnen gesagt, ich weiß nichts!«

»Denken Sie nach.«

»Ich will nicht nachdenken. Ich kann nicht nachdenken.«

»Denken Sie.«

»Was hat das für'n Zweck? Bitte!«

»Denken Sie nach.«

Und der allgemeinere Sinn dieser Lage, eines Krieges, der weiterging, der Gefängnisse, der eingesperrten Menschen –

»Ich kann nicht – «

Menschen, die in ihren Kojen lagen und langsam wegfaulten, Menschen mit heiligen Gesichtern, die in einer Sektenkirche ein- und ausgingen, unbegreiflich wie Bienen, die ihre Flugschneisen vor einer grasigen Aufschüttung weben –

»Ich sage Ihnen, ich kann nicht!«

– die Menschen, die um eine Biegung gingen, froh, den Drahtzaun los zu sein, und in ein wildes Rennen verfielen, als die Gewehrkugeln in sie einschlugen –

»Ich sage Ihnen – «

Die Menschen.

Denn ich wußte natürlich allerlei. Seit mehr als einem Jahr hatte ich etwas gewußt. Was ich nicht wußte, gehörte gerade zu der Musterkenntnis, die verlangt wurde. Aber ich hätte jederzeit sagen können, daß es unter den Hunderten von Gefangenen vielleicht fünfundzwanzig gab, die wirklich versuchen mochten zu entfliehen. Nur war das nicht die Information, die man haben wollte. Was wir wissen, ist nicht, was wir sehen oder erfahren, sondern das, wessen wir wirklich innewerden. Tag für Tag wuchs ein Komplex winziger Hinweise bis sich mir ein Bild ergab. Ich wußte wirklich Bescheid. Wer sonst hatte, ein Augenmensch von Beruf, mit diesen Gesichtern gelebt und die Kenntnis von ihnen durch seine Poren aufgenommen? Wer sonst hatte diese kitzelige Neugier nach dem Menschen, diese photographische Aufnahmefähigkeit, diesen mühseligen Glauben an die ägyptischen Könige?

»Ich sage Ihnen – «

Ich konnte ihm ganz einfach sagen: ich weiß nicht, wann und wo und wie die Flucht-Organisation arbeitet – aber sammeln

Sie die und die zwanzig Mann in ihrem Netz, und es wird keine Fluchtversuche geben.

»Nun, Sammy, was wollen Sie sagen?«

Und er hatte natürlich recht. Ich war kein gewöhnlicher Mensch. Ich war zugleich mehr als der Durchschnitt und weniger. Ich konnte diesen Krieg als ein gespensterhaftes und grausames Spiel von Kindern betrachten, die, weil sie eine falsche Wahl getroffen oder eine ganze Reihe solcher Fehler gemacht hatten, jetzt hilflos in die Lage versetzt waren, einander zu quälen, weil ein falscher Gebrauch der Freiheit sie um ihre Freiheit gebracht hatte. Alles war relativ, nichts war absolut. Wer also wußte wohl am besten, was am besten zu tun war? Ich, beschämt vor dem königlichen Menschenantlitz, oder Halde hinter dem Schreibtisch des Befehlshabers, auf dem Thron des Richters, Halde, zugleich menschlich und hochmütig?

Er saß noch da; aber ich mußte mich zwingen, meine Augen von der Karte Europas und den ineinander verkeilten Armeen abzuwenden. Seine Augen strahlten jetzt nicht, sondern waren gespannt. Ich sah, daß er den Atem anhielt, denn er atmete mit einem kleinen Stoß aus, ehe er »Nun?« sagte.

»Ich weiß nicht.«

»Sagen Sie's mir.«

»Ich hab's Ihnen eben gesagt!«

»Sammy. Halten Sie sich für einen Ausnahme-Menschen oder fühlen Sie sich an einen kindlichen Ehrenstandpunkt gebunden? An den gewiß ehrbaren Standpunkt eines Schuljungen, der sich weigert, einen ungezogenen Kameraden anzugeben? Die Organisation wird Süßigkeiten stehlen, Sammy; aber die Süßigkeiten, die sie stehlen, sind vergiftet – «

»Ich habe es jetzt satt. Ich verlange von Ihnen, den Lagerältesten kommen zu lassen – «

Die Hände fielen mir wieder auf die Schultern, aber Halde vollführte abermals seine beruhigende Geste.

»Jetzt werde ich ohne Umschweife mit Ihnen sprechen. Ich will Ihnen sogar einige Trümpfe in die Hand geben. Ich verletze sehr ungern andere Leute; mein Posten und alles, was damit zusammenhängt, sind mir ekelhaft. Aber welche Rechte haben Sie? Rechte, die euch Gefangenen *en masse* zustehen, biegen und brechen vor der Notwendigkeit. Sie sind zu intelligent, das nicht zu wissen. Wir können Sie aus diesem Raum in ein anderes Lager überführen. Warum sollten sie unterwegs nicht von Ihrer eigenen Luftwaffe getötet werden? Aber Sie jetzt zu töten, würde niemandem etwas nützen. Wir brauchen Informationen, Sammy, nicht Leichen. Sie haben die Tür zu Ihrer Linken gesehen, weil sie durch sie hier eingetreten sind. Da ist noch eine Tür zu Ihrer Rechten. Sehen Sie sich nicht um. Wählen Sie, Sammy. Zu welcher Tür werden Sie hinausgehen?«

Und es war natürlich möglich, daß ich mich täuschte, daß ich eine ganze Fassade von Kenntnissen aufbaute, die, geprüft an den Tatsachen, zusammenbrechen würde – ich konnte fühlen, wie mich etwas in die Augen stach.

»Ich weiß gar nichts!«

»Sie wissen, Sammy, daß die Geschichte ganz außerstande sein wird, die Umstände zwischen Ihnen und mir zu entwirren. Wer von uns beiden hat recht? Jeder von uns, keiner? Das Problem ist unlösbar, selbst wenn man unsere Vorbehalte, unsere aufgelesenen Urteile, unseren Wahrheitssinn verstehen könnte, der nichts als eine unendliche Regression bedeutet, eine treibende Insel inmitten des Chaos – «

Ich muß laut aufgeschrien haben, denn ich hörte meine Stimme am Gaumen.

»Aber hören Sie mal. Sie wollen doch die Wahrheit wissen. Gut, ich werde Ihnen die Wahrheit sagen. Ich weiß nicht, ob ich überhaupt etwas weiß oder nicht!«

Ich konnte seine Gesichtszüge jetzt deutlicher sehen, weil jede Falte von Schweiß glänzte.

»Sagen Sie mir die Wahrheit, Sammy, oder ich muß Sie bewundern, törichter und eifersüchtiger Weise? Ja, Sammy, ich bewundere Sie, weil ich es wage, Ihnen nicht zu glauben. Sie nehmen einen besseren Abgang als ich.«

»Sie können mir nichts tun. Ich bin Kriegsgefangener!«

Sein Gesicht schimmerte. Seine Augen waren wie helle blaue Steine. Das Licht, das auf seiner Stirne schien, nahm zu, während es sich konzentrierte. Es wurde zu einem Stern, der sich an der langen Kante seiner Nase bewegte und mit einem hörbaren Tropfen auf die Schreibunterlage fiel.

»Ich bin mir selbst zum Ekel, Sammy, und ich bewundere Sie.

Wenn es nötig ist, werde ich Sie töten.«

Man kann das Herz schlagen hören, wenn jeder Schlag so klingt, wie wenn einer mit dem Stock auf Beton schlägt. Es gibt auch das dumpfe Pochen, etwa in dem sich gehen lassenden Leben des Kettenrauchers, eine Verwirrung im Atmen, das sich gegen das Phlegma abmüht und gegen das Zentrum, das mal hier mal da klingt wie fallende Säcke voll feuchtem Gemüse, auf einem hölzernen Boden, die das ganze Gebäude zusammenbrechen lassen. Auch Hitze gab es, die an den Ohren aufstieg, so daß das Kinn sich hob und der Mund sich öffnete, an einem harten Nichts schluckend.

Halde verschwamm mir.

»Gehen Sie!«

Merkwürdig, wie gehorsam meine beiden Hände die Seiten des Stuhls ergriffen und mir halfen aufzustehen. Ich mochte die neue Tür nicht gern zum ersten Mal sehen, so wandte ich mich noch einmal zurück zu Halde, aber er wich meinem Bilck aus und schluckte, gerade so wie ich, an einem Nichts. So wandte ich mich in dieser schrecklichen Benommenheit des Gehorchens der alltäglich aussehenden Holztür zu, und dahinter gab es einen grau verputzten Korridor, in dessen Mitte ein Streifen Kokosmatte lag. Mein Bewußtsein schwankte dahin, und ich versuchte, mir innerlich zu sagen: nun geschieht es, das ist der Augenblick! Aber mein Geist konnte das nicht aufnehmen. Also trotteten die Füße folgsam, immer einer vor dem anderen, der Körper leistete keinen Widerstand, und in meinem Gemüt herrschte nur Erstaunen und Finsternis. Und das Fleisch, das zitterte und zuckte, es hatte das Gefühl, allen Anlaß dazu zu haben. Meine Augen lebten ihr eigenes Leben weiter, sie zeigten mir als kostbare Trophäen die Flecken auf dem Fußboden – einer sah aus wie ein Gehirn. Und da war noch einer, eine lange Spur auf dem geschrubbten Zement, so ähnlich wie der Sprung an der Decke des Schlafzimmers, das Rohmaterial, aus dem die Einbildungskraft so viele Gesichter konstruiert hat.

Schlips. Gürtel. Schnürsenkel.

Ich stand da ohne Gürtel oder Hosenträger, und mein einziger bewußter Gedanke war, daß ich beide Hände brauchte, um meine Hosen festzuhalten. Irgend ein weicher, undurchsichtiger Stoff wurde mir von hinten über die Augen gebunden, auf eine

Art, die einen Streit hätte hervorrufen können, denn wie kann einer ohne Licht sehen und bereit sein für die nahenden Schritte des letzten Terrors? Vielleicht gerät er in einen Hinterhalt, kann nicht die Zukunft festlegen, er kann nicht sagen, wann er seinen kostbaren Fetzen Information abgeben wird, wenn er wirklich einen Fetzen hat, der wirklich so kostbar ist –

Aber ich ging, nicht unsanft von hinten geschoben. Eine zweite Tür wurde geöffnet, ich hörte es am Knarren der Klinke. Hände stießen und drückten mich nieder. Ich fiel auf die Knie, ließ den Kopf hängen, streckte zum Schutz die Hände aus. Ich kniete auf kaltem Beton, und hinter mir wurde eine Tür zugeworfen. Der Schlüssel wurde gedreht und Schritte entfernten sich.

8

Wie kam es, daß ich vor dem Dunkeln solche Angst hatte?

Einst gab es eine Art des Sehens, die ein Teil der Unschuld war. Weit zurück, ganz am Rande des Gedächtnisses – oder noch weiter vielleicht, denn die Episode liegt außerhalb der Zeit – sah ich ein Geschöpf, vier Zoll hoch, weiß wie Papier, in wechselnder Gestalt und auf dem Rahmen des offenen Fensters stolzierend wie ein Hahn. Später dann, als ich sie zuerst erblickte, war es vielleicht noch Zeit; aber keiner sagte es mir, niemand wußte, was wir vielleicht sehen mögen und wie leicht wir diese Fähigkeit verlieren können.

Der Küster trat auf, er legte mich mit einem Schlag seiner Hand bloß. Jetzt zum ersten Male war ich in ein Meer verschwemmt, wo ich ertrinken konnte, war wehrlos gegen jeden Angriff, von welcher Seite er auch kam. Ich trug Wams und kurze Hose, graues Hemd und Schlips, Strümpfe bis zum Knie, an Strumpfbändern und eingerollt. Ich trug Halbschuhe und ein Jackett; und zur Zeit trug ich eine hellblaue Mütze. Pastor Watts-Watt stattete mich aus und warf mich ins neue Leben. Er wies seine Haushälterin an, für mich zu sorgen, und es wurde für mich gesorgt. Ich wurde aus dem Krankenhaus in das geräumige Pfarrhaus gebracht, und Mrs. Pascoe machte sogleich ein Bad zurecht, als ob all die Wochen im Krankenhaus mich nicht von dem Schmutz der Rotten Row gereinigt hätten. Aber obgleich das Krankenhaus mich an Bäder gewöhnt hatte, war dieses Badezimmer sehr anders. Msr. Pascoe ging mit mir einen langen Korridor entlang, dann zwei Stufen bis zur Tür. Drinnen im Badezimmer zeigte sie mir all das Neue, das ich zu tun hatte. Da gab es eine Schachtel Streichhölzer, angebunden – aber wo war sie eigentlich angebunden? Was glaubte ich wohl, was die kupferne Apparatur war? Ein Mann in einer Kupferrüstung? Das hätte zu der ganzen Struktur des Zimmers gepaßt, denn es war höher als lang, mit einem hohen, verglasten Fenster, das auf nichts hinaussah, und einer einzigen unverkleideten elektrischen Birne. Aber das kupferne, mit Messing eingefaßte Götzenbild beherrschte alles, es beherrschte sogar die riesige Badewanne auf ihren vier gespreizten Tigertatzen, beherrschte mich, und sein leerer Blick ging über meinen Kopf hinweg aus zwei dunklen Höhlen und drohenden Röhren. Mrs. Pascoe drehte das Wasser an, entzündete ein Streichholz, und der Götze brüllte und flammte auf. Später, als ich von Talus las, dem Menschen aus Messing, hatte er in meiner Vorstellung auch so eine Stimme, solche Flammen, so einen kupfernen, mit Messing eingefaßten Körper. Aber beim ersten Male war ich einfach so entsetzt, daß Mrs. Pascoe bei mir blieb, während die Wanne sich füllte und das elektrische Licht in Dampf gehüllt war, der von der Zimmerdecke herunter wallte, und die gelben Wände so aussahen, als schwitzten sie in der Hitze. Dann war genug Wasser in der Wanne – weniger als ich gern gehabt hätte – denn im Mutterleib sind wir vollständig eingetaucht – sie drehte das Gas und das Wasser ab, zeigte mir den Riegel an der Tür und ließ mich allein. Ich riegelte die Tür zu, legte meine neuen Kleider auf den Stuhl und eilte, mit einem Blick zu Talus, zur Wanne. Ich kauerte über dem Wasser, wobei mir kalt wurde, und betrachtete eingehend den langen gelben Streifen auf dem weißen Emaille, der so weit weg von mir war.

Die Tür des Badezimmers ratterte und schütterte. Pastor Watts-Watt sprach draußen sanft.

»Sam. Sam.«

Ich sagte gar nichts, in dieser wehrlosen Stellung vor dem Götzen.

»Sam. Warum hast du die Tür verriegelt?«

Ehe ich antworten konnte, hörte ich ihn weggehen, den Korridor entlang.

»Mrs. Pascoe!«

Sie sagte etwas, und einen Augenblick oder zwei murmelten sie mit einander.

»Aber das Kind kann einen Anfall haben!«

Ihre Antwort konnte ich nicht hören, aber Pastor Watts-Watt rief mit wankender Stimme:

»Er darf niemals die Badezimmertür verriegeln – *niemals!*«

Ich hockte da in dem heißen Wasser und schauerte vor Kälte, während der Streit, wenn es überhaupt ein Streit war, sich die Treppe hinunter entfernte. Irgendwo schloß sich eine Tür. Nach dem Bad, als ich mich angezogen hatte und die Treppe hinunter schlich, war ich erstaunt, Mrs. Pascoe ganz friedlich in der Küche sitzend zu finden, damit beschäftigt, seine Socken zu stopfen. Ich aß Abendbrot mit ihr, und sie scheuchte mich ins Bett. Ich hatte zwei Lichter im Zimmer. Eine Glühlampe hing in der Mitte der Decke, und eine war in einem kleinen rosa Schirm auf dem Nachttisch versteckt. Aber Mrs. Pascoe brachte mich zu Bett und nahm dann, eben vor dem Hinausgehen, die Glühbirne aus der Lampe auf dem Nachttisch.

»Die wirst du nicht brauchen, Sam. Kleine Jungen sollten gleich schlafen, wenn sie zu Bett gehen.«

Sie zögerte noch einen Augenblick und verweilte in der Tür.

»Gute Nacht, Sam.«

Sie drehte das andere Licht aus und schloß die Tür.

Dies war meine erste Erfahrung mit der grundlosen und unvernünftigen Angst, die manche Kinder befällt. Sie wissen zuerst nicht, wo sie sitzt, und wenn ihnen das endlich klar ist, wird die Sache noch unerträglicher. Ich legte mich in das Bett, gekrümmt und frierend, ich nahm zuerst die Stellung eines Embryos ein, die ich dann nur deswegen ein bißchen lockerte, weil ich atmen mußte. In Rotten Row war ich mir niemals so allein vorgekommen – da gab es doch immer den Messingknauf an der Hintertür der Kneipe; und im Krankenhaus waren wir natürlich eine unzählbare Menge, wir kleinen Teufel – aber hier,

in dieser völlig unverständlichen Umgebung, unter diesen fremden, mächtigen Leuten – und zudem schlug die Kirchenuhr mit
einem Ton, der das ganze Pfarrhaus zu erschüttern schien –,
hier war ich zum ersten Mal im Dunkeln hilflos und äußerst
allein, in einem Wirbel von Unkenntnis. Die Angst kam in
krampfartigen Anfällen, von denen jeder mich glatt in Ohn-
macht hätte fallen lassen, wenn mir diese Zuflucht bekannt gewesen wäre; und wenn ich, nach Luft schnappend, aus den ver-
rutschten Decken einen Blick nach dem schimmernden Fenster
wagte, schaute der Kirchturm herein wie ein schrecklicher Kopf.
Aber in mir muß noch etwas von dem Fürsten geblieben sein,
den Philip für seine Zwecke verwandte, und ich beschloß auf
der Stelle, mir um jeden Preis Licht zu verschaffen. Ich stieg
also aus dem Bett in eine Flamme von Gefahr, die weiß brannte
und trotzdem kein Licht gab. Ich stellte einen Stuhl unter die
einzige Birne in der Mitte des Zimmers, denn ich gedachte die
Glühbirne in meine Nachttischlampe umzustecken und sie am
Morgen wieder zurückzutun. Aber wenn man schon im Bett
schutzlos ist, ist man außerhalb vollends hilflos und der Spiel-
ball dunkler Mächte, die einen belauern, während man mitten
im Zimmer auf einem Stuhl steht. Ich stand auf dem Stuhl mitten im Zimmer, und der Rücken zwickte mich. Ich langte hinauf, ich bekam die Glühbirne zu fassen, als meine Hände plötzlich kirschrot wurden und zwischen ihnen das Licht in den
Raum blitzte. Ich fiel vom Stuhl und stürzte mit einem Sprung,
lang kurz kurz, haste was kannste ins Bett und kauerte da, die
Knie hochgezogen und die Decke bis an die Ohren gerafft.
Pastor Watts-Watt stand in der offenen Tür, die Hand am
Lichtschalter. Das Licht beschien mich von seinen Knien und
Augen, und unter der pendelnden Birne bewegten sich all die
Schatten des Zimmers in kleinen Kreisen. Eine Zeit lang blick-
ten wir einander an, während die Schatten sich regten. Dann
schien er den Blick von mir abzuwenden und nach etwas in der
Luft über meinem Bett zu suchen.
»Hast du gerufen, Sam?«
Ich schüttelte den Kopf und sagte nichts. Er verließ nun die
Tür, wobei er mich im Auge behielt. Er ließ die rechte Hand
auf dem Lichtschalter ruhen und ließ ihn dann bewußt los,
wie ein Schwimmer, der die Füße vom Sande hebt und nun weiß,

daß er nicht mehr im Tiefen ist. Er stürzte vor in das Zimmer, auf mich zu. Zuerst ging er zu dem Stuhl und untersuchte meine Kleider, indem er sie zwischen den Fingern rieb; und dann blickte er an mir vorbei zu Boden.

»Du darfst nicht mit dem Licht spielen, Sam. Wenn du die Birne anrührst, muß ich sie wegnehmen.«

Immer noch sagte ich nichts. Er kam zum Bett und setzte sich sehr langsam seitwärts nahe am Fußende hin. Er konnte dort irgendwo sitzen, ohne mich anzurühren. So weit streckte ich mich nicht aus. Er begann mit den Fingern auf der Bettdecke zu trommeln. Er besah die Finger aufmerksam, als ob ihre Tätigkeit sehr schwierig und sehr wichtig sei. Er trommelte langsam. Er hörte auf zu trommeln. Seine Finger hatten mich so gefesselt, daß ich erschrak, als ich aufblickte und sah, daß er mich von der Seite beobachtete, und daß ihm der Mund offen stand. Als ich aufsah, senkte er den Blick und fing wieder an zu trommeln, dieses Mal schnell.

Er hustete und sprach:

»Hast du heute abend gebetet?«

Ehe ich antworten konnte, sprach er eilig weiter. Er sprach rasch darüber, wie nötig es sei, vor dem Schlafen zu beten, zum Schutz vor bösen Gedanken, die alle Leute befielen, ganz gleich wie gut sie sonst sein mochten und wie sehr sie sich bemühten, und so müßte man beten – morgens beten und mittags und abends, so daß man die Gedanken wegschieben und friedlich schlafen könnte.

Ob ich wüßte, wie man betet? Nein? Dann würde er mich's lehren – aber nicht heute abend. Heute abend würde er für uns beide beten. Ich brauchte dazu nicht aus dem Bett aufzustehen. Er betete sogleich, die knochigen Hände ringend, sie und den Kopf auf und ab bewegend, so daß die schwarzen Flecken seiner Augenhöhlen ihre Gestalt wechselten. Er betete lange, schien mir, manchmal in abgerissenen Sentenzen auf englisch und manchmal in einer anderen Sprache. Dann hörte er auf und legte die Hände auf beiden Seiten hin, so daß sie auf dem gerippten Muster der Bettdecke ruhten. Seine beiden schwarzen Höhlen, die sich immer noch ein bißchen bewegten, während die hängende Glühbirne in ihrer Spirale zur Ruhe kam, betrachteten mich, undurchsichtig wie sie selbst waren.

Über jeder stand ein Gewirr von weißen und schwarzen Haaren, als ob sich Jugend und Greisenalter in diesem Körper stritten, ohne jede Hoffnung auf einen Ausgleich, und die niedrige Stirn glänzte und der Rücken der scharfen Nase. Dann, als ich, die Decke immer noch bis zum Kinn gezogen, ihn beobachtete, da sah ich, wie die ganze untere Partie seines Gesichts kürzer und breiter wurde und sich nach oben verschob. Unter jeder Höhle erschien eine beleuchtete Stelle in der Haut. Pastor Watts-Watt lächelte mir zu, die starren Muskeln seines Gesichts, seiner Wangen regten sich, lockerten sich, sie zeigten Falten und Runzeln und Höcker und Zähne. Ich konnte hören, wie er atmete, schnell und kurz – und mit einemmal fuhr er auf mit einem sonderbaren Zucken des Nackens, ganz wie an jenem ersten Abend: ein Schauder von Kopf bis Fuß befiel ihn. Schließlich kam er sechs Zoll näher auf der Bettdecke. Ich konnte jetzt seine Augen in den Höhlen sehen. Sie starrten mich ganz aus der Nähe an.

»Ich nehme an, deine Mutter gab dir immer einen Gutenacht-Kuß, Sam?«

Benommen schüttelte ich den Kopf. Dann herrschte wieder für eine lange Zeit Schweigen, und nichts regte sich außer den schwindenden kleinen Kreisen der Schatten auf dem Fußboden, nichts war zu hören außer Atmen.

Plötzlich erhob er sich mit einem Ruck vom Bett, er schritt zum Fenster und dann wieder zur Tür. Er wandte sich um, die Hand am Lichtschalter, und er erschien mir zweimal so groß wie ein Mensch.

»Laß mich nicht dich noch einmal dabei ertappen, wie du Lichtsignale gibst, Sam, oder ich muß diese Lampe ebenfalls wegnehmen.«

Er drehte das Licht ab und schlug die Tür hinter sich zu. Ich kroch wieder unter die Decken, um mich vor dem Kirchturm zu verstecken, der mit seinen schwarzen, undurchsichtigen Höhlen zum Fenster hereinschaute. Nun gab es nicht nur die Bedrohung durch die Dunkelheit, sondern noch dazu ein völliges Geheimnis.

Dennoch, wenn ich danach suche, was anders geworden ist, kann ich es hier nicht finden; ich war noch immer das Kind aus der Rotten Row, und wenn mir die Freiheit genommen war, so handelte es sich um die physische, nicht um die geistige Freiheit. Denn Pastor Watts-Watt wiederholte seine Annäherungen nicht, wenn es überhaupt dergleichen war. Statt dessen umgab er mich mit gelegentlichen Andeutungen geheimnisvoller Signale an die ungenannten Feinde, die ihn umzingelten. Er litt an einem zunehmenden Verfolgungswahn, und entsprechend sah die Welt ihn seltener und seltener. Er beobachtete mich von weitem, um festzustellen, ob ich mit diesen Feinden Umgang hatte; oder weihte mich vielleicht in seine Phantasien ein, weil das eine Möglichkeit bot, seine wahren Motive vor sich selbst zu verbergen. In einem bestimmten Stadium tat er so, als sei er verrückt, um der Verantwortlichkeit für die eigenen erschreckenden Begehrlichkeiten und Zwangszustände aus dem Wege zu gehen, und daher war er gewissermaßen durchaus nicht verrückt – aber ist einer, der verrückt zu sein vorgibt, so ganz bei Verstande? Dies ist für Pastor Watts-Watt und Samuel Mountjoy ein weiterer jener unbegrenzten Rückfälle, eine unlösbare Relativität. Wenn mich also Pastor Watts-Watt auf dem Kiesweg vor der Seitentür des Pfarrhauses anhielt, hätte weder er noch ich seine Motive analysieren können, weder jetzt noch damals.

»Wenn irgendwer, Sam, mitten in der Nacht an deinem Fenster erscheint und versucht, dir allerlei über mich einzureden, dann mußt du sofort in mein Zimmer kommen.«

»Jawohl, Sir.«

Und dann sandte er einen langen, qualvollen Blick über den Garten, rund herum und die Kirchenwand hinauf, zurück über meinen Kopf, die Hände verschlungen – Pastor Watts-Watt bewegte sich mit der gewaltigen Unwahrscheinlichkeit der Raupe in ›Alice im Wunderland‹, dann faltete er die Hände neben seiner linken Wange und blickte an mir vorbei ins Leere:

»Ich könnte dir Dinge erzählen! Sie werden um jeden Preis, Sam, aufs äußerste – «

Das war wieder ein Beispiel, dachte ich, der sich verlängernden Geistlichen, die der Küster erwähnt hatte. Hier stand einer tatsächlich im hellen Tageslicht vor mir, auf dem Kiesweg, sich seitwärts windend, aufwärts, die Arme weit ausgebreitet, während er tief Luft holte und lächelte: »Na, Sam, wieder an die Arbeit, wie? Zurück zum Studierzimmer – «

Er ging weg und blieb dann stehen, in der Tür, und blickte zurück.

»Du wirst es nicht vergessen, Sam? Was immer Auffallendes – mitten in der Nacht – «

Er ging weg und ließ mich allein; ich hatte durchaus keine Angst. Die merkwürdige kindliche Kraft der Einfühlung merkte sehr wohl, daß er log, und gab nichts auf seine Reden. Zu der Angst vor dem Dunkeln trug er keineswegs bei, diesem allgemeinen und sinnlosen Schrecken, der die ganze Nacht und Nacht für Nacht erduldet werden mußte. Noch ein- oder zweimal, weiß ich noch, verkleidete er die erste leidenschaftliche Bewegung, die er mir gegenüber versucht hatte, in Andeutungen von Geheimnissen, so daß ich sie jetzt zusammenstückeln kann.

Sein Wahn oder seine Vorstellung, was es auch sein mochte, bestand im Grund darin, daß irgendwelche Leute versuchten, ihn um seinen guten Ruf zu bringen. Ich nehme an, sie beschuldigten ihn, sie suchten ihm öffentlich all die Handlungen anzuhängen, die er sich in seiner Phantasie ausdachte. Da gab es ein kompliziertes System von Lichtsignalen, so daß jeder von ihnen wußte, wo er sich befand und was er tat. Dahinter steckten die Russen – damals noch die ›Bolshies‹ der Witzblätter.

Pastor Watts-Watt flocht in seinen Wahn alles ein, was es in Wirklichkeit gab, so wie es ihm erschien, so ähnlich wie Evie das getan hatte. Der Unterschied bestand nur darin, daß Evie mir alles erzählte, während Pastor Watts-Watt sich nur in Andeutungen erging. Ich schenkte Pastor Watts-Watt keinen Glauben, weil ich Evie gekannt hatte. Da war eine Zeit gekommen – ich kann mich nicht besinnen, wann und wo das war – da ich gemerkt hatte, daß Evies Onkel nicht in der Ritterrüstung wohnte, weil ein Herzog so etwas nicht tat. Ich wußte, daß Evie Märchen erzählte – diese kindliche, weit genauere Beschreibung der Hälfte dessen, wovon wir sprachen – und nun wußte ich, daß Pastor Watts-Watt ebenfalls Märchen erzählte.

Ich wußte, daß keine Lichter aufblitzten, daß keine Botschaften übermittelt wurden, daß niemand sich an meine Seite schlängeln würde mit einem geflüsterten Fluch auf meinen Vormund. Es gab Gesetze, die, wie ich wußte, diesem Spiel zugrunde liegen mußten. Am Anfang von allem stand natürlich unverrückbar Mamas märchenhafte Phantasie über meine Geburt. Im Verlauf der Zeit veränderte die Phantasie ihren Charakter, je nach der Person, mit der ich es zu tun hatte, aber in ihrer Beziehung zu der Erzählerin blieb sie im wesentlichen dieselbe. Sie alle versuchten, den rohen Fausthieb der täglichen Existenz so auszulegen, daß ein Streicheln daraus wurde. Er und ich haben in verschiedenen Krisen unseres Lebens vor anderen so getan, als wären wir verrückt oder würden verrückt. Er wenigstens war schließlich davon überzeugt.

Es wäre unaufrichtig von mir, zu behaupten, ich hätte über die Art der erschreckenden Wünsche meines Vormunds nicht genau Bescheid gewußt. Und doch muß ich sehr vorsichtig sein hinsichtlich des Eindrucks, den ich vermittle, weil er sich zwar bis dicht an den Rand wagte, aber mir niemals näher kam, als ich erzählt habe; so viel ich weiß, näherte er sich überhaupt niemandem. Seine durchgewetzten Knie und seine verwickelten Verfolgungslügen kamen von einem furchtbaren Kampf, der jahraus jahrein in seinem Arbeitszimmer tobte, wo ich ihn bisweilen stöhnen hören konnte. Darin war nichts Spielerisches, weder damals noch in der Erinnerung. Er war gar nicht imstande, sich einem Kinde offen zu nähern, wegen der in ihm erwachsenen und schwärenden Begehrlichkeiten, die ihn vergifteten. Er muß Vorstellungen von hellen und unschuldigen Hainen gehabt haben, in denen Jugend und erfahrenes Alter lustwandeln und einander lieben mochten. Aber die Sache selbst in ihrer kahlen Landschaft ohne Weinreben und Oliven war nichts als heimlicher Schmutz. Er hätte mich küssen können, und wenn es ihm gut getan hätte, um so beser. Denn was war schon dabei? Warum sollte er die bezaubernde, die mehr als seidige Wärme und Rundlichkeit eines Kindes nicht streicheln und liebkosen und küssen wollen? Warum sollte er, in seiner trockenen, runzligen Haut, mit seinem ausgehenden Haar und dem täglich weniger anziehend und immer schwächer werdenden Körper – warum sollte er sich nicht danach sehnen, an der Quelle zu trinken, die sich so wunderbar, Generation auf Generation, erneuerte? Und wenn er auch wildere Wünsche hatte, nun, sie waren verbreitet genug in der Welt und haben weniger Schaden angerichtet als ein Dogma oder ein politisches Absolutum.

Dann hätte ich mich in diesen späteren Tagen beruhigen mögen mit den Worten: Ich bin doch einem solchen Menschen von einigem Nutzen und Trost gewesen.

Je mehr ich über die Gründe nachgedacht habe, die ihn dazu bewogen, mich zu adoptieren, desto mehr habe ich eingesehen, daß es dafür etwas gibt, was ich anderthalb Erklärungen nennen möchte. Zunächst natürlich sagte er sich selbst und glaubte es vielleicht auch, daß meine Ankunft etwas zu Erduldendes sei, daß der Makel meiner Geburt am Altar gesühnt werden müsse, daß es besser sei, einen Mühlstein und was ihr einem der Geringsten tut und so weiter. Das nenne ich die halbe Erklärung. Die ganze ist noch scheußlicher, wenn man die Dinge konventionell betrachtet; tut man's aber nicht, ist es heroisch. Ich war gleichsam die volle Ginflasche, die der reuige Heuchler auf eine Bank stellte, um den Teufel ständig im Auge zu haben. Er muß gedacht haben: ein Kind gut zu kennen, es nennen, wie es war, als einen Sohn, könnte vielleicht den Dämon austreiben; aber er wußte nun einmal nicht, wie man ein Kind kennenlernt. Wir blieben einander fremd. Er wurde womöglich noch wunderlicher. So schritt er etwa auf der Straße einher, schüttelte den Kopf, schritt weiter, mit krummen Knien, mit den Armen gestikulierend – und dann rief er laut, mitten aus seinem furchtbaren Kampf heraus:

»Warum? Warum mir das?«

Manchmal erkannte er noch während seines Ausrufs ein Gesicht und senkte seine Stimme auf den gesellschaftlichen Ton:

»Ach – wie geht es Ihnen?«

Dann wandte er sich murmelnd weg. Mit dem Älterwerden wuchs er immer höher in dem Versuch, von sich selbst hinweg zu gelangen; und schließlich, glaube ich, kam er oben heraus und erkannte, daß er alle Freuden des Lebens versäumt und nichts dafür empfangen hatte, ein altes Wrack, erschöpft und gleichgültig. Soviel ich weiß, haben wir einander nicht viel Böses getan, aber auch nur wenig Gutes. Er ernährte mich, er kleidete mich, er schickte mich in eine Privatschule und dann in die Lateinschule am Ort. Er konnte sich das ohne weiteres leisten, und ich begehe nicht den Fehler, seine Unterschriften auf den Schecks mit menschlicher Mildtätigkeit zu verwechseln. Er hob mich nachdrücklich aus dem lachenden Dreck und dem

Glück der Rotten Row in den Luxus, in dem einer Person mehr als ein Zimmer zusteht.

Aber wie kam es dabei zu der Angst vor dem Dunkeln? Das Pfarrhaus selber war entmutigender als er, voller unerwarteter Niveauunterschiede und Schränke, mit einem Stockwerk voller sehr großer Zimmer und zwei anderen, die voll waren von Schatten und Löchern und Ecken. Überall fanden sich fromme Bilder, und ich mochte die schlechten viel lieber als die wenigen, die irgendwelche ästhetischen Vorzüge aufwiesen. Meine Lieblings-Madonna war entsetzlich kitschig, sie trat sozusagen aus dem Bilde auf mich zu mit Macht und Liebe, Eimern voll Liebe. Sie war in lieblichen Farben gemalt wie die gestapelten Waren bei Woolworth, so daß sie jene andere Dame in den Schatten stellte, die da so unmöglich mit ihrem Kind in Raffaelscher Luft schwebt. Das Haus selbst war kalt, es war mehr als lieblos. Es sollte eigentlich Zentralheizung haben, irgend eine Apparatur von Gasröhren in einem Keller, wie im Maschinenraum eines Schiffs. Mrs. Pascoe sagte mir, die Apparatur fräße Geld, wenn man sie andrehte, eine drastische Ausdrucksweise, die gut zu dem dunklen Hause und den Wunderlichkeiten des Pfarrers paßte und mir viel zu denken gab. Aber ob die Maschinerie Geld fraß oder nicht, was konnten ein paar lauwarme Luftwellen ausrichten gegen die sich windenden Treppen und Korridore, gegen die Mansarden, wo die Wärme hinauf- und hinwegdrang durch die sich werfenden Dielen? Ich habe im großen Salon des Pfarrhauses gesessen und mir vor dem Zubettgehen die Hände gewärmt vor der Madonna, und ich habe das träge Klopfen gehört, mit dem ein Bild gegen die braune Täfelung schlug, obgleich Türen und Fenster geschlossen waren. In dem Hause gab es wenig Wärme, die ich mit ins Bett hätte nehmen können. Und das Bett hieß Dunkelheit, und Dunkelheit hieß gegenstandslose und sinnlose Angst. Ich habe nun in der Geschichte zurückgegriffen, um herauszufinden, warum ich im Dunkeln Angst habe, und ich kann es nicht sagen. Irgendwann einmal fürchtete ich mich nicht vor dem Dunkeln, aber später hatte ich Angst davor.

9

Nachdem das Geräusch der Füße sich entfernt hatte, wußte ich nicht, wie ich reagieren oder was ich fühlen sollte. Unter Foltern konnte ich mir nur etwas Unbestimmtes und Verallgemeinertes vorstellen, eine Bank etwa, eine hölzerne Bank mit Klammern und einer gefurchten Oberfläche; aber hinter der Bank stand Nick Shales und demonstrierte die Relativität der Sinneseindrücke. So begann ich mich zu fragen, auf welcher Seite meiner Verwirrung die Bank stand und wo meine Folterer wären. Alles, was ich empfand oder argwöhnte, war durch die Vorstellung unmittelbar drohender, äußerster Gefahr bedingt. Ich konnte nicht wissen, ob ich ein Warnungszeichen empfangen würde, bevor sie mich fertigmachten. Ich konnte nicht wissen, ob sie sprechen würden oder nicht, oder ob sie's nur mit dem bittereren Geschäft zu tun hatten, sich mit einem gemarterten Leib abzugeben. So kniete ich in der dichten Dunkelheit, hielt die Hosen mit beiden Händen hoch und lauschte auf Atemzüge. Aber ein Atmen außer mir hätte wahrhaftig sturmartig sein müssen, um den doppelten Aufruhr meiner Lungen und meines Herzens zu übertönen. Auch war das, was ich hier erlebte, geeignet, mich um alle Fassung zu bringen, weil die Bedrohung so unheimlich unvorhersehbar war. Wer zum Beispiel hätte mir sagen können, daß die Finsternis vor meinen verbundenen Augen die Gestalt einer Mauer annehmen würde, so daß ich in einem fort das Kinn heben müßte, um darüber hinweg zu schauen? Und ich hielt mir die Hosen hoch, um mich zu schützen, nicht um des Anstands willen. Mein Leib kroch zwar am Boden, gab aber nichts mehr um den noch vor kurzem hellen Verstand, nichts darum, das sonst so wichtige gesellschaftliche Gesicht zu wahren. Ihm lag nur daran, die Geschlechtsteile, unsere Geschlechtsteile, das ganze menschliche Geschlecht, zu schützen. So, im Aufruhr von Luftholen und Pulsschlag, hob ich die eine Hand, während die andere die Hose festhielt, und riß die weiche Binde von den Augen.
Gar nichts geschah. Um mich blieb es finster. Die Finsternis saß

nicht unter den Tuchfalten, sie umhüllte mich rundum, sie lag unmittelbar auf dem Augapfel. Ich hob das Kinn, um über die Mauer zu blicken, die mit mir wuchs. Eine Art Suppe oder Geschmor aus allen möglichen Verlies-Geschichten floß mir durch den Sinn, Kerker, in denen man für immer verschwand, bewegliche Wände, geringer Spielraum. Plötzlich, die Haare prickelten mir, dachte ich an Ratten.

Wenn nötig, werde ich Sie töten.

»Wer ist da?«

Meine Stimme saß mir so dicht am Munde wie die Finsternis vor den Augäpfeln. Ich vollführte mit der Rechten eine streichende Bewegung in der Luft, dann abwärts und stieß auf glattes Gestein oder Beton. Eine panische Angst befiel mich plötzlich, es könnte meinem Rücken etwas geschehen, ich kroch in der Dunkelheit herum und wieder herum. Nun wußte ich nicht mehr, wo die Tür war, ich fluchte mit einemmal, als mir Haldes Erfindungsgeist den ersten Stoß versetzte. Er wollte, daß ich mich auf die mutmaßliche Quälerei und Täuschung, was immer auf mich lauern mochte, zubewegte, er spielte mit mir, nicht um meine Leiden zu vermehren, sondern lediglich, um schlüssig zu beweisen, daß er in mir jede Reaktion hervorrufen konnte, die er wollte – ich ließ meine Hosen hinuntergleiten und zog mich vorsichtig auf Fersen und Knien zurück. Der Nacken tat mir weh vor starrer Haltung, ich sah unwirkliche Lichter aufblitzen, die im Widerspruch standen zu meiner Unfähigkeit, überhaupt etwas zu sehen. Wütend sagte ich mir, daß es nichts zu sehen gab, und ich lockerte die Starre in meinem Genick, ich ließ den Kopf auf die Hände hängen, so daß der Schmerz und die Lichter vergingen. Meine Finger fanden den unteren Rand einer Wand, ich bezweifelte aber augenblicklich, daß es eine Wand sei, ich war bereit, zuzugeben, daß es eine sei, ließ mich aber keineswegs von einer bloßen Annahme täuschen, sondern begann Zoll für Zoll an ihr emporzutasten. Aber schließlich war Halde doch schlauer als ich, unendlich viel schlauer, denn als ich mich aufrichtete, hockte, stand und dann mich auf den Zehen reckte, die eine Hand ausgestreckt, wuchs die Wandhaftigkeit der Mauer mit mir und verhöhnte meine Weigerung, gefangen zu sein, entzog sich meinem Griff hinauf bis zur Höhe, wo es eine Decke geben mochte oder auch nicht, einer unlösbaren Gleichung entsprechend, nur zu raten nach der Wahrscheinlichkeit, zwischen Halde und mir. Ich hockte wieder und kroch dann und arbeitete mich nach rechts hin, ich stieß auf einen Winkel und dann auf Holz. Die ganze Zeit versuchte ich, einen neuen Lageplan in meinem Kopfe festzuhalten, ohne die alte vertraute Vorstellung einer Folterbank und eines Richters aufzugeben. Immerhin war der neue Lageplan zwar unvollständig, aber er bot doch wenigstens eine Stütze für den Rücken. Hier war eine Ecke, gebildet von einer Betonwand und einer hölzernen Tür. Ich war so froh, im Rücken geschützt zu sein, daß ich meine Hosen vergaß und mich hinkauerte, in die Ecke kauerte, mein Rückgrat in den rechten Winkel zu zwängen suchte. Ich zog die Knie bis ans Kinn und kreuzte die Arme vor dem Gesicht. So war ich nicht ganz schutzlos. Der Angriff, von wo er immer kommen mochte, fand mich in der schwachen Befestigung eines Leibes, der bereit war, ihn abzuwehren.

Augen, die nichts sehen, werden dieses Nichts bald müde. Sie erfinden eigene Gestalten, die unter den Lidern schwimmen. Geschlossene Augen sind schutzlos. Wie nun, was soll man machen? Sie öffneten sich gegen meinen Willen, und noch lag die Finsternis auf den Augäpfeln. Mein Mund stand offen und war trocken.

Ich fing an, mein Gesicht mit den Händen zu betasten, um Gesellschaft zu haben. Ich spürte Stoppeln, wo ich mich hätte rasieren sollen. Ich fühlte zwei Linien, die von der Nase abwärts liefen, fühlte Backenknochen unter der Haut und dem Fleisch.

Ich fing an, zu murmeln.

»Tu etwas. Halt dich still oder rege dich. Sei unberechenbar. Bewege dich nach rechts. Geh an der Wand entlang, oder ist es das, was du wünschst? Willst du, daß ich auf Dornen falle? Also: nicht bewegen. Ich werde mich nicht bewegen; ich werde hier im Schutz bleiben.«

Ich begann, aus der Ecke nach rechts zu rutschen. Ich malte mir einen Korridor aus, der hinwegführte, und diese Vorstellung hatte etwas Bestimmtes und war deswegen beruhigend; aber dann erriet ich, daß am fernen Ende irgend etwas Krummes lag, das mich mit entsetzlichem Griff ins Fleisch packen würde, so daß ich, obwohl keinen Meter von meiner Ecke entfernt, mich nach ihrer Sicherheit sehnte und zurückflatterte wie ein Insekt.

»Bewege dich nicht, überhaupt nicht.«

Ich begann wieder nach rechts an der Wand entlang zu rutschen, einen Meter, fünf Fuß, einen Rutsch nach dem andern; und dann schlug ich mit der rechten Schulter und der Stirn gegen eine Wand, kalt, aber hart, so daß ich weiße Funken sah. Ich rutschte wieder zurück, ich wußte ja, daß ich zu meinem rechten Winkel an einer hölzernen Tür zurückkehrte. Ich begann, mir den Lageplan als einen Korridor vorzustellen, der zur Seite führte, einen Zementkorridor mit einem Fleck, der wie ein Gesicht aussah.

»Ja.«

Rutschen und krabbeln. Meine Hosen gerieten mir unter die Knie, und ich erlaubte mir, mich so weit von der Wand freizuhalten, um sie wieder hochzuziehen. Dann auf den Knien und nicht rutschend, kroch ich an dieser Wand seitwärts und rutschte eine andere entlang.

Wieder eine Wand.

In meinem Kopfe wirbelte es von labyrinthischen Wänden, zwischen denen ich ohne Faden und mit ständig herunterfallenden Hosen eine Ewigkeit herumkriechen konnte. Aber Hosen können nur bis zu den Füßen fallen. Ich versuchte in meinem Kopfe auszurechnen, wieviel Wände wohl genügen würden, mich splitternackt auszuziehen. Ich lag in meinem rechten Winkel, die Augen geschlossen, ich hörte die verschiedenen Sätze in meiner Begegnung mit Halde und beobachtete die amöbenartigen Gestalten, die durch mein Blut schwammen. Ich sprach laut, und meine Stimme war heiser.

»Nahm es raus aus mir.«

Ich? Ich? Zu viele Ich's, aber was gab es sonst in diesem undurchdringlichen Kosmos? Was sonst? Eine hölzerne Tür, und wieviel verschiedene Wände? Eine Wand, zwei Wände, drei Wände, wieviele noch? Ich stellte mir vor, ich sähe eine sonderbare Gestalt und eine Öffnung, die zu einem Korridor führte – mit vielen Winkeln, einer Bank und einem Geheimkerker? Wer konnte sagen, daß der Fußboden gleichmäßig eben war? Konnte dieser Zement hier unter mir nicht abwärts führen, langsam zuerst und dann immer steiler, bis er zur unaufhalt-samen Rutschbahn wurde in des Ameisenlöwen Trichter, Amei-senlöwen, nicht wie er im Lexikon für Kinder steht, sondern mit stählernen Kiefern und ellenlangen furchtbaren Zähnen. Ich rutschte und drückte meinen Leib über den losen Hosen in meine Ecke. Niemand zu sehen. Eine Solo-Vorstellung, keine Zuschauer. Niemand sieht, wie hier ein Mensch vor Angst im Dunkeln zur Qualle wird.

Wände.

Diese Wand und jene Wand und wieder eine Wand und eine hölzerne Tür –

Aber dann wußte ich Bescheid und mußte mich davon über-zeugen, wenn auch erst durch den Tastsinn der Fingerspitzen, und dieses Wissen sollte ich nicht mehr loslassen. Eifrig rutschte ich an den Mauern entlang, auf den Knien, die Hände mit for-schenden Fingern am Zement, und ich gelangte an den vier Wänden vorbei zu derselben hölzernen Tür, zurück zu dersel-ben Ecke.

Ich kroch hoch, die Hosen hingen herunter, ich stemmte die Arme gegen das Holz.

»Laßt mich raus! Laßt mich raus!«

Aber dann schlug mir der Gedanke an die Nazis draußen vor der Tür auf den Mund, und zugleich das Gefühl der entsetz-lichen Stufen, die hinab führen mochten, viele Stufen bis zur allerletzten, schlimmsten, wie sie auch sein mochte, mindestens schlimmer, schlimmer noch als die Einsamkeit in Finsternis. So erstickte ich, augenblicklich begreifend, den Schrei, ehe er sie herbeirufen konnte. Statt dessen flüsterte ich in das Holz: »Ihr verdammten Nazi-Schweine!«

Selbst dieser Trotz war mit Schrecken geladen. Es gab Mikro-phone, die ein Flüstern eine halbe Meile weit hörbar machen konnten. Meine bloßen Knie sanken zum Fußboden auf den Zement, ich kniete zwischen den Ziehharmonikafalten meiner Hosen, das Gesicht an das Holz gedrängt. Plötzlich war die Niederlage da, ins Körperliche gedrungen, und daher jede Be-wegung allzu anstrengend. Einen Muskel zu biegen, ging über Menschenkraft. Man konnte nur noch still liegen, kauernd, jede Faser sich selbst überlassen.

Es war also kein Korridor. Eine Zelle. Es war also eine Zelle, mit Betonwänden und Betonfußboden und einer hölzernen Tür. Das Schrecklichste war vielleicht die hölzerne Beschaffenheit der Tür, das Gefühl, daß sie es nicht nötig hatte, ihre Macht hinter Stahl zu sichern, sondern mich durch den bloßen Willen des Halde da festhielt. Vielleicht war sogar das Schloß nur zum Schein da, vielleicht gab die Tür einer bloßen Berührung nach – aber was nützte das? Früher lebte der Gefangene, der sich durch solche Tricks täuschen ließ und zwanzig Jahre vertan hatte, in einer einfachen Zeit, da eine offene Tür nichts anderes bedeutete als Ausgang ins Freie. Als Christian und Faithful* die Tür aufstießen, konnten sie entkommen, sobald sie einen Weg ins Freie fanden. Aber die Nazis waren die Ursache meines geistigen Dilemmas, in welchem es sich nicht darum handelte, die Tür aufzuschließen, sondern darum, die Schwelle überschreiten zu wollen, denn draußen wartete nur Halde, kein kühner Sprung von der Mauerzinne, sondern staubige Gefangenschaft hinter Stacheldraht, Gefängnis innerhalb des Gefängnisses. Und dies, das sah ich deutlich wie einen bewiesenen Sachverhalt, während ich da kauerte, diese Ansicht vom Leben lähmte meinen Willen, lähmte den menschlichen Willen überhaupt und erzeugte sich immer neu in alle Ewigkeit. So lag ich auf dem Zement, nachdem ich entdeckt hatte, daß ich in einer Zelle lag: ich beschäftigte mich dumpf mit dem Bewußtsein einer totalen Niederlage.

Und dann wurde mir die Berechnung klar, die Haldes Absichten zugrunde lag. Ich betrachtete etwas als endgültiges Ergebnis, was nur die erste Stufe war. Es würden noch viele Stufen folgen, so daß erst die ganze Treppenflucht ein genaues Bild seiner Erfahrung und Erfindungskraft geben würde. Auf welcher Stufe würde ein Mensch endlich sein bißchen Information preisgeben? Wenn der Mensch überhaupt ein bißchen Information preiszugeben hatte?

Denn – und die Kraft einer nervösen Anspannung drang in meine Muskeln – denn wie könnte ein Mensch sicher sein, daß er überhaupt etwas wußte? Wenn man ihm nicht gesagt hatte, wo das Radio war, er aber trotzdem durch all die Monate erraten konnte, woher die Nachrichten stammten, die zu ihm gelangten, bis all diese Mutmaßungen auf eine Gruppe von

* Figuren aus Bunyans ›Pilgrim's Progress‹ (Anmerkung des Übersetzers)

156

drei Männern wiesen, und er doch nichts in der Hand hatte als diese Anzeichen – wußte er dann etwas? Welchen Beweis liefert eine Vermutung? Was nützt ein Sachverständiger?

Ich begann in den Zement zu murmeln, wie Midas ins Schilfrohr.

»Da sind zwei Mann in der Baracke – ich weiß nicht mehr die Nummer, und ich weiß nicht, wie sie heißen. Ich bin vielleicht imstande, sie Ihnen beim Antreten zu zeigen – aber was nützt das? Sie würden alles leugnen, und vielleicht haben sie sogar recht. Wenn sie wie ich sind, dann wissen sie nichts; aber wenn ich recht habe, und sie wissen, wo das Radio versteckt ist, meinen Sie vielleicht, weißglühende Haken würden ihnen das Versteck entreißen? Denn sie hätten dann etwas zu hüten, eine einfache Kenntnis, etwas, wofür man sterben kann. Sie könnten nein sagen, weil sie ja sagen können. Aber was kann ich sagen, der ich keine Kenntnis besitze, keine Gewißheit, keinen Willen? Ich könnte vor Ihnen auf die Männer hinweisen wie auf mich selbst, die man nicht beachten sollte, diese grauen, hilflosen Unglücklichen, über die die Zeit hinrollt, von der sie nichts zu gewärtigen haben als Entwürdigung und Staub –?«

Aber keine Antwort kam. Alles blieb stumm.

Wie groß ist eine Zelle? Ich fing an, mich zu regen und den Granit meiner Unbeweglichkeit abzutragen, ich streckte mich vorsichtig längs der mir zunächst liegenden Wand aus, aber ehe meine Knie sich gerade bogen, stießen die Füße gegen den Beton der anderen Wand, und während ich um etwas herumrutschte, was neunzig Grad ausmachen mochte, stellte ich an der Tür, als ich meinen Körper ausstreckte, dasselbe fest. Die Zelle war zu klein, um mich darin auszustrecken.

»Was hast du denn erwartet? Ein Wohn-Schlafzimmer?«

Natürlich konnte ich mich diagonal quer durch die Zelle legen, und dann konnte ich meine Füße in der unerforschten Ecke gegenüber unterbringen und den Kopf in meinem Winkel. Aber wer konnte schlafen, wenn er nur den ebenen Boden zu spüren hat? Was für Träume und Phantome mochten denjenigen heimsuchen, dessen Rücken nicht geschützt und der nicht in eine Decke eingerollt ist? Und wer konnte überdies seine Füße über den offenen Raum in der Mitte dieser Zelle vorstoßen, ohne sich darum zu kümmern, was aus ihnen wurde? Halde war gerissen klug, viel klüger als so ein vermodernder Gefangener, dessen Stunden anfingen auf ihn zu tropfen, eine nach der andern. Das Zentrum – das war das Geheimnis, es war vielleicht das Geheimnis. Natürlich waren sie Psychologen des Quälens, sie teilten jedem Menschen zu, was in seinem Fall als nützlich und nötig erschien.

Außer, natürlich, wenn sie sogar noch klüger sind als du denkst. Warum sollten sie nicht in aller Ruhe darauf warten, daß du selber den nächsten Schritt tust? Warum sollten sie es dem Zufall überlassen und warten, bis du es zufällig findest, da in der Mitte? Er studierte diesen Samuel Mountjoy, er wußte, daß Mountjoy an der Wand bleiben, das Ding da in der Mitte erraten, alle Qual erdulden würde im Vermuten und Raten und Erfinden – daß er am Ende, von demselben unsinnigen Tick getrieben, der die Spalten zwischen den Pflastersteinen vermeidet und Holz anfaßt, immer wieder Holz anfaßt, laut kreischend aber gezwungen, von sich selbst gezwungen, sich selber zwingend, hilflos genötigt ohne eigenen Willen, steril, verwundet, von Krankheit zerfressen, von der eigenen Natur angeekelt, durchbohrt, nur die Hand auszustrecken brauchte –

Sie wußten, daß du forschen würdest. Er wußte, daß du kein Brite wärst, hättest du den Mut verloren. Sie wußten, du würdest die nicht-unmögliche Haft ausfindig machen und weiter gehen; du mochtest vielleicht gekrümmt an der Tür gehockt haben, aber *sie* wußten, du würdest der Entdeckung der Haft noch eine weitere Qual hinzufügen, die Folter nämlich durch das Zentrum – und darauf brauchte man deshalb nur zu warten. Worauf? Daß er da nichts hintat? Die ganze Geschichte als einen Ulk auf sich beruhen ließ? Nur ruhig, er wird schon etwas hintun.

Er wird dort konzentrieren, was in deinem Fall am meisten hilft: die Summe aller Schrecken.

Finde dich ab mit dem, was du gefunden hast, mehr ist nicht nötig. Kauere dich in deine Ecke, Knie bis zum Kinn, die Hand über den Augen, um das sichtbare Ding abzuwehren, das gar nicht erscheint. Das Zentrum der Zelle ist ein Geheimnis, nur ein paar Zoll entfernt. Die undurchdringliche Dunkelheit verbirgt es fühlbar. Sei klug. Laß die Finger vom Zentrum.

Die Finsternis war voll von Gestalten. Sie bewegten sich und gingen ineinander über. Sie kamen, kamen und schwammen vor dem Gesicht in einem Urchaos. Der Beton hörte auf, ein Material zu sein, das man sich vorstellen konnte, weil man's fühlte und weil es zu nichts wurde als zu einem Gefühl von Kälte. Das Holz der Tür war vergleichsweise warm und weich, aber nicht warm und weich wie ein Frau – es war lediglich die Abwesenheit von Kälte und unmittelbarer Härte. Die Finsternis war voll von Gestalten.

War die Gestalt der Zelle nicht genau den Dimensionen so angepaßt, daß die Unmöglichkeit, sich auszustrecken, allmählich, ganz allmählich einem schwachen Willen unerträglich wurde?

Ich wischte mir das Gesicht mit den Händen, ich schnappte vor Blindheit nach Luft. Das war die erste Stufe: Abwesenheit von Licht, – man nahm einem visuellen Künstler das Licht. Er ist ein Künstler, so müssen sie gesagt und einander zugelächelt haben. Wenn er ein Musiker wäre, hätten wir ihm die Ohren mit Wolle zugestopft. Wir werden ihm die Augen mit Baumwolle zustopfen. Das ist die erste Stufe. Dann wird er herausfinden, daß die Zelle klein ist, und das ist dann die zweite Stufe. Wenn die Unbequemlichkeit, sich nicht in voller Länge ausstrecken zu können, ihm unerträglich wird, sagten sie, wird er sich diagonal ausstrecken und dann merken, was wir für ihn da hingetan haben; er wird da finden, was er zu finden erwartet. Er ist ein furchtsames, kränkliches und empfindliches Geschöpf, und er wird sich an die Wand drücken, bis die unbequeme Lage ihn treibt, zu sagen, was er weiß, oder ihn treibt, sich in der Diagonale auszustrecken –

»Ich weiß nicht, ob ich überhaupt etwas weiß oder nicht!«

Das war jetzt mehr als die allgemeine Finsternis, die Mitte der Zelle kochte von eingebildeten Gestalten. Ein Brunnen. Spürst du nicht, wie der Boden der Zelle sich in die Tiefe senkt? Wenn du dich bewegst, wirst du anfangen nach innen zu rollen, hinab zu dem Brunnenschacht und dem Ameisenlöwen auf seinem Grund. Wenn du erschöpft bist von den eingebildeten Befürchtungen, wirst du einschlafen und rollen –

Wir brauchen Informationen, keine Leichen.

Wir wünschen, daß du nach vorwärts tastest, Zoll für Zoll,

Linie für Linie über den Zement, mit einer ungeschützten Hand. Wir möchten, daß du eine merkwürdige halbmondförmige Stelle findest, die poliert ist, am Rande poliert, aber in der Mitte rauh. Wir möchten, daß du nach vorne über die Schräge tastest und die Finger spreizt, bis du die Sohle eines Schuhs gefunden hast, Willst du dann fortfahren, leise ziehen und feststellen daß die Sohle widersteht? Wirst du, unter dem sich sträubenden Haar in deiner Blindheit ohne weitere Mühe folgern, daß da ein starrer Körper ist, gebogen wie ein gefrorner Fötus? Wie lange willst du noch warten? Oder wirst du deine Finger ausstrecken und unsere Überraschung finden, die dort gekrümmt liegt, keine achtzehn Zoll von dir entfernt? Sie hat einen Schnurrbart von weißen Schwanenfedern. Du hast damals nie seine scharfe Nase angefaßt. Faß sie jetzt an. All die dunklen Straßen des Grauens waren unnötig. Hier ist die Probe darauf.

Wir möchten, daß du die dritte Stufe betrittst. Wir wissen, du wirst das tun, denn wir irren uns niemals. Wir haben die Welt geschlagen. Wir haben die vergewaltigten Leichen Abessiniens, Spaniens, Norwegens, Polens, der Tschechoslowakei, Frankreichs, Hollands, Belgiens der Reihe nach aufgehängt. Unseres Führers Photographie hängt hinter uns an der Wand. Wir sind die Bescheidwisser. Wir foltern dich nicht. Das überlassen wir dir selbst. Du brauchst die dritte Stufe nach der Mitte hin nicht zu betreten, aber deine Natur zwingt dich dazu. Wir wissen, daß du das tun wirst.

Die Finsternis taumelte und dröhnte. Ich verlor die Tür.

Daß sie es nur nicht merken, daß du die Tür verloren hast. Finde sie wieder. Kümmere dich nicht um diese grünen, rauschenden Sturzseen, kümmere dich nicht darum, daß dir der Mund offen klafft, daß dir die Haare zu Berge stehen, daß über beide Wangen die Nässe aus den Augen strömt. Und dann war ich wieder zurück in meinem Winkel nach dem wahnsinnigen Kriechen um die Wände, war zurück in der vertrauten Ecke, wo das Holz der Tür gegen mich drückte. Die Stelle in der Mitte war vielleicht drei Fuß im Durchmesser oder noch weniger. Dann konnte da der Körper nicht liegen, er mußte aufrecht stehen, auf den gefrorenen Füßen balancierend wie eine Statue. Sie hatten ihn dahin gestellt, damit er auf mich wartete. Wenn ich ihn anrührte, fiel er gewiß nach vorne.

Ich kam aus dem Sturm heraus. Ich sagte zu mir selbst: Unsinn, Unsinn, Unsinn, ohne mich deutlich erinnern zu können, was für ein Unsinn das war. Ich fing an, laut zu reden, mit einer krächzenden und schwankenden Stimme:

»Wenn sie eine Leiche dahin gestellt haben, kann es ja nicht unser Untermieter sein, denn der ist tot und vor dreißig Jahren in England begraben. Vor dreißig Jahren. Vor dreißig Jahren. Er wurde in England begraben. Der große Wagen mit dem blinden und ziselierten Glas kam und holte ihn ab. Er wurde da begraben. Dies hier kann nicht seine Leiche sein –«

Dann hob ich mein Gesicht von der Wand weg und sprach sehr zornig: »Was soll das alles, mit den Leichen?«

Oben ist oben und unten ist unten. Wo der Zement alle Augenblicke härter wird, ist unten. Vergiß diese Unterschiede nicht, oder du wirst seekrank.

Was du auch tust, laß dich nicht auf die dritte Stufe ein.

Die verstehen ihr Geschäft. Die haben dich in eine schöne Klemme gebracht. Entweder gehst du zu der nächsten Stufe, und dann mußt du Qualen erdulden. Oder du gehst ihr aus dem Wege, aber dann mußt du auf der eigenen Folter leiden, indem du versuchst, nicht daran zu denken, was die nächste Stufe ist. Die sind Meister in ihrem Fach.

Ein Viereck, keine drei Fuß jede Seite. Nein, nicht einmal so viel. Nicht viel Platz. Und, natürlich, stehen kann da nichts. Was sich da in der Mitte befindet, muß klein sein. Zusammengerollt.

Schlange.

Ich stand auf, den Rücken an die Wand gepreßt, und versuchte nicht zu atmen. In einer einzigen Bewegung meines Körpers gelangte ich so weit. Mein Körper hatte viele Haare, auf den Beinen und dem Bauch und der Brust und auf dem Kopf, und jedes Haar hatte sein Eigenleben, jedes war Erbe von hunderttausend Jahren des Abscheus und der Angst vor Dingen, die schlüpfen und gleiten oder kriechen. Ich erstickte einen Atemzug, ich lauschte aus der arbeitenden Maschinerie meines Körpers nach dem Zischen oder Rasseln, nach dem langsam schliefenden Laut einer Schuppe, wie man's im Zoo hören kann, während sie sonst so lautlos gleiten wie Öl. In der Wüste verschwinden die meisten und hinterlassen kaum eine Furche und ein bißchen rieselnden Sand. Sie könnten auf mich zu gleiten, mich finden durch die Wärme meines Körpers, das Pochen des Bluts in meinem Hals. Sie waren so klug, und wenn eine von ihnen da in der Mitte geblieben wäre, hätte niemand sagen können, wo sie im nächsten Augenblick sein würde.

Meine Knie zitterten ganz von selbst vor Angst, aber mein Körper wurde einfach schwach davon, er verlor das Gefühl der Schwerkraft, und ich kippte plump in meinen Winkel. Da lag ich, ein Häufchen Elend, und zog wieder die Hände vors Gesicht. Ich starrte blind auf den Fleck, wo das Ding sich befinden mochte. Natürlich hielt er da keine Schlange bereit oder Tarantel, und wenn er eine bereithielt, dann würde er sie nicht in einer Zelle liegen lassen, in der es so kalt war wie in einem Sarg. In der Zelle lebte nichts außer mir. Was da immer liegen mochte auf der dritten Stufe, konnte nichts Lebendes und nichts Totes sein, denn eine Leiche konnte nicht aufrecht stehen.

Ich begann wieder an der Wand entlang zu kriechen. Ich zwang mich selbst nachdrücklich in jede Ecke hinein, und ich hielt die Augen geschlossen, denn dann tränten sie nicht so, und ich konnte mir vorstellen, daß draußen Tageslicht sei.

Vier Ecken, alle leer.

Ich kniete in meiner alten Ecke und murmelte mit mir selbst.

»Na? Na und?«

Ich will die Sache jetzt feststellen, ehe ich mir noch etwas Schlimmeres ausdenke, irgendwas, was noch unvorstellbar ist.

Ich kroch wieder die Wand entlang, meine achtzehn Zoll auf vierundzwanzig ausdehnend. Da war ein Raum in der Mitte, nicht größer als ein großes Buch. Vielleicht war's das, was da lag: ein Buch, das ich lesen sollte, um alle Antworten zu erhalten.

Ich tastete vorsichtig mit den Fingern aus meiner Ecke. Sie legten ein Stück des unbekannten Wegs zurück, sie brachten Linie nach Linie hinter sich und schauerten und prickelten vor Kälte. Der Raum, der ein großes Buch hätte sein können, nahm ab und wurde sehr klein.

Die Finger bekrochen noch eine Linie im Zement.

Die Fingerspitzen spürten jetzt etwas anderes Sie fühlten auf eine andere Art, jetzt. Oder nein: der Zement war's, der sich änderte, er war nicht mehr derselbe, war anders.
Glatt. Feucht. Flüssig.
Meine Hand fuhr zurück, als ob die Schlange dort gelegen hätte, zusammengerollt, sie zuckte ohne meinen Willen zurück, eine Hand, gewöhnt an Tragödien vieler Millionen Jahre.
Mein Auge stach dorthin, wo ein steckengebliebener Nagel den Handballen geritzt hatte: ein tiefliegender Automatismus war durch einen anderen aufgehoben worden.
Sei vernünftig. Hast du da in dem Zentrum geweint, oder hast du dir die Tränen der Anstrengung von den Backen gewischt?
Wieder kroch eine Hand vor, fand das Flüssige, rieb sogar ein ganz kurzes Stückchen vor und zurück, fand das Flüssige glatt wie Öl.
Säure?
»Noch ist dir nichts passiert. Sei vernünftig. Die Torturen, auf die er anspielte, haben alle noch nicht angefangen. Obgleich die Stufen, auf denen man sich ihnen nähert, so real sind wie die Treppe an einem Rathaus, brauchst du sie noch nicht hinaufzusteigen. Selbst wenn sie Gift da im Zentrum vergossen haben, so brauch ich's ja nicht aufzulecken. Sie brauchen Informationen, nicht Leichen. Säure kann's nicht sein, denn die Fingerspitzen sind kalt und glatt geblieben, sie brennen nicht und haben keine Blasen gezogen. Kann auch nicht Lauge sein, es tut nicht weh. Es ist nur kalt, kalt wie die Luft, wie der Zement unter meiner Hüfte, wo ich das Scharren des Stoffs hören kann. Dir ist noch nichts passiert. Laß dich nicht dazu verleiten, dich zu billig zu verkaufen.«
Verkaufen? Was verkaufen? Welche Information hatte ich denn zu verkaufen, von der ich nicht einmal sicher war, daß ich sie besaß? Was hätte ich sagen können? Was war es denn, mein letztes Pfand zum Verhandeln, mein letztes Bißchen von Wert, das letzte, was mich davor bewahrte, einen unendlich weiten Hang hinunter zu gleiten, von einer klug erdachten Folter zur anderen? Er sagte, es sei zu meinem eigenen Besten, zu unser aller Besten – so hatte das letzte aller menschlichen Gesichter gesagt, dieses zart geformte Gesicht, so zart über den dünnen, fragilen Knochen.
Aber nun begann sich in mir die Überzeugung zu festigen, daß

ich mich nicht erinnern konnte, niemals erinnern würde, selbst wenn ich's wollte. Ich sah förmlich, wie in meinem Geist über dem Vergessenen eine Betonschicht lag, über dem Ding da drunten, das hätte ich sagen sollen. Wenn aber diese Betonschicht sich im Innern bildet, dann kann kein Preßlufthammer mehr was ausrichten.

»Warten Sie einen Augenblick. Lassen Sie mich nachdenken.«

Denn natürlich kann man sich an so etwas nur erinnern, wenn man vergißt, sich daran zu erinnern und einen Blick zurückwirft, ehe die Betonschicht eine Möglichkeit hat, sich zu schließen; aber Halde würde einen Preßluftbohrer verwenden, er würde schon wissen, was für einen. Doch wird kein Schmerz diesen Beton aufbrechen; schlagen Sie nur mit dem Hammer drauf, Sie werden keine Spur zu sehen bekommen –

»Ich sage Ihnen – ich hab's vergessen – ich würde mich erinnern, wenn ich könnte! Sie müssen mir noch einen Augenblick Zeit lassen – «

Aber da gab es keinen Augenblick des Erbarmens. Ich wußte jetzt, ich hatte es vergessen, und ich würde mich nie mehr daran erinnern. Die Leiter der Qual würde sich von diesem steinernen Kissen bis in unbekannte Höhe erstrecken, und ich wäre gezwungen, sie zu erklettern. Laß den Drillbohrer wie wahnsinnig auf den Nerven tanzen, auf dem Fleisch, laß ihn Blut vergießen. Wie heißen Sie? Muriel Millicent Mollie? Mary Mabel Margaret? Minnie Marcia Moron?

Öl. Säure. Lauge. Nichts dergleichen.

Nein.

Ich konnte fühlen, wie mein Backenknochen sich an Holz rieb; und eine Stimme sprach laut und aufgeregt durch die Baumwolle:

»Ich sage Ihnen, ich kann mich nicht besinnen! Ich würd's ja tun, wenn ich könnte – warum lassen Sie mich nicht in Ruhe? Wenn Sie mir nur Zeit ließen, nicht um nachzudenken, sondern um mich unter freiem Himmel hinzulegen ohne Stufen und Quälereien, dann würde der Betonklotz wegrutschen und die Information käme herausgeplatzt, wenn da überhaupt eine Information ist, und dann könnten wir uns einig werden – «

Da war das Erntebild, das mir vorschwebte, eine Ernte unter einem Stern und dem Mond. Das Licht lag schwer auf den

Kornähren, und er ging durch das Licht hindurch, auf den Stock gebückt, ein Mann, der bald selbst geerntet werden sollte, der dem Frieden entgegenschlich. Da war das Mädchen in Blau, das sich zurücklehnte, unter ihrer Schulter ein stiller Fluß; die Mahlzeit hatte sich langsam hingeschleppt, der Zeit der gemeinsamen Ruhe entgegen.

Aber ich stand wieder aufrecht, ich schlurfte in den Hosen die Wände entlang, ich sah sie mit tastend fühlenden Händen. Aber die Mauer war noch immer da, rundum. Ich griff wieder nach oben, so hoch ich konnte, und da war immer noch keine Decke – nur schwer lastende Finsternis, erdrückend wie ein Federbett.

Öl. Säure. Lauge.

Nein.

Mein Körper glitt nieder, und die rechte Hand kroch vorwärts, geriet auf Glätte. In winzigen Schritten tasteten sich die Finger weiter, sie knabberten vorsichtig an der Glätte, hinein ins Unbekannte.

Er wußte, daß sie knabbern würden, er ist der Herr und Meister.

Etwas, noch nicht berührt, jedenfalls nicht mit den empfindlichen Fingerspitzen berührt, war jetzt spürbar, lag am Nagel des dritten Fingers, der so schwach war. Etwas berührte meinen Fingernagel, ungefähr in einem Drittel der Entfernung von dem glattgeschnittenen Rand, kalt wie die Glätte. Erbarmungslos hoben sich die Finger im Dunkeln und forschten, von den empfindlichen Spitzen aus ihre Meldungen zurücksendend.

Das Ding war kalt. Das Ding war weich. Das Ding war schleimig. Das Ding war wie eine enorm große, tote Schnecke – tot, weil die Weichheit unter den tastenden Fingerspitzen nachgab und nicht elastisch war.

Ich konnte jetzt alles sehen außer dem Ding, das wie eine Schnecke war, weil fast keine Dunkelheit mehr übrig war. Licht stürzte herein wie ein Gießbach, mit lauten Rufen und Schreien, sichtbare Gestalten, lange schimmernde und zitternde Kurven. Aber eine Kenntnis des Dings auf dem Fußboden wurde mir nur durch einen Finger zuteil, der sich nicht losreißen konnte und den Umriß nachzeichnete, der mir im Kopf phosphoreszierend nachleuchtete, eine sonderbare, sich verändernde Form, die sich aufs Geratewohl gebildet hatte, hier mit einem langen, gezogenen, schleimigen Schwanz, dort mit der kalten nassen Rundung eines Körpers. Aber es war nicht der Körper irgend eines Tiers oder Menschen. Ich wußte jetzt, warum dies nicht der Körper eines Tiers war, ich wußte, woher die Masse stammte. Ich wußte zu viel. Ich hätte seine scharfe Nase anrühren sollen und wäre gewappnet gewesen. Sie waren so gerissen, alle Tabus der Menschheit zu zerstören, einen mit einer so brutalen Enthüllung zu überfallen, einer so eindeutigen Ankündigung, daß, auf der dritten Stufe zu stehen, gleichbedeutend war mit dem letzten Grauen über allem anderen. Sie hatten da dieses Stück Menschenfleisch hingelegt, eingeschrumpft in seinem eigenen erkalteten Blut. So also fielen und schwirrten die Lichter, und auch Blut war zu sehen, das aus dem Herzen gepumpt wurde, wie eine Sonnen-Corona, teils Geräusch, teils fühlbar, teils Licht. Doch ward alles von Dunkelheit verschlungen.

Als ich wieder zu mir kam, stöhnend, in Übelkeit, kauernd, gab es keine Unterbrechung der Kenntnis: sobald ich wußte, wer ich war, wußte ich auch, wo ich war und was da im Dunkeln lag, dahin geworfen – von welchem mißhandelten Leib? Und wie lange, bedachte ich eifrig in meinem Sinn, wie lange hatte das Stück schon da gelegen? Aber so ganz unfehlbar waren sie nicht, denn diese Leichenhaus-Kälte gewährte mir einigen Schutz. Trotzdem fing meine Nase mit dem Versuch einer Abwehr gewisse Elemente in der Luft auf, die sich von dem dumpfen Kerkergeruch unterschieden. Oder waren sie doch unfehlbar, wenn sie *ex cathedra* mit einer Angelegenheit des Glaubens und der Moral, so wie dieser hier, zu tun hatten und sogar die Zunahme der Verwesung hübsch genau berechnen konnten. Ich erkannte die Virtuosität dieser Tortur und applaudierte ihr in meinem Elend, denn eine Tortur war es. Die dritte Stufe, sagten sie, ist unerträglich, wird unerträglich, doch muß er sie weiterhin durchmachen, weil die vierte noch schlimmer ist. Meinst du, der Höhepunkt des Abscheus, auf dem du hockst, ist unser Äußerstes? Das ist nur eine vorbereitende Etappe auf unserer Besteigung des Everest. Ausgangslager. Nun klettere. Versuch's doch.

Ich tastete aufwärts nach der Decke, und in diesem Augenblick enthüllte sich die vierte Stufe. Da war ein wirbelnder

Strudel, der einmal mein Geisteszustand gewesen war, der nun im Kreise glitt, schneller und schneller, und im Mittelpunkt sprang eine Geschichte auf, eine Geschichte, deren ich mich vollständig entsann, die ich mir lebhaft vorstellen konnte. Geschichte der kleinen Zelle, deren Decke sich langsam herabsenkte mit dem Gewicht der ganzen Welt. Ich grapschte die hohe Wand hinauf, aber die Decke war noch außer Reichweite, und ich wußte nicht, wo sie war. Aber ich wußte, daß zerquetschte Dinge an ihr hingen, die stanken, wie das kalte Stück in der Mitte stank, und gleich würde ich das Geräusch hören, wie sie sich senkte und unerträglich klein machte, was schon zu klein war, und erbarmungslos herabkam. So kauerte ich in meiner feucht stinkenden Ecke, schnappte nach Luft, schwitzte, redete:

»Warum quälst du dich selbst? Warum tust du für sie, was sie tun wollen? Noch ist dir ja noch nichts Körperliches geschehen – «

Denn er wußte das natürlich. Dieser feine, intellektuelle Kopf war darauf geeicht. Was konnte ich mit meinen Gefühlen, meiner groben Sinnlichkeit, meinem versagenden Verstand ausrichten gegen einen Mann, der an einer deutschen Universität dozierte? Vernunft und Menschenverstand sagten mir, daß niemand da zerquetscht hing, von dem Fetzen herabfallen konnten, und doch glaubte ich an den Leichnam, weil Halde es so wollte.

Ich fing an, laut zu schreien.

»Hilfe! Hilfe!«

Aber ich möchte genau sein, jetzt mehr denn je. Aus den Seiten, die ich geschrieben habe, konnte ich viel lernen; nicht zum wenigsten, daß kein Mensch die ganze Wahrheit sagen kann, und in meinen Händen ist die Sprache schwerfälliger als die Farbe. Und doch ist mein Leben in dem Zustand der nächsten paar Minuten steckengeblieben, die ich da allein und voller Todesangst im Dunkeln verbrachte. Mein Hilfeschrei war der Schrei der Ratte, wenn der Terrier sie schüttelt, ein Laut der Hoffnungslosigkeit, das rohe Zeichen eines grausamen Akts. Mehr bedeutete mein Schrei nicht, er kam aus dem Instinkt, er besagt: hier ist etwas Lebendiges, dessen Natur es ist, zu leiden und entsprechend zu handeln. Ich schrie, nicht in der Hoffnung, daß mich jemand hören könnte, ich schrie wegen einer geschlossenen Tür, wegen der Dunkelheit und weil ich den Himmel nicht sah.

Aber eben das Geschrei änderte etwas an dem, der da schrie. Erwartet die Ratte Hilfe? Wenn ein Mensch aus Instinkt schreit, beginnt er nach einer Stelle zu suchen, wo er Hilfe finden mag; und so fing das Ding, das da aufschrie, das in dem Gestank, in einem Meer von Angstträumen mit brennendem Atem und rasendem Herzschlag kämpfte: da fing dieses Ding im Ersticken an, mit nichtkörperlichen Augen umherzublicken nach jeder Stelle, jeder Wand, jeder Ecke dieser eingeschlossenen Welt.

»Hilfe!«

Aber da war keine Hilfe in dem Beton der Zelle, nicht in der schleimigen Nässe, keine Hilfe in Haldes zartem, verfeinertem und mitfühlendem Gesicht, keine Hilfe in den uniformierten Gestalten. Da gab es keine Feile für vergitterte Fenster, keine Strickleiter, es gab keine Puppe, die man auf dem Strohlager hätte hinterlassen können. Hier stand das Ding, das schrie, gegen ein Vollkommenes an Hilflosigkeit. Mit den wahnsinnigen Zuckungen und der Bosheit einer gefangenen Schlange schlug das Ding um sich, gegen Glas und Gitter. Aber in der physischen Welt gab es weder Hilfe noch Hoffnung auf Schwäche, die man hätte angreifen und überwinden können. Die Gitter waren aus Stahl, Verstärkungen des Betons ringsum. Diesem Raum konnte man nicht entkommen, und die Schlange, die Ratte stieß von der Stelle weg vom Jetzt in die Zeit. Sie stieß auch mit aller Kraft zurück in die vergangene Zeit, und unter dem Druck des Gegenwärtigen sah sie, daß die vergangene Zeit nur für ruhigere Augenblicke Trost bieten konnte; sie wandte sich also, entrollte sich, stieß vor, stieß in die Zukunft. Die Zukunft, das war die Treppenflucht von Schrecken zu Schrecken, ein sich steigerndes Experiment, das nicht zu kennen einen bestechen mochte, auf unvermeidliche Weise. Das schreiende Ding floh vorwärts über jene Treppen, weil kein anderer Weg da war, wurde vorwärts geschossen, kreischend wie in einen Ofen, gleichsam über unvorstellbare Stufen, die alles waren, was man noch ertragen konnte, die mehr waren, die zu sengend waren, um dem Wahnsinn eine Zuflucht zu bieten, die von der Mitte aus vernichtend wirkten. Das Ding, das da kreischte, ließ alles Lebende hinter sich und gelangte an den Eingang, wo der Tod so dicht vor einem steht, wie die Finsternis auf den Augen liegt.

Und da sprang diese Tür auf.

10

Daher, als der Kommandant mich aus dem Dunkel hinausließ, kam er spät und sozusagen nur als Begleiterscheinung; er entließ mich in die Freiheit des Lagers, als ich sie vielleicht nicht mehr nötig hatte. Ich wandelte zwischen den Baracken, ein Wiederauferstandener, womit er aber nichts zu tun hatte. Ich sah die Baracken wie einer, den sie nur wenig angingen. Sie waren mir so gleichgültig wie der Zeitverlauf der Tage, den sie darstellten. Sie standen in dem unschuldigen Licht ihrer eigenen Beschaffenheit. Ich begriff sie durchaus, dünne Holzschachteln, die sie waren, und jetzt auch noch durchsichtig, so daß man die Zahl szeptertragender Könige darinnen sehen konnte. Ich hob die Arme, sah auch sie, und war überwältigt von dem unerträglichen Reichtum dessen, was sie besaßen: in jedem Arm zehntausend Schätze, die für mich hingeschüttet wurden. Riesige Tränen tropften aus meinem Gesicht in den Staub, und dieser Staub war eine Unendlichkeit funkelnder und phantastischer Kristalle, dieser Wunder, die jeden Augenblick in ihrem eigenen Wesen ruhen. Ich blickte auf, über die Baracken hinweg und den Stacheldraht, ich hob meine toten Augen, ich ersehnte mir nichts, ich fand mich mit allen Dingen ab und tat alle Dinge ab von mir, die geschaffen waren. Die papiernen Hülsen der Gewohnheit und der Sprache fielen von mir ab. Dieses Gedränge von Gestalten, die sich in die Lüfte erhoben und hinunter in die fruchtbare Erde reichten, diese Bekundungen fernen Raums und tiefer Erde standen an der Oberfläche in Flammen, dennoch niederdrückend mit dem Recht ihrer eigenen

Natur, die ich einen Tag zuvor noch als Bäume maskiert hätte. Hinter ihnen schienen die Berge nicht nur klar und durchsichtig wie purpurnes Glas, sondern sie lebten. Sie sangen und jubilierten miteinander. Und nicht nur sie sangen. Jedes Ding hängt mit allen anderen zusammen, und alle Beziehungen sind entweder Mißklang oder Harmonie. Die Schwerkraft, Dimension und Raum, die Bewegungen der Erde und Sonne und der ungesehenen Sterne, das alles zusammen vollführte, was man vielleicht Musik nennen könnte, und ich hörte sie.

Und nun kam, was schwerer zu gestehen ist als Grausamkeit. Es geschah, daß der erste meiner Kameraden aus unserer Baracke trat und auf dem Wege auf mich zukam. Er war ein Wesen von großem Ruhm, verschwenderisch ausgestattet mit einem ganzen Leib, ein Leutnant, dessen wundervoller Verstand in seinem eigenen Meer trieb, und der Brennstoff der Welt, durch seine Eingeweide verwandelt, tat seine Wirkung. Ich sah ihn kommen, und das Wunder dieses Wesens und diese unmaskierten Bäume und Berge und die Musik und dieser Staub nötigten mir einen schweigenden Schrei ab. Dieser Schrei wanderte hinaus an einer vierten Dimension entlang, die im rechten Winkel zu den drei anderen stand. Der Schrei war an eine Stelle gerichtet, die, ich wußte nicht wo, existierte, die ich aber lediglich vergessen hatte; und einmal gefunden, war die Stelle immer da, manchmal offen und manchmal geschlossen, eine Angelegenheit des Universums, die sich in ihrer eigenen Weise fortbewegte, anders, nicht zu beschreiben.

Die Ehrfurcht erweckende Kreatur kam auf mich zu und ordnete die Muskeln so, daß Laute sichtbar aus seinem Munde hervorkamen.

»Haben Sie gehört?«

Aber dann bemerkte er das Wasser auf meinem Gesicht und wurde verlegen, weil er einen Engländer weinen sah.

»Entschuldigen Sie, Sammy. Das ist schon 'ne verdammte Mörderbande.«

Er sah weg, weil es ihm sonst sehr leicht hätte fallen können, selbst zu weinen. Aber ich war von einem Universum umgeben wie ein aufgesprungenes Juwelenkästchen, und ich war sowieso tot, und ich wußte, wie wenig es darauf ankam. So wanderte er weg, weil er dachte, ich sei um die Biegung gegangen;

er begriff eben nicht, wie völlig und leuchtend gesund ich war. Ich kehrte zu meiner vierten Dimension zurück und stellte fest, daß Liebe durch sie hindurchfließt, bis das Herz, das physische Herz, diese Pumpe oder angebliche Pumpe sich in Liebe betätigt, so mühelos, wie eine Biene Honig produziert. Dies schien mir zu jener Zeit die einzig lohnende Tätigkeit, und während ich damit beschäftigt war, wurde der Gang der Handlung so heiß, daß eine Feuerflocke, eine Helligkeit aus dem verborgenen Unsichtbaren herausflackerte und sich auf dem physischen Herzen niederließ, gerade als ob das Herz wirklich das sei, wofür die Poesie es hält und nicht einfach ein Stück klug erdachter Maschinerie. Da stand ich zwischen den Baracken, die ich begriff, von Juwelen und Musik umgeben, und eine Feuerflocke kam zu mir, ein pfingstliches Wunder, und Feuer verwandelte mich für immer und ewig.

Wie kann ein Mensch zugleich hören und sprechen? Es gab so viel zu lernen, es gab so viel Anordnungen zu treffen, daß das Gefangenen-Leben äußerst fröhlich und glücklich wurde. Denn jetzt war die Welt wieder in Ordnung. Was wichtig gewesen, fiel jetzt weg. Was lächerlich gewesen war, verstand sich jetzt von selbst. Was vorher häßlich gewesen, weil es nicht zustande kam und schmutzig war, gewann nun, wie ich gewahrte, eine merkwürdig umgekehrte Schönheit, die man nur aus dem Augenwinkel gewahr werden konnte, eine Schönheit, die sich oft nur offenbarte, wenn man sich ihrer erinnerte. Alle diese Dinge waren natürlich auf zweierlei Weise zu erklären: der eine leugnete ihre Existenz, der andere nahm sie als Gegebenheiten der Natur des Kosmos hin. Zwischen diesen beiden Ansichten war eine Verständigung nicht möglich. Das wußte ich, denn ich selbst bin zu verschiedenen Zeiten meines Lebens abwechselnd der einen oder anderen Ansicht gewesen. Es schien mir natürlich, daß diese zusätzliche Wahrnehmung durch meine toten Augen ins Werk übergehen müßte, ins Porträtmalen. Das ist der Grund, warum die geheim gehaltenen, geschmuggelten Skizzen der hageren, unrasierten Könige von Ägypten in ihrer Glorie der Ruhm meiner rechten Hand sind und wahrscheinlich auch bleiben. Die Skizzen, die ich von dem verwandelten Lager machte, von dem Gefängnis, das nicht mehr ein Gefängnis ist, sind, glaube ich, nicht so gut, wenn auch immer noch beachtlich. Eine oder zwei von ihnen sehen den Platz mit den Augen der Unschuld oder des Todes, sie sehen den Staub und das Holz und den Beton und den Draht, als ob das alles eben erst geschaffen wäre. Aber die Welt des Wunders konnte ich weder damals malen, noch kann ich es jetzt.

Denn mit der Zeit gewöhnte ich mich an den Rhythmus des Schweigens, und ich fing an, mich in der neuen Welt zurechtzufinden. Ein Teil von ihr zu sein war nicht gerade ein Ehrgeiz, sondern einfach eine Notwendigkeit. Darum mußte das Ding in ihr, das tote Ding, das sich zurechtfinden wollte, seine Natur dieser Welt anpassen. Wie war die neue Welt außen beschaffen, und wie das tote Ding darinnen?

Allmählich begriff ich, daß all dieses Wunderbare die Dinge in eine Ordnung fügte, und daß die Ordnung auf Pfeilern ruhte. Aber die Substanz dieser Pfeiler versetzte mich in äußerste Verwirrung, als ich merkte, woraus sie bestand. In der Welt hätten wir sie weggeworfen als einen schlechten Witz. Der Glanz dessen, was wir unter Politik verstanden, und die Tiefgründigkeit unserer wissenschaftlichen Kenntnis hatten uns in den Stand gesetzt, ohne jene Substanz auszukommen. Wir hatten sie in dem Reagenzglas des Laboratoriums nicht wahrnehmen können, als wir unsere einfältige qualitative Analyse vornahmen. Sie hatte keine Wählerstimme gefangen, sie war nicht als Heilmittel gegen den Krieg vorgeschlagen worden – man hatte sie, soweit das eben nicht zu vermeiden war, als ein Nebenprodukt des Klassensystems erklärt, so wie man Anilin-Färbungen aus der Destillation von Kohle gewinnt, sozusagen als Produkt des Zufalls. Diese Substanz war eine Art lebendiger moralischer Haltung, nicht das Verhältnis eines Menschen zu einer fernen Vergangenheit oder gar zu einem sozialen System, sondern die Beziehung eines individuellen Menschen zu einem individuellen Menschen – worauf es einstmals nicht ankam, die aber jetzt, wie man einsehen mag, die Schmiede ist, in der jede Veränderung, jeder Wert, das Leben überhaupt zum Guten oder zum Schlimmen ausgehämmert wird. Diese lebendige Moral war, um ein anderes Wort zu gebrauchen, wenn nicht das Gold, so doch wenigstens das Silber der neuen Welt.

So endlich wandten sich Sammys Augen und blickten in die

Richtung, die Halde ihnen gewiesen hatte. Es ist leicht, in der folternden Enge einer Zelle zu sterben, und es ist ebenfalls leicht genug, die Welt mit unschuldigen oder toten Augen zu sehen, wenn man den Trick heraus hat. Aber wenn Sammys Augen sich mit derselben nackten und toten Objektivität auf mich selber richteten, war der Anblick, der sich ihnen bot, nicht schön, sondern furchtbar. Das Sterben war schließlich nicht zu einem Zehntel vollständig – denn ein vollständiges Sterben, mußte das nicht diesen schimmernden und singenden Kosmos verlassen, ihn seinem Schimmern und Singen überlassen? Und hier gab es einen Punkt, einen einzigen Punkt, das war mein innerstes Ich, gestaltlos und unmeßbar, lediglich eine Gegebenheit. Aber diese Gegebenheit war wie alles andere ein Wunder, da sie beständig das Gesetz von der Erhaltung der Energie verleugnete, mochte es auch sonst herrschen, und Formen schuf, die den Radien eines Globus entlang nach außen flohen. Diese Formen konnten mit nichts als den widerlichsten Substanzen verglichen werden, die der Mensch kennt, oder vielleicht den widerlichsten und niedrigsten Kreaturen, die, in einem fort entstehend, rasch ausstrahlten und meiner Sicht entschwanden, und das war die menschliche Natur, die ich im Zentrum meines eigenen Bewußtseins wohnend fand. Das Licht, das diese Stelle anleuchtete und diese Kreaturen, kam aus der neu entdeckten Welt in all ihrer Herrlichkeit. Andernfalls wäre ich vielleicht ein Mensch gewesen, der zufrieden mit seiner eigenen Natur dahinlebte.

Aber jetzt wäre es mir unerträglich gewesen, so zu leben. Nichts, was Halde mir antun konnte, schien halb so entsetzlich, als was ich nun selber wußte. War das allgemein so? Unterschätze ich die Zurückgezogenheit der Könige, beteiligten sie sich etwa auch an dieser Schaustellung? Das glaubte ich damals nicht, und ich glaube es auch jetzt nicht. Ich kenne einen von ihnen, Johnny Spragg, und ich begriff, wie er das in sich hatte, was mir fehlte, nämlich eine natürliche Güte und Großmut, so daß selbst seine Sünden unbeträchtlich waren, weil all dies in ihm selber wurzelte. Aber ich war entweder ohne diese natürliche Großmut zur Welt gekommen, oder ich hatte sie irgendwo verloren. Der kleine Junge, der neben Evie dahin trottete, hatte nichts mit mir zu tun: aber der junge Mann, der auf seinem Fahrrad auf das grüne Verkehrslicht wartete – er und ich staken in einer Haut. Wir waren für einander verantwortlich. So daß, wenn ich zurückdachte und mir Beatrice in Erinnerung rief, die Schönheit ihrer Einfalt mich wie ein Schlag ins Gesicht traf. Das Negative ihrer Persönlichkeit, der deutliche Mangel an allem Wesentlichen, dieses Vakuum, auf das ich aus ihrem vielen Schweigen geschlossen hatte: jetzt begriff ich, daß das alles im Gegenteil Fülle gewesen war. Wie wenn die Substanz der lebenden Zelle sich erhellt, wenn du die Schraube am Mikroskop drehst, so sah ich nun Beatrices Wesen, wie es einst aus ihrem Gesicht geleuchtet hatte. Sie war einfach und liebreich und großmütig und voller Demut, Eigenschaften, die keine politische Bedeutung haben und ihrem Träger im allgemeinen nicht viel Erfolg einbringen. Sie schimmern, wie die Kinderabteilung im Krankenhaus, in der Erinnerung. Und doch, wenn ich mich meiner selbst und Beatrices erinnerte, konnte ich keinen Augenblick finden, in dem ich frei gewesen wäre, zu tun was ich wollte. In dieser ganzen beklagenswerten Verführungsgeschichte konnte ich keinen Augenblick entdekken, da ich, so wie ich nun einmal war, etwas anderes hätte tun können, als was ich tat.

Oh, dieser Kontinent, dieser Mensch, die Halbinseln, Vorgebirge, die tiefen Buchten, die Urwälder und Steppen, die Wüsten, die Seen, die Hügel und hohen Berge! Wie soll ich des Königreichs ledig werden, wie soll ich es von mir tun?

Wenn ich mit Nick Shales sagen könnte, daß das Wort Freiheit nur eine fromme Hoffnung auf eine Illusion bezeichnet, dann könnte ich mich mit der schleppenden Langeweile all dieser halbtoten Tage abfinden und nichts darauf geben. Wenn ich mit Rowena Pringle sagen könnte: glaube nur – dann könnte ich mich in irgend ein beruhigendes System von Belohnung und Strafe, Gewinn und Verlust einfügen. Aber ich kenne den Geschmack von Kartoffeln, und ich glaube nicht bloß: ich sehe. Oder wenn ich einfach den Schmutz für das halten könnte, was er ist: Schmutz; – wenn ich bloß die Leute als Nummern nehmen könnte, gelangweilt von der durchschnittlichen Alltagserfahrung! Wenn ich diese Welt bloß so nehmen könnte, wie sie ist!

Irgendwo, irgendwann habe ich in Freiheit gewählt und meine

Freiheit verloren. Ich hatte nichts verloren, bevor der Küster mich niederschlug, oder vielleicht war der Schlag wie der Tod und bezahlte alle Schulden. Zwischen dem Damals und dem jungen Mann auf dem Fahrrad – dazwischen lag die ganze Zeit auf der anderen Schule. War es dort, irgendwo? Damals zwischen den Blumen und dem Geruch der Garderoben, zwischen den Schulbüchern und wilden Erregungen, damals unter den Belohnungen und Strafen, damals, als ich das Gefühl hatte, das Leben könnte immer so weiter gehen?

1 1

Die Schule war für beide Geschlechter bestimmt. Offiziell bestand kein Unterschied, aber ich kann mir keine Einrichtung denken, an der eine so strenge Trennung herrschte. Die Teilung wurde uns indessen nicht etwa aufgezwungen. Wir vollzogen sie selbst vom ersten Tage an. In den ersten Stunden bereits saßen wir eingeschüchtert aus Instinkt getrennt, die Mädchen in der linken Hälfte des Klassenzimmers, die Jungen in der rechten. Da war schon die Grenze gezogen, und sie wurde nach gegenseitigem Übereinkommen niemals verletzt. Kein Junge, nicht einmal ich, der sich noch der Majestät der Haarbänder Evies erinnerte, hätte jemals unter den Mädchen Platz genommen. Hätte ich das getan, der Himmel wäre geborsten und auf uns herabgestürzt. Wir taten nach Möglichkeit so, als gingen wir in eine Knabenschule; wir hörten, daß in unserer kleinen ländlichen Lateinschule die Erziehungsmethoden nicht von theoretischer Pädagogik, sondern von wirtschaftlicher Berechnung diktiert wurden. Man verwendete nicht viele Geldmittel an uns, und wir mußten noch dankbar sein, daß man überhaupt welche an uns verwendete. So blieb denn unser Bandenkrieg, der sich am Bach im Hintergrund unseres Spielplatzes austobte, ausschließlich den Jungen vorbehalten. Hier verlieh mir die ungewöhnliche Stellung im Pfarrhause das Ansehen der Herkunftlosigkeit, und ich versuchte das wettzumachen, indem ich, mit sehr geringem Gefühl für die Form unserer gesellschaftlichen Pyramide, mich rühmte, sozusagen ein Sohn des Pfarrers zu sein – und damit machte ich mich unbeliebt. Im Schatten dieser Unbeliebtheit rückte ich allmählich in das Alter der Erwachsenen, wenn einem die Haut abgeschunden und eine Feder so schwer wie Blei wird und wie eine Nadel sticht. Ich war nirgends zu Hause. Es gab ein Bett, gewiß, aber ein Bett mit einer irrsinnigen Angst vor Gespenstern und Abscheulichkeiten, so daß ich in dieser Zeit lernte, mich zu verkriechen und aus dem eigenen Leib den Trost zu ziehen, den die Welt mir nicht gewährte. Allmählich lernte ich, meinen eigenen Stromkreis einzuschalten und mit ihm auszukommen, mich selbst erschöpfend wie eine Batterie mit einem einzigen glühenden Aufleuchten.

Unter welchem Himmelszeichen entwickelte sich Sammy damals? Es waren ihrer zwei. Sie erscheinen in der Erinnerung dauerhaft, die Jungfrau und der Wassermann. Sie bilden einen Bogen, nicht einen Triumphbogen, sondern einen der Niederlage, sie sind meine Schildträger; wenn irgendwer mich gemacht hat, sie waren es, Eltern zwar nicht im Fleische, sondern in geistiger Hinsicht.

Sie war die Lehrerin, die uns die Bibel lehrte und verschiedene andere Fächer unserer Klasse. Über ein Jahr lang war sie unsere Klassenlehrerin, sie war eine Jungfrau mittleren Alters mit sandfarbenem Haar und den Anzeichen eines sandfarbenen Schnurr- und Backenbarts; sie hieß Miß Rowena Pringle, und sie haßte mich, teils weil ich hassenswert war, teils weil sie es Pastor Watts-Watt übelnahm, daß er mich adoptiert hatte, statt sie zu heiraten, und allmählich verrückt wurde. Sie trug ein ausgesucht damenhaftes Wesen zur Schau. Man mußte sie nur sehen, wenn sie einen Tintenfleck am Finger entdeckte: sie hob die Hand hoch, die Finger schlossen sich zusammen wie ein winziger lilienweißer Oktopus, – um zu begreifen, wie überempfindlich sauber eine Dame sein kann. Sie wich allem aus, was besudelt war – nicht schmutzig: besudelt – und ihr Unterricht in Religion war dem entsprechend. Ihre Kleidung war gewöhnlich in brauner Tönung gehalten. Bei Regenwetter kam sie in einem eng gegürteten Regenmantel zur Schule, trug Galoschen und Handschuhe und wandelte überdies unter dem

Schutz eines braunen Schirms mit Zacken und seidenen Troddeln. Sie verschwand dann in dem Dienstzimmer der Damen und erschien alsbald in der Klasse, wo sie auf ihr hohes Katheder zutrippelte, so makellos glatt und sauber wie eine Kastanie. Sie trug einen goldgeränderten Kneifer mit einer zauberhaft dünnen, aus fast unsichtbaren Goldgliedern bestehenden Kette, die auf die Spitzenkrause an ihrem Busen herabhing und dort mit einer winzigen Goldnadel befestigt war. Neben der Nadel sah man den wässerigen Goldschimmer eines facettierten Topases. Unter ihrem sandfarbenen Haar trug sie ein sommersprossiges, etwas dickliches Gesicht, auf dem gewöhnlich ein Lächeln berufsmäßigen Wohlwollens lag, ebenso gut geordnet und äußerlich wie ihre Kleider.

Miß Pringle rührte niemals jemanden an. Eine gute, solide Backpfeife, wie der Küster sie mir gegeben hatte, kam in ihrem Arsenal nicht vor. Man wußte, daß es für Miß Pringle einer Schändung gleichgekommen wäre, menschliches Fleisch zu berühren. Diese weißen Finger, mit dem Goldreif auf der Rechten, waren etwas ganz Besonderes und nur ihr selbst vorbehalten. Sie herrschte nicht durch Liebe, sondern durch Furcht. Die Waffen, deren sie sich bediente, hatten nichts mit dem Rohrstock zu tun, sie waren anderer Art, raffiniert und grausam, ungerecht und bösartig. Es waren kaum merkliche, scheinbar scherzhafte Sarkasmen, die den Betroffenen zerfetzten und andere Kinder zum Kichern brachten. Sie beherrschte vollkommen die Psychologie der Masse und ihrer Antriebe. Sie wußte unser Kichern im richtigen Moment mit einem Kontakt einzuschalten, abzuwarten, wieder einzuschalten, wie einer, der ein Pendel in Bewegung setzt, warten, Kontakt, warten, Kontakt, bis das Opfer, unter einem Sturm verheerenden Spottgelächters, nach Luft rang in seinem unglückseligen, geschundenen Zustand – bis es eben am Haken hing. Und dabei ließ sie die ganze Zeit ihr berufsmäßiges Lächeln sehen, während die Goldkette an ihrem Kneifer pendelte und funkelte; denn es ist schließlich eine Freude, seine Religion auszuüben und dafür bezahlt zu werden.

Sie hätte mich nicht mit so viel Abneigung zu behandeln brauchen, denn ich hatte durchaus nichts gegen sie. Ich war ja noch unschuldig und wußte nichts vom tieferen Gut und Böse; ich dachte nichts Übles, und wenn sie mich schlecht behandelte, dachte ich, der Fehler läge bei mir. Wenn ich sie verurteile, so aus meiner Erwachsenheit. Das geschundene Kind, das ich in ihren Händen war, verstand nicht, daß die Wahrheit nutzlos und gefährlich ist, wenn sie lediglich aus dem Munde hervortritt.

Denn ich hatte nichts gegen sie. Für mich gab es eben Geschichten von guten und bösen Menschen, diese Geschichten, in denen der Maßstab das Gute und der Schwerpunkt des Lebens das Böse zu sein schienen, und auf diesen Schwerpunkt kam es eigentlich an. Azincourt war ein großer Sieg *, aber Jakob legte sein Haupt auf einen Stein – ich sah, wie hart er war und unbequem und träumte von einer goldenen Leiter, die bis in den Himmel reichte. Watts erfand die Dampfmaschine, aber eine Stimme sprach zu Moses aus einem Busch, der brannte und doch nicht verging. Ja. Ich war ihr zugetan.

Denn in ihrer Art war sie eine gute Lehrerin. Sie erzählte ihre Geschichten mit dem lebendigen Detail, das man manchmal von Leuten schildern hört, die geistig und geschlechtlich unfruchtbar sind. Er dauerte Jahre, bis ich die Geschichten des Alten Testaments anders als durch ihre Augen sah. Es dauerte Jahre, bis ich begriff, wie sie das offenbar Unmögliche fertig gebracht hatte, die Geschichten von allem Anstößigen zu befreien und uns trotzdem klarzumachen, was sie moralisch bedeuteten. Ich war immer der erste, der die Hand hob und eine ernsthafte Frage stellte, meine Karten vom Heiligen Land enthielten die meisten Einzelheiten, meine Illustrationen der flammenden Blitze vom Berg Sinai waren am eindrucksvollsten. Aber all das nutzte gar nichts. Meine Frage gab Miß Pringle bestimmt zu nichts anderem Anlaß, als mich mit einer Gegenfrage zu ducken, die so vernichtend war, wie meine gemalten Blitze; was meine Karten betraf, so waren sie in einer Weise gezeichnet, daß sie es fertig brachte, sie mit roter Tinte zu ruinieren.

Ich suche in den Erinnerungen herum, die sich auf dieses Verhältnis beziehen. Wußte sie vielleicht, daß ich, wenn auch ohne Spucke, auf den Altar gespuckt hatte? Nahm sie meine Anwesenheit mit solcher Abneigung auf wie ein Stück Sumpfland, das urbar gemacht werden soll? Hatte sie etwas dagegen,

---

* Sieg der Engländer 1415 unter Heinrich V. über die Franzosen.
(Anmerkung des Übersetzers)

daß ich im Pfarrhaus wohnte? Ahnte sie vielleicht, was mit Pastor Watts-Watt nicht in Ordnung war, und belastete sie mich mit seiner Zuneigung? Waren wir einfach unvereinbare, unverträgliche Temperamente, die in sich selber verwickelte, gehemmte alte Jungfer und der Junge, der eigenwillig war – wenn auch nicht so eigenwillig, wie es schien – einfältig und unglaublicher Weise noch unschuldig? Was hatte ich getan, daß ich ihr ständig als Zielscheibe diente? Oder kann ich die Hand aufs Herz legen und ein für allemal behaupten, ich sei ein schuldloses Opfer gewesen? Gibt es etwas, was nicht mein Fehler ist? Gewiß, sie übte nicht immer so strenge Selbstbeherrschung. Sie war nicht unverwundbar. Wie alle Frauen trug sie an dem Fluch der Eva, und sie trug ihn mit weniger Gleichmut als die meisten. Mit der Zeit stellten wir fest, daß sie gelegentlich Tage hatte, an denen das Unterrichten einfach über ihre Kräfte ging. Sie saß dann auf ihrem hohen Katheder, müde zurückgelehnt, die Augen geschlossen, rollte den Kopf hin und her und seufzte. Und so tief wirkte ihre Grausamkeit nach und ihre Disziplin, daß wir nicht wagten, Mitgefühl zu empfinden oder die Situation auszunutzen: wir saßen die ganze Zeit mäuschenstill, bis die Klingel uns himmlisch erlöste. Es war fast eine Erleichterung, sie einen oder zwei Tage später wieder in Selbstbeherrschung zu finden, lächelnd und gefährlich.

Ich sehe sie mit meinen tödlich geschärften Augen, über den Abgrund weg. Ihr Mund klappt auf und klappt zu. Ist das elektrische Licht an? Wenn ich bloß so gut hören könnte, wie ich sehe!

An der Tafel hinter ihr befindet sich ein Dreieck aus Kreide, ein bedeutungsloses Dreieck. Der Spitzenbesatz ist hellbraun und reicht halbwegs bis zu ihrem Hals. Wenn ich den Ellenbogen nach der Seite ausstrecke, treffe ich Johnny Spragg in die Rippen. Philip sitzt halb rechts von mir. Aber das gehört nicht eigentlich zu der Unterrichtsstunde – was wichtig ist, was den Atem benehmen kann: das ist Moses.

Moses interessiert mich tief. Er ist mir wichtiger als die Zusammensetzung des Wassers. Ich lasse mich gern über das Wasser belehren, wenn wir zu Mr. Shales' Stunde kommen, aber Moses ist bei weitem wichtiger. Ich möchte alles über Moses wissen, was man über ihn wissen kann. Ich nehme die Geschichte von der Kleinkinderschule her, ich habe sie hier gehört und da gehört, bis die Plagen Ägyptens und das alles sich in mein Bewußtsein eingeprägt hatte. Aber sie alle – Miß Massey, die prügelfreudige Miß Massey – sie alle hören gerade da auf, wo du gern wissen möchtest. Aus seiner Geschichte wird die Geschichte der Israeliten, dieses mühsalbeladenen Haufens, der todsicher immer das Falsche tut. Vielleicht wird Miß Pringle – ich merke schon, wie genau sie Bescheid weiß – nicht in den Fehler verfallen, wenn es ein Fehler ist. Vielleicht kann sie für mich die Lücken ausfüllen. Ich weiß, daß die Bibel viele Gesetze enthält, die dem Moses zugeschrieben werden, aber auch auf diese Gesetze kommt es nicht an. Was war das aber für ein Felsblock, in dem er versteckt war, wo der Herr vorbeiging und Moses unterdessen mit einer Hand bedeckte? Dieses Ende seines Lebens sollte doch ebenso ausführlich erzählt werden wie der Anfang. Vielleicht – so denke ich, während die Klasse sich niederläßt – vielleicht wird Miß Pringle, die so viel weiß, uns in das Geheimnis einweihen. Das wäre dann wirklich ein Schritt aufwärts, ein Schritt vorwärts: daß sie uns für alt genug hielt, den Vorhang vor dem Ende seines Lebens zu lüften –

Denn Miß Pringle konnte Vorhänge lüften, ja, das konnte sie. Sie erzählte uns, warum der Vorhang im Tempel bei der Kreuzigung zerriß, sie erzählte uns unmittelbar und ausdrücklich, warum der Vorhang nicht quer durchgerissen, auch nicht ganz zerstört wurde, sondern von oben bis unten durchriß. Das war tief befriedigend; und manchmal tat sie dasselbe bei Moses. Zur Zeit, als sie mit uns fertig war, verstanden wir die Beziehung zwischen dem Sprecher Aaron und dem Seher Moses. Jedoch mischte sie in diese tiefe Exegese auch solche Dinge, die unnütz oder gar peinlich waren. Ich saß da in meiner Schulbank und fragte mich, warum, wenn sie so tief bedeutend zu uns sprechen konnte, sie auch so seichtes oder albernes Zeug reden konnte, wie daß das Rote Meer sich bisweilen teilte, weil die Winde das Wasser zurücktrieben; oder daß Schlangen in Starre verfallen, wie Hummern, wenn man sie streichelt, oder wie Hühner vor einem Kreidestrich; und daher waren die hingeworfenen Stäbe nicht einfach ein anmutiges Wunder, sondern mit einiger Mühe sogar zu erklären.

Und Moses kam zu dem Berge, genau gesagt zum Berge Horeb.

Klapp, Klapp, ein Glitzern des Kneifers, wässeriger Topas-Schimmer –

Ich kann sie nicht hören –

Sie haben mir das alles angetan. Sie waren klug in mancher Hinsicht, aber Sie waren grausam. Warum kann ich Sie nicht hören? Sie haben das alles getan, Sie haben die Worte gesprochen, die verschwunden sind. Sie stiegen nicht in die Luft und vergingen, sie sanken tief in mich hinein, sie sind zu meinem Ich geworden, sie sind mir so nahe, daß ich sie nicht hören kann. Sie sagten sie und gingen weiter, beschäftigt mit Ihren eigenen Angelegenheiten. Wollen Sie nicht zu Ihren Worten stehen? Ist die Welt wirklich so, wie sie dem äußeren Auge erscheint, ein Raum, in dem alles Mögliche möglich ist, wenn man nur damit fertig wird?

Klapp, Klapp, Glitzern.

Sie hätte dreierlei Möglichkeiten gehabt. Sie hätte erklären können, daß es in der Wüste eine Art Gebüsch gibt, das sehr lange brennt und manchmal in der Sonne Feuer fängt.

Nein.

Klapp. Klapp.

Sie hätte uns erzählen können, daß Moses das mit den Augen des Geistes sah. Dem äußeren Auge zeigte sich kein Busch, und wenn man auf dem Worte ›Busch‹ verweilt – denn dieses Wort tut's wie jedes andere auch – wenn man darauf verweilt, dann sieht man, wie es sich ausdehnt, den ganzen Raum, das Seiende ausfüllt und Feuer fängt mit den Farben des Regenbogens.

Klapp –

»Ich bin sicher, ihr habt diesen Teil der Bibel schon früher zu hören bekommen. Ich werde also einige Fragen darüber an euch richten. Schließlich ist wohl anzunehmen, daß ihr jetzt ein bißchen klüger seid als vor einem Jahr. Der Berg Horeb. Was sah Moses auf dem Berg Horeb?«

»Einen Busch, Miß, einen brennenden Busch, und der Engel des Herrn sprach aus dem Busch und – «

»Das genügt. Ja. War da irgend jemand in dem Busch?«

»Miß! Miß! Miß!«

»Wilmot? Ja. Ist Moses ihm jemals wieder begegnet?«

»Miß! Miß!«

»Jennifer? Ja. Auf dem Berge Sinai. Sah er deutlich?«

»Miß!«

»Natürlich nicht. Selbst Moses mußte sich mit dem ›Ich bin der Ich bin‹ zufrieden geben.«

»Miß! Miß!«

»Was ist, Mountjoy?«

»Bitte, Miß, er hat noch mehr gewußt!«

»Ach – «

Ich wußte sehr wohl, was für ein Narr ich war; ich wußte, wenn es schon unmöglich war, mich Pastor Watts-Watt verständlich zu machen, so war es bei Miß Pringle gefährlich. Wie konnte ich sagen – ihr wißt es natürlich auch, daß ich euch bloß daran erinnere, oder vielleicht tatet ihr nur so, als ob einer von uns euch den Gefallen erwies, mehr als eine stumpfsinnige Zustimmung zu geben – aber ich kam eben zu spät.

Miß Pringle verbreitete so etwas wie eine entzückte Erwartung über die Klasse und forderte sie auf, sich mit ihr an ihrem Gefangenen zu ergötzen.

»Kinder, Mountjoy wird uns jetzt etwas mitteilen, was wir noch nicht wissen.«

Darauf entstand, wie sie wußte, ein leichtes Gekräusel. Sie griff es auf, ehe es wieder verging.

»Mountjoy kennt die Bibel besser als wir, natürlich. Schließlich wohnt er ja sehr nahe bei der Kirche.«

Das Pendel begann zu schwingen.

»Silentium für Mr. Mountjoy, Kinder. Er wird uns jetzt die Bibel erklären.«

Ich konnte sehen, wie rot meine Nase wurde.

»Nun, Mountjoy? Willst du uns nicht die – gelehrten Ergebnisse deiner Forschung mitteilen?«

»Es war später, Miß, wo er – «

»Als er, Mountjoy, nicht wo er. Ich glaube, der Pfarrer wünscht, daß du so schnell wie möglich deine Ausdrucksweise verbesserst. Nun?«

»Er – er wollte sehen, Miß, aber es wär' wohl zu viel gewesen – für ihn.«

»Wovon redest du eigentlich, Mountjoy?«

»Miß, Moses, Miß.«

Jetzt brach das Gelächter los. Man schrie ›Miß Moses‹, und Miß Pringle ließ es zu, daß das Geschrei anschwoll, gerade bis zur Grenze des Aufruhrs.

»Es war doch nachher, Miß.«

»Nachher?«

»Es wär'm zu viel gewesen. So war er versteckt worden in 'ner Spalte im Fels, und – und – er sah sein Hinterteil, so heißt's, Miß, und ich wollt' Sie fragen – «[*]

»Was hast du gesagt?«

Jetzt wurde mir die Stille bewußt, die plötzlich vor Schrecken eingetreten war.

»Es heißt doch, er sah – «

»Wann hast du das gelesen?«

»Das war, als Sie uns gesagt hatten, wir sollten – wir sollten – «

»Die Lektion im Neuen Testament lesen, Mountjoy. Warum hast du in dem Alten nachgelesen?«

»Ich wollt's doch zu Ende lesen, Miß, und ich hab gedacht – «

»Ach? Zu Ende lesen. Das hast du aber nicht gesagt. Du hast nicht daran gedacht, es mir zu sagen und mich um Erlaubnis zu fragen – «

Der Topas schütterte und glitzerte.

»Nun gut, Mountjoy. Du hast also das Kapitel zu Ende gelesen. Sag es her.«

Aber wie ich da blind und stumm in meiner Schulbank stand, kam mir nur das Bild dieses Geschehnisses in den Sinn. Es sah aus wie eine Reise auf dem falschen Gleis, ein ungeheures Mißverständnis.

»Das wollt' ich ja eben wissen, Miß, wie Sie das gemeint haben, das mit dem Schleier und so – «

»Sag auf!«

Die Schwärze der Quälerei wurde rot. Da waren keine Worte auf meiner Zunge.

»Sag auf, Mountjoy. ›Gesegnet sind die – ‹«

Verstehen Sie denn nicht? Ich bin doch auf Ihrer Seite, wirklich. Ich weiß, daß Ihnen die Offenbarungen wichtiger sind als alle die albernen Triftigkeiten, mit denen man alles wegerklärt. Ich weiß, daß das Buch voller Wunder ist und voller Bedeutung. Ich bin nicht wie Johnny hier zu meiner Linken, der's einfach so nimmt, wie er's liest, oder wie Philip da vor mir, der Sie betrachtet und darüber nachgrübelt, wie er lernen kann, Sie zu benutzen. Meine Freude ist Ihre Freude.

[*] 2. Moses, 33, 20–23 (Anmerkung des Übersetzers)

Miß Pringle streckte die Hand aus und zog ein anderes Register. Sie zog das Register der *vox humana*. Wir hörten diese Stimme manchmal, die Stimme der Verwundeten, die Stimme Rahels, die um ihre Kinder weint, und das war immer das Vorspiel zu einem Wutausbruch.

» – dachte, ich könnte euch vertrauen. Und das kann ich auch, den meisten von euch. Aber da ist ein Junge, dem man nicht vertrauen kann. Er benutzt eine Unterrichtsstunde – nicht einmal eine gewöhnliche Stunde – «

»Aber, Miß! Bitte, Miß – «

Ich war aufgestanden, und damit war ich so weit, wie Miß Pringle mich haben wollte. Wenn ich nicht begriff, wie ungeheuerlich ich Anstoß erregt hatte, wenn ich noch an der Unschuld festhielt und an dem Glauben, daß irgendwo im Plan der Dinge Raum für mich sei, so fühlte sich Miß Pringle doch imstande, meine Stellung zu untergraben, und sie widmete sich nun diesem Vorhaben.

»Komm her, hier vor die Klasse.«

Sonderbarer Weise gehorchten meine beiden Hände, die nach den Seiten meines Sitzes griffen und mich beim Aufstehen stützten. Meine Füße trotteten folgsam ins Dunkle. In einem Satz hatte sie alles zusammengefaßt. Mit einer Wendung, einem Zittern des Topasschmucks hatte sie nun die Episode aus dem Stadium des Lachens herausgehoben, so daß die zuschauende Klasse sich wieder auf Ernsthaftigkeit umstellen mußte. Miß Pringle war genug Schauspielerin, um zu wissen, daß sie vor ihrem Publikum nicht weglaufen durfte. Sie ließ den Zuhörern Zeit, sich auf die neue Stimmung einzurichten, indem sie mir so lange forschend ins Gesicht sah, daß es vor Röte brannte und das Schweigen der Klasse sich mit Erregung zu füllen begann.

»Dafür also ist die Bibel da, glaubst du. O nein, Mountjoy, fange jetzt nur nicht an zu leugnen. Meinst du etwa wirklich, ich wüßte nicht, was für einer du bist? Wir alle wissen, wo du herkommst, Mountjoy, und wir sind bereit, das als dein Unglück anzusehen.«

Ich sah, wie ihre braunen Lederschuhe, die so blank geputzt waren wie Kastanien, einen kleinen Schritt zurücktraten.

»Aber deine Herkunft haftet noch an dir. Man hat Geld für

dich ausgegeben, Mountjoy. Man hat dir eine große Gelegenheit gegeben. Aber statt sie zu nutzen, statt dankbar zu sein, vertreibst du dir die Zeit hier damit, in der Bibel herumzuschnüffeln, mit heimlichem Gekicher, herumzusuchen nach – nach – «

Sie hielt inne, und die Stille vertiefte sich noch. Sie alle wußten, wonach kleine Jungens in der Bibel suchen, denn die meisten taten das. Vielleicht war das auch der Grund, warum ihnen mein Verbrechen – aber worin bestand es eigentlich, dachte ich? – mein Verbrechen so ungeheuerlich erschien. Ich dachte damals, es läge an meiner Unfähigkeit, mich deutlich auszudrücken. Ich hatte ein bestimmtes Gefühl, wenn ich nur die richtigen Worte finden könnte, müßte Miß Pringle verstehen, und die ganze Angelegenheit wäre erledigt. Aber jetzt weiß ich, daß sie auch die bemühteste und genaueste Erklärung nicht angenommen hätte. Sie hätte sie mit wütender Behendigkeit beiseite geschoben und mich aufs neue ins Unrecht gesetzt. Sie war gerissen klug und scharfblickend und triebhaft und grausam.

»Sieh mich an. Ich sagte: ›Sieh mich an!‹«

»Miß!«

»Und dann – und dann! – Dann hast du die Frechheit – es gibt kein anderes Wort dafür – die Frechheit, mir deine Schamlosigkeit ins Gesicht zu werfen!«

Sie hielt ihre beiden weißen Hände hoch und von mir weg. Sie rieb die Finger aneinander, als würden sie nie wieder sauber werden. Die Spitzenkaskade bewegte sich rasch hin und her. Jetzt begriff die Klasse, daß dies eine förmliche Hinrichtung war, öffentlich und in die Länge gezogen.

Miß Pringle ging zur nächsten Stufe über. Gerechtigkeit mußte nicht nur geübt werden, man sollte auch sehen, daß sie geübt wurde. Sie brauchte ein Zeugnis meiner Missetaten, das über mein unglückseliges theologisches Versehen hinausging. Es gab natürlich eine sichere Möglichkeit, sich so etwas zu verschaffen. Die meisten Lehrer und Lehrerinnen in dieser Schule kümmerten sich nicht viel um uns und waren daher nicht grausam. Sie erkannten sogar unser Recht auf private Existenz an, und diese Anerkennung nahm freundliche Formen an. Wir waren gehalten, unsere Hefte sehr sauber und ordentlich zu führen; aber

wir hatten auch ›Schmierhefte‹, und diese Kladden waren durch
Gewohnheit unausgesprochener Maßen, wenn auch nicht ausdrücklich, privater Natur. Solange man sie nicht ungeniert be-
kleckste oder herausfordernd wüst mit ihnen umging, waren
sie für uns so privat wie das Arbeitszimmer für den Gelehrten.

Hatte sie sich nun überzeugt? Glaubte sie nun endlich, daß ich
regelmäßig die Bibel nach Schmutz durchsuchte? Begriff sie
nicht, daß wir beide von derselben Art waren, der ernsthafte
Junge auf der Suche nach dem Metaphysischen und die gequälte
alte Jungfer, oder wußte sie das und gab ihr der Haß vor
ihrem Ebenbild einen zusätzlichen Tritt? Glaubte sie wirklich,
in meiner Kladde Schmutz zu finden, oder war sie darauf aus,
irgendetwas als gesetzwidrig zu erklären, wenn sie es finden
konnte?

»Hol deine Kladde.«

Ich ging zu meiner Bank zurück und tauchte unter. Die Stille
vibrierte, und Johnny wich meinem Blick aus. Einer meiner
Strümpfe war hinuntergerutscht und hing um den Knöchel.
Um den rechten Knöchel. Die Kladde hatte keinen Deckel.
Die ersten vier Seiten waren verkrumpelt, und dann wurden
die Seiten glatter und sauberer. Da die erste Seite nun als Dek-
kel diente, war die Zeichnung darauf zum größten Teil ver-
wischt.

»Uch!«

Miß Pringle wies das Heft zurück.

»Ich werde das nicht anrühren, Mountjoy. Leg es aufs Pult.
So. Blättere die Seiten um. Nun, was sagst du?«

»Miß.«

Ich begann, die Seiten umzublättern, und die Klasse sah begie-
rig zu.

Arithmetik und ein Pferd, das eine Walze über den städtischen
Cricket-Spielplatz zog. Ein paar falsch geschriebene franzö-
sische Verben, wiederholt. Ein Karren auf der Waage draußen
vor dem Rathaus. Verse. Ich durfte keine beschriebenen Zettel
in der Klasse weiterreichen. Ich durfte nicht – die alte DH-
Maschine, die gerade um einen Wolkenturm herum kam. Antworten auf grammatische Fragen. Arithmetik. Latein. Einige
Profile. Eine Landschaft, nicht gezeichnet, sondern sozusagen

notiert und dann in meiner eigenen Privatnotierung ausgearbeitet. Denn wie konnte man mit dem Bleistift die besondere Anziehungskraft einer kalkweißen Straße wiedergeben, die, aus meilenweiter Entfernung gesehen, sich an den Hängen der Hügel hinaufwand? In der mittleren Entfernung war das Auge von einem Gewirr von Bäumen und kleinen Hügeln angezogen, und der beunruhigte Beschauer konnte darin verschwinden. Dies war nicht skizziert, sondern aufs genaueste aufgezeichnet. Das war so sehr mein Privateigentum, daß ich hastig die Seite umschlug.

»Halt. Nochmal zurück.«

Miß Pringle blickte von mir auf die Landschaft, dann wieder auf mich.

»Warum schlägst du die Seite so schnell um, Mountjoy? Ist da etwas, was du mir nicht zeigen willst?«

Schweigen.

Miß Pringle musterte meine Landschaft Zoll für Zoll. Ich konnte spüren, wie aufgeregt meine Kameraden waren, die jetzt in Bluthunde verwandelt waren, auf meiner Fährte und mit heißem Atem in meinem Nacken.

Miß Pringle streckte einen weißen Finger aus und begann dem Rand meines Schmierheftes kleine Stöße zu geben, so daß es sich drehte und ihr meine Hügelchen und runden Höhen und tiefen Waldstücke auf dem Kopf stehend zeigte. Ihre Hand ballte sich und zuckte weg. Sie tat einen schaudernden Atemzug. Sie sprach, und ihre Stimme klang tief vor Abscheu und leidenschaftlichem Zorn, vor Empörung und vernichtendem Urteil.

»Jetzt seh ichs!«

Sie wandte sich an die Klasse.

»Ich hatte, ihr Kinder, ein Gärtchen voller lieblicher Blumen. Ich freute mich, in meinem Gärtchen zu arbeiten, weil die Blumen so bunt und lieblich waren. Aber ich wußte nicht, daß es Unkraut gab und Schnecken und scheußliche, schleimige, kriechende Tiere – «

Dann wandte sie sich mir zu und spaltete mir die Seele durch und durch mit einer rauh schneidenden, plötzlich barbarischen Stimme.

»Ich werde dafür sorgen, daß der Pfarrer das zu sehen bekommt, Mountjoy, und jetzt werde ich dich zum Direktor bringen!«

Ich wartete mit meinem Heft vor der Tür, während sie in das Arbeitszimmer des Direktors ging. Ich hörte die beiden sprechen; das Gespräch war nur kurz. Sie kam heraus und fegte an mir vorbei, und dann befahl mir der Direktor streng, hereinzukommen.

»Gib mir das Heft!«

Er war ärgerlich, daran war nicht zu zweifeln. Ich denke, sie hatte darauf hingewiesen, was ganz unnötig war – nämlich daß wir eine gemischte Schule waren und diese Angelegenheit sofort ausgemerzt werden müsse. Ich glaube, vielleicht hatte er sich schon damit abgefunden, mich hinauswerfen zu müssen.

Er durchblätterte mit dem Daumen das ganze Heft, hielt inne und durchblätterte es noch einmal. Als er dann sprach, war die Gereiztheit aus seiner Stimme verschwunden – oder vielmehr, sie war gemildert, als wüßte er, daß er um des Anscheins willen etwas Empörung äußern mußte.

»Nun, Mountjoy. Gegen welche Seite hat Miß Pringle etwas einzuwenden?«

Sie schien gegen alle etwas einzuwenden. Ich war von alledem verwirrt und unfähig zu antworten.

Er blätterte das Heft noch einmal durch. Seine Stimme klang wieder gereizt.

»Nun hör mal zu, Mountjoy. Welche Seite ist es? Hast du sie herausgerissen, während du draußen gewartet hast?«

Ich schüttelte den Kopf. Er untersuchte die geheftete Mitte der Kladde, er sah, daß da keine Seite fehlte. Er sah mich wieder an.

»Nun?«

Ich konnte endlich sprechen.

»Diese Seite hier war's, Sir.«

Der Direktor beugte sich über das Heft. Er prüfte meine Landschaft. Ich sah, daß die Gruppe im Zentrum auch seinen Blick gefangen nahm. Sein Blick drang vorwärts, stürzte sich durch das Papier zwischen die Hügelchen und Bäume. Er zog sich wieder zurück, und seine Stirne zog verwunderte Falten. Er blickte auf mich herunter, dann wieder auf das Papier. Plötzlich tat er, was Miß Pringle getan hatte – er drehte das Heft herum, daß meine hübsch gerundeten Hügel auf dem Kopfe standen, und der Fleck buschigen Waldlands trat aus ihnen hervor.

Wir betraten dann eine Stelle, die ich jetzt Chaos nennen würde. Ich wußte nicht, was los war, ich fühlte nichts als Schmerz und Verwunderung. Aber er, der Erwachsene, der Schulleiter, er wußte von nichts. Er hatte einen Schritt vorwärts getan und den Boden unter den Füßen verloren. Er hatte etwas blitzartig erkannt, und diese Kenntnis hatte ihn sogleich vor eine Anzahl unlösbarer Probleme gestellt. Aber er war ein kluger Mann, und er tat, was in solchen Situationen das Beste ist: er tat gar nichts. Er gestattete mir, sein Gesicht zu beobachten, auf dem so viel sichtbar wurde. Ich sah die Ergebnisse seiner Erkenntnis, obgleich ich keinen Anteil daran haben konnte. Ich gewahrte, wie er erschrak, als ihm die Sache klar wurde, wie er nicht wußte, wie er damit fertig werden sollte, und ich sah sogar, wie er mit einem wilden Gelächter kämpfte.

Dann ging er hin und blickte ein Weilchen aus dem Fenster.

»Du weißt, Mountjoy, daß wir euch die Kladden nicht zum Zeichnen geben, nicht wahr?«

»Sir.«

»Miß Pringle hat etwas dagegen einzuwenden, daß du so viel Zeit mit dem Bleistift vertust.«

Darauf war nichts zu erwidern. Ich wartete.

»Diese Seiten – «

Dann wandte er sich herum und öffnete das Heft, um mir etwas zu zeigen, aber sein Blick blieb an etwas hängen. Es war eine Seite, wo ich so viele Mitschüler aus meiner Klasse gezeichnet hatte, wie ich konnte. Einige von ihnen hatten mich verprügelt, aber bis auf eines oder zwei hatte ich ein Gesicht nach dem andern gezeichnet, erst mit allen Einzelheiten, dann vereinfacht, so daß das letzte Resultat mir schließlich eine tiefe Befriedigung verschaffte, als ich dem Bleistift den leidenschaftlichen Auftrag gab. Er schob die Brille hinauf auf die Stirn und hielt die Seite nah ans Gesicht.

»Das ist doch der junge Spragg!«

Darauf brach mir das Chaos aus den Augen. Es war naß und warm, und ich konnte nicht aufhören.

»Aber na, nanu, hör mal!«

Ich suchte mich nach einem Taschentuch ab, fand aber natürlich keines. Ich holte dafür meine helle Schulmütze hervor und benutzte sie statt dessen. Als ich wieder sehen konnte, strich sich der Direktor den Schnurrbart und sah aus, als ob er besiegt sei. Er schöpfte noch einmal frische Luft am Fenster. Allmählich versiegten meine Tränen.

»Nun, also nun weißt du Bescheid. Halte deine Zeichnerei in Grenzen. Ich glaube, es ist vielleicht besser, ich behalte diese Kladde. Und versuche – «

Er hielt inne, lange Zeit.

»Und versuche zu verstehen, daß Miß Pringle sich um euch alle tiefe Sorgen macht. Sieh zu, ob du ihr gefallen kannst, wie?«

»Sir.«

»Und sage Miß Pringle, ich – ich würde mich freuen, wenn sie in der Pause auf ein Wort zu mir käme. Ja?«

»Sir.«

»Geh jetzt lieber, und – nein. Geh gleich, direkt in die Klasse, so wie du bist. Ich werde schon dafür sorgen, daß du ein neues Heft bekommst.«

Ich ging zur Klasse zurück mit dem beschmierten Gesicht und richtete ihr aus, was der Direktor mir aufgetragen hatte. Sie sah mich nicht an, sondern schwenkte befehlend die Hand und deutete mit dem Finger. Ich sah, warum. In meiner Abwesenheit hatte sie mein Pult aus dem Verband der Klasse hinausschieben lassen. Es stand nun vorne an der Wand, so daß ich die anderen durch meine Gegenwart nicht beflecken konnte. Ich sank auf meinen Sitz und war allein. Da saß ich, und die Wogen öffentlicher Mißbilligung schlugen an meinen Nacken. Seitdem habe ich mich nicht mehr um solche Wogen gekümmert. Da blieb ich für den Rest des Schuljahres. Ich saß da allein, als ich die Stuarts kennenlernte. Ich saß allein, als ich Miß Pringle von Gethsemane aus folgte.

Heute kann ich ein gut Teil mehr hinsichtlich Miß Pringles verstehen. Der männliche Priester am Altar hätte vielleicht eine anziehende und fromme Frau an seine Brust genommen; aber er zog es vor, sich in die Festung seiner Pfarrei zurückzuziehen und ein Kind aus einer verrufenen Gasse zu sich zu nehmen, ein Kind, dessen Mutter kaum menschlich war. Ich verstehe jetzt, was für ein Stein des Anstoßes ich für sie gewesen sein muß, erst durch meine bloße Gegenwart, dann mit meiner Unschuld und schließlich durch mein Talent. Aber wie konnte sie einen kleinen Jungen ans Kreuz schlagen, ihm sagen, er säße abseits von den anderen, weil er nicht geeignet sei, mit ihnen zu sitzen, und dann die Geschichte jener anderen Kreuzigung erzählen mit allen Anzeichen des Kummers in der Stimme über menschliche Grausamkeit und Bosheit? Ich kann ihren Haß verstehen, aber nicht, wie sie es fertig brachte, so zu tun, als stände sie auf so vertrautem Fuß mit dem Himmel.

Aber damals, an jenem ersten Tag der Unwissenheit und des Chaos standen wir noch bei Moses. Meine Seele war gründlich gequält worden, und mir lag nicht mehr ganz so viel an ihm.

»Und so brannte der Busch, ohne vom Feuer verzehrt zu werden, zum Zeichen für Moses, daß der Herr zugegen war.«

Hoch auf dem Glockenturm erscholl das erlösende Zeichen. Wir drängten uns aus dem Klassenzimmer, ich unsicher, wie man mich nach meiner Kreuzigung aufnehmen werde, und wir begaben uns direkt in den Hörsaal für allgemeine Naturwissenschaft.

Mr. Shales, Nick Shales, der gute Nicky wartete schon auf uns voller Ungeduld, anzufangen. Auf seinem enormen kahlen Kopf und den dicken Brillengläsern spiegelte das Licht. Er hatte die Tafel mit dem Schoß seines Kittels abgewischt, und eine weiße Staubwolke hing in der Luft und umgab ihn wie ein Pfeiler. Auf dem Experimentiertisch waren allerlei Glasröhren zu sehen, und er stand, sich in den Knien wiegend, und sah zu, wie wir die Stufen zwischen den Bankreihen erstiegen.

Nick war der beste Lehrer, den ich je gesehen habe. Er hatte keine besondere Methode, und er machte auch keinen besonders glänzenden Eindruck; er hatte einfach ein geistiges Bild von der Natur und den leidenschaftlichen Wunsch, es mitzuteilen. Außerdem respektierte er Kinder. Nicht daß er, wörtlich genommen, die Rechte der Kinder achtete, denn es kam Nick gar nicht in den Sinn, daß sie welche besäßen. Sie waren für ihn einfach menschliche Wesen, und er behandelte jedes Kind mit einer ernsthaften Aufmerksamkeit, die sich von Höflichkeit nicht unterschied. Er hielt Disziplin, indem er die Notwendigkeit ignorierte, sie zu erzwingen. Ich sehe ihn noch, wie er ungeduldig auf uns wartete, wie er, um das Faszinierende einer Tatsache zu untersuchen, irgend eine unfehlbar erstaunliche, ihn ganz in Anspruch nehmende Realität bereit hielt –

»Schreibt das Folgende lieber auf, ehe wir den Versuch unternehmen, den Gegenbeweis zu führen. Fertig? Also schreibt euch auf: Materie kann weder vernichtet noch geschaffen werden – «

Folgsam schrieben wir. Nick begann zu sprechen. Er beschwor uns, einen Fall zu finden, in dem Materie entweder vernichtet oder geschaffen wurde.

»In einer Granate.«

»Eine brennende Kerze.«

»Beim Essen.«

»Wenn ein Küken ausschlüpft – «

Wir nannten ihm eifrig Beispiele. Er nickte weise und erledigte eins nach dem andern.

Aber keiner von uns dachte an Miß Pringle und ihren Unterricht nebenan. Wir hätten alle zusammen laut rufen können, daß ein brennender Busch, der vom Feuer nicht verzehrt wurde, bestimmt das Schema von Nicks Universum, so wie er es uns entwickelte, durchbrach. Aber keiner sagte auch nur ein Wort über sie. Indem wir aus ihrer Tür kamen und in seine Tür traten, wechselten wir aus einem Weltall in ein anderes. Wir behielten beide Welten mühelos in unseren Köpfen, denn wie die Natur des Menschenwesens nun einmal geschaffen ist: keine der beiden war etwas Wirkliches. Beide Systeme waren in sich abgeschlossen – war es irgend ein tiefer Instinkt, der uns sagte, daß das Universum nicht so leicht zu fassen ist, und uns davon abhielt, das eine wie das andere zu bewohnen? So lebhaft die Schilderungen der Miß Pringle waren, ihre Welt existierte drüben, nicht hier.

Aber auch die Welt, wie Nick sie uns nachwies, war nichts Wirkliches. Sie enthielt nicht alles; die Ergebnisse jedes kleinen Experiments, auch wenn man sie vervielfachte, machten noch kein Universum aus. Wenn er die Multiplikation vollzog, paßten wir auf und verwunderten uns. Nick malte etwa ein Bild der Sterne, deren Bahnen eine Folge waren der von ihm demonstrierten gefesselten Schwerkraft. Dann war es nicht Naturwissenschaft, was ihn und uns erfüllte, sondern Dichtung. Seine Deduktionen standen auf den Zehenspitzen, um dem großen Tanz der Arithmetik und der Sterne näher zu kommen, aber weder er noch wir sahen nach dem Himmel. Eine Generation sollte vergehen, ehe ich selbst den Unterschied zwischen der Vorstellung der Einbildungskraft und dem ausgebreiteten Bilde droben begriff. Nick glaubte, er spräche von wirklichen Dingen.

Eine Kerze brannte unter einer Glasglocke. Wasser stieg und füllte den Raum, der vorher mit Sauerstoff gefüllt war. Die Kerze ging aus, aber nicht ohne ein Universum von solcher Ordnung und Vernunft erleuchtet zu haben, daß man das Weinen nicht unterdrücken konnte: das ist die Lösung aller Probleme! Wenn es Probleme gab, mußten sie doch die eigene Lösung enthalten. Das wäre kein rationales Universum gewesen, in welchem es unlösbare Probleme gab.

Was Menschen glauben, ist eine Funktion dessen, was sie sind; und was sie sind, ist zum Teil das, was ihnen widerfahren ist. Und dennoch kommt hier und da in all dem Aufruhr von Zwang der deutliche Geschmack nach Kartoffeln vor, ein so seltenes Element, daß die Isotopen des Uraniums dagegen massenhaft erscheinen. Sicher war Nick jener Geschmack vertraut, denn er war ein selbstloser Mensch. Er stammte von armen Eltern und hatte sich fast umgebracht, als er sich nach oben arbeitete. Wissen war ihm daher etwas höchst Kostbares. Er hatte kein Geld für Apparaturen und verfertigte sie selbst aus Blech und Glasröhren und Hartgummi. Sein Spiegel-Galvanometer war ein Wunder an Zartheit; und einmal produzierte er für uns ein Nordlicht, das in einer Glasröhre erschien wie ein seltener gefangener Schmetterling. Es lag ihm nichts daran, uns zu Technikern zu machen, er wollte nur, daß wir die Welt um uns verstanden. In seinem Kosmos war kein Platz für Phantasie, und folglich spielte der Kosmos ihm einen ungeheuerlichen Streich. Nick war mit einer Menschenliebe begabt, mit einer Selbstlosigkeit, Freundlichkeit und Gerechtigkeit, die ihm das Vertrauen aller Leute sicherten, und zugleich konnte er das Evangelium eines so trostlos rationalistischen Universums predigen, daß die Kinder es kaum merkten. Bei Beginn der Pause konnte er nicht zum Lehrerzimmer gelangen, weil die Kinder sich um seinen schmutzigen Kittel drängten, ihn ausfragten, ihm zusahen, oder ihm einfach aus unklaren und sinnlosen Gründen nahe sein wollten. Geduldig gab er seine Antworten, und wenn er die Antwort nicht wußte, sagte er's offen, und er scheute sich nicht, das Geschöpf vor ihm ernst und für voll zu nehmen. Nick stammte wie ich aus einem Elendsviertel, hatte sich aber aus eigenem Verstand und Willen hochgearbeitet. Er war nicht durch Gunst hochgekommen: er hatte sich selbst befördert, und seine kurze Statur war die Hinterlassenschaft jahrelanger Entbehrung und Überarbeitung. Er war Sozialist und hatte an den hitzigen Kämpfen teilgenommen, aber sein Sozialismus war wie seine Naturphilosophie: logisch und freundlich und von erstaunlicher Schönheit. Er sah eine neue Erde, nicht eine solche, auf der er mehr Geld für weniger Arbeit bekommen würde, sondern wo wir Landkinder so gute Schulen wie Eton haben würden. Er wollte, daß der ganze Segen der Erde uns und allen Menschen zugute käme. Manchmal, da nun das britische Imperium sich aufgelöst hat und ich Eingeborene des einen oder anderen heißen Landes kennenlerne, die sich triumphierend dessen bewußt sind, daß sie sich befreit haben, denke ich an Nick. Nick hätte sie schon vor sechzig Jahren auf eigene Kosten befreit. Doch kannte er selbst keinerlei Leidenschaften, er trank nicht, er rauchte nicht, und er besaß keinen Wagen. So viel ich gesehen habe, besaß er nichts als einen dünnen blauen Anzug und einen schwarzen, von Säuren verätzten Kittel. Er leugnete den Geist hinter der Schöpfung; denn was dem Auge am nächsten, ist am schwersten zu sehen.

Diese beiden Menschen, Nick Shales und Rowena Pringle, erscheinen mir immer bedeutender, je älter ich werde. Ich bin der Verantwortliche, aber sie haben ihr Teil dazu beigetragen, daß ich bin, wie ich bin, sie waren an meinem Leben beteiligt und sind es noch. Ich kann mich selbst nicht verstehen, wenn ich die beiden nicht verstehe. Weil ich so tief über sie nachgedacht habe, weiß ich jetzt über Dinge Bescheid, die ich damals nicht kannte. Ich habe immer gewußt, daß Miß Pringle Nick Shales haßte; und jetzt weiß ich auch warum, da ich in vielem so wie sie bin. Sie haßte ihn, weil er es leicht fand, gut zu sein. Die so anständige Schulmamsell mit ihren sauberen Fingern wurde innerlich verzehrt von heimlichen Begierden und Leidenschaften. Ganz gleich, wie sie diesen oder jenen Trieb einzudämmen suchte: die unbeherrschte und bittere Flut ihrer Natur brach durch. Hat sie nicht jedesmal, wenn sie mich quälte, vielleicht sich selbst gefoltert, in Verzweiflung und Ekel vor sich selbst? Und wie muß sie sich gewunden haben, wenn sie sah, wie die Kinder sich um Nick, den Rationalisten, scharten, als ob er ein Heiliger wäre! Niemand mochte sie, ausgenommen ein Gefolge fragwürdiger Mädchen, die ihr schmeichelten, eine Reihe von Anhängerinnen, mit denen kein Staat zu machen war. Vielleicht begriff sie halb, was für eine fadenscheinige Tugend ihre zufällige Unberührtheit war. Vielleicht sah sie im frühen Dämmerlicht des anbrechenden Morgens sich selbst im Spiegel und wußte, daß sie außerstande war, sich zu ändern. Aber dem Nick, diesem Rationalisten, diesem Atheisten, war alles möglich.

Ich hatte es nötig, daß Nick mich belehrte, nicht durch seinen Unterricht, sondern einfach durch seine Gegenwart. Ich denke, er gewahrte die Tränenspuren auf meinem Gesicht und verfiel in seinen gewöhnlichen Irrtum, Menschenliebe aus dem falschen Grunde zu üben. Er stellte sich vor, denke ich mir, daß man mir den Widerspruch zwischen meiner Stellung im Pfarrhaus und meiner bekannten, fast laut ausgerufenen unehelichen Geburt an den Kopf geworfen hatte. So hielt er mich, nachdem die Klasse gegangen war, ausdrücklich zurück, damit ich ihm half, die Apparaturen wegzuräumen.

Aber ich sagte nichts. Ich war nicht imstande, ihm das Vorgefallene auseinanderzusetzen. Statt dessen sprach Nick. Er wischte den Experimentiertisch mit seinem schmutzigen Kittel ab und legte seine Notizen in das Pult.

»Hast du noch mehr Zeichnungen, die du mir zeigen kannst, kleiner Mountjoy?«

»Sir.«

»Was ich an diesen Zeichnungen gern mag, das ist, daß sie wirklich wie die Dinge aussehen, die sie darstellen sollen.«

»Ja, Sir.«

»Gesichter. Wie machst du das eigentlich, wenn du Gesichter zeichnest? Daß man eine Landschaft vielleicht nach eigenem Geschmack anpacken muß, das leuchtet mir ein; aber Gesichter müssen doch jemandem ähnlich sehen. Wäre eine Photographie nicht besser?«

»Ich glaube wohl, Sir.«

»Na also!«

»Ich hab keine Kamera, Sir.«

»Nein, natürlich nicht.«

Wir waren mit dem Wegräumen der Apparate fertig. Nick wandte sich um und setzte sich auf seinen hohen Stuhl, und ich stand in seiner Nähe, eine Hand auf dem Experimentiertisch. Er sagte gar nichts; aber in seinem Schweigen lag eine freundliche Billigung meiner Person und aller meiner Gewohnheiten. Er nahm die Brille ab, putzte sie, setzte sie wieder auf und blickte aus dem Fenster. Über dem Horizont entfalteten sich schwere Wolkenballen, und er begann, mir von ihnen zu erzählen. Es waren Gewitterwolken, amboßförmige Gebilde, in denen sich Energien aufluden Dieses Mal ging er um meinetwillen vom Besonderen zum Allgemeinen über. Als er fertig war, standen wir Seite an Seite und betrachteten das Gewitter zusammen und als Gleichgeartete.

»Man sollte nicht glauben, daß Menschen so grausam sein können. Man sollte denken, sie hätten nicht die Zeit dazu, nicht in einer Welt wie dieser. Kriege, Verfolgungen, Ausbeutung – ich meine, Sammy, es gibt so viel zu sehen, für mich zu erforschen und für dich zu malen – nimm es einmal so. Wenn man das alles einem, einem Millionär zum Beispiel, wegnähme, er würde für nicht mehr als einen Blick zum Himmel oder auf das Meer sein ganzes Geld hingeben – «

Ich lachte jetzt und nickte ihm zu, denn es *war* uns beiden so klar und allen anderen so erstaunlich unklar.

» – – ich erinnere mich, wie ich zum ersten Mal erfuhr, daß ein Planet in der gleichen Zeit dieselbe Entfernung zurücklegt – da schien es mir, als sollten Armeen aufhören zu kämpfen – ich meine – ich muß ungefähr in deinem Alter gewesen sein – ich meinte, sie müßten einsehen, wie lächerlich das war und was für eine Zeitverschwendung – «

»Haben sie das, Sir, haben sie das wirklich?«

»Wer?«

»Die Armeen.«

Allmählich stellte sich der Unterschied zwischen dem Erwachsenen und dem Kind wieder her.

»Nein. Sie hörten nicht auf. Ich fürchte, nein. Wenn man so

etwas Tierisches tut, wird man eben zum Tier. Das Universum ist wunderbar exakt, Sammy. Die Erhaltung der Energie gilt geistig ebenso wie physikalisch.«

»Aber, Sir – «

»Was?«

Da kam mir ein Verständnis. Sein Gesetz wurde allgemeingültig. Ich begriff, daß es zu allen Zeiten und in allen Räumen seine Gültigkeit hatte. Diese kühle Beruhigung rieselte heraus. Der brennende Busch widerstand, und ich begriff augenblicklich, wie wir mit diesem Widerspruch zurechtkamen. Dies war ein Augenblick von solcher Wichtigkeit für mich, daß ich ihn genau prüfen mußte. Ließ man einen Augenblick die Zeit beiseite, existierten die beiden Welten neben einander. Die eine bewohnte ich von Natur; die Welt des Wunders aber zog mich stark an. Den brennenden Busch aufgeben, das Wasser aus dem Felsen, den Speichel auf den Augen*: das hieß, einen Teil meiner selbst aufgeben, einen dunklen und innerlichen und fruchtbaren Teil. Aber was mich aus dem Busch ansah, das war das dickliche und sommersprossige Gesicht der Miß Pringle. Die andere Welt, die kühle und vernünftige, beherbergte das freundliche Gesicht von Nick Shales. Ich glaube nicht, daß überhaupt Aussicht bestand, eine vernünftige Wahl zu treffen. Ich glaube vielmehr, mein kindlicher Sinn ward aufgerufen, zwischen guten und bösen Märchen zu wählen. Miß Pringle verdarb ihren eigenen Unterricht. Es gelang ihr nicht, einen zu überzeugen, und zwar nicht durch das, was sie sagte, sondern durch das, was sie war. Nick überzeugte mich von seinem naturwissenschaftlichen Weltbild durch das, was er war, nicht durch das, was er sagte. Einen Augenblick lang hing ich zwischen zwei Weltbildern; dann floß ein Gerieseln über den brennenden Busch, und ich lief zu meinem Freunde über. In diesem Moment schloß sich eine Tür hinter mir. Ich schlug sie zu, vor Moses und Jehova. Ich sollte nicht wieder an diese Tür klopfen, bis ich in einem Nazi-Gefangenenlager kauernd an der Mauer lag, halb von Sinnen vor Schrecken und Verzweiflung.

Hier?

Nicht hier.

---

* 8. Markus 23 (Anmerkung des Übersetzers)

12

Doch lag die Zukunft nicht ganz in ihren Händen oder den seinen, denn jetzt war Wein in unser Blut gegossen, der sich in Pusteln äußerte und Phantasien in schlaflosen Nächten und in heimlichem Gekicher, geschlechtlichem Geschnüffel, in kleinstädtischem und dörflichem Klatsch. Man brauchte nur gewisse Stichworte fallen zu lassen, um das schmutzige Lachen hervorzurufen. Da gab es ein Minderwertigkeitsbewußtsein, da das Ich nicht wußte, was das Gewieher bedeuten sollte, da es gern mit von der Partie gewesen wäre, die verschwiegene Geschichte gekannt hätte, den Dreck, da es gerne die gesellschaftliche Geborgenheit genossen hätte, zu der Klasse derjenigen zu gehören, die Bescheid wissen. Und hier paßte Nicks Universum von Ursache und Wirkung, dieses seelenlose Universum natürlich wie ein Handschuh. Ich war intelligenter als Nick. Ich sah, daß die Entscheidung über Gut und Böse, wenn der Mensch seine höchste Stufe erklommen hat, sein eigenes Geschöpf ist, in der Stimme der Mehrheit liegt. Man benimmt sich nicht gut oder schlecht, sondern man wird erwischt oder man kommt davon. Das Ich also gewöhnte sich daran, sich nicht mehr so eifrig mit Moses zu beschäftigen, es versuchte herauszufinden, warum Kirschen zwei Tage lang so komisch sind und irgendwas mit dem schweigsamen Landmädchen Selina zu tun haben. Das Ich hörte auf Johnny und geriet zum ersten Mal in die Drecklinie. Das Ich hörte, wie Mr. Carew das grobe Wort im Geschichtsunterricht gebrauchte, lachte vor allen anderen und bekam fünfzig Verse als Strafarbeit, und das war's auch wert. Das Ich steckte mitten drin, kannte allen Schmutz, erfand Schmutz, ein führender Dreckschaufler in einer warmen schnüffelnden Welt, und in dieser Welt war ich daheim.
Und das Ich betrachtete sich im Spiegel.
Und ich sah mich selbst und kam mir sehr häßlich vor. Das Gesicht, das das meine ansah, war ständig mürrisch ernst und düster. Das schwarze Haar, die borstigen schwarzen Augenbrauen zeichneten sich nicht durch Überfülle, sondern durch

Struppigkeit aus. Die Gesichtszüge zogen sich streng zusammen, als ich mich bemühte, sie zu zeichnen und herauszufinden, was ich eigentlich war. Ich hatte abstehende Ohren, eine fliehende Stirn und ebensolches Kinn. Ich hatte das Gefühl, wie ein kräftiger Menschenaffe auszusehen, kein Mann für feine Damen, aber männlich.

Dabei wäre ich gern ein Mädchen gewesen. Das gehörte zur Phantasie-Welt, wo ihre Röcke und ihr Haar, ihre weichen Gesichter und die Glätte ihrer Bäuche schon immer gewesen waren. Aber jetzt, da der Wein anfing zu wirken, kamen noch mit wachsendem Reiz der Geruch nach Talkum hinzu, die Andersartigkeit einer Brust, das Geglitzer der Broschen bei Woolworth, runde seidene Knie, die schwarze Übersüße ihrer künstlichen Münder, ihre Münder wie Wunden. Ich wünschte eine von ihnen zu sein und dachte, das sei einzigartig, eine Selbst-Schändung und sehr schmachvoll. Aber ich befand mich in einem völligen Irrtum. Selbstbefriedigung war ganz allgemein. Es ist immer etwas Ungewisses um unser Geschlecht. Ich wollte nicht so sehr werden als genießen, dann, als der Mechanismus des Geschlechts mir klar wurde, wußte ich nur zu gut, was ich wollte. Auf den Seiten meiner Kladde begannen die Mädchengesichter die Mehrzahl zu bilden. Die Ströme liefen jetzt. Drei Jahre hatten wir mit einander in demselben Raum gesessen, doppeldeutig und unerfahren, neutral wie Anemonen auf nassem Fels. Jetzt stieg die Flut und erzeugte Unruhe. Es lag etwas zu Witterndes in der Luft und auf den Lippen der künstlichen Schönheiten. Wir blickten ins Zimmer hinüber und suchten unter den lebenden Geschöpfen nach einer Spur jener Züge, die wir in Tausenden von Filmen gesehen hatten.

Wie, wenn Miß Pringle so gut und anziehend gewesen wäre wie Nick? Hätten dann Gebet und Meditation das Fieber abgekühlt? Hätte die Schönheit des Heiligen triumphiert über das billige Parfüm und die flackernden künstlichen Gesichter? Hätte ich die neun Chöre der Engel gezeichnet?

Philip konnte überhaupt nicht zeichnen. Er saß in der Kunststunde neben mir, und es verstand sich von selbst, daß ich schnell seine Arbeit tat, ehe ich mich an meine eigene machte. Miß Curtis, das alternde Fräulein, das uns unterrichtete, war ein vernünftiges Frauenzimmer. Sie weckte schlafende Hunde nicht auf, obgleich sie sehr wohl wußte, was da vor sich ging. Der Morgen, an den ich denke, war äußerlich nicht bemerkenswerter als sie – immerhin, sie ermutigte mich zuerst, und ich mochte sie ganz gern. Wir saßen in einem hohlen Viereck und um das Podium, und auf dem Podium befand sich ein Kegel oder Ball, zuweilen ein Stuhl und eine Violine, manchmal ein lebendes Modell.

Das Mädchen, das an jenem Morgen da saß, war mir flüchtig bekannt. Sie saß gewöhnlich quer zum Raum und zum Hintergrund. Sie war ein schüchternes Mädchen. Ich beschloß im stillen, sie nicht zu zeichnen, sondern mich statt dessen auf meine Stabmännchen zu konzentrieren, die ein Schloß belagerten. Aber Philip stieß mich an. Ich warf einen Blick auf das Mädchen und kritzelte sie hin mit etwa zwei Linien und ein paar leicht schattierenden Flecken. Dann wandte ich mich wieder meinen Sturmleitern zu.

Miß Curtis wandelte hinter den Pulten. Ich begann so zu tun, als arbeitete ich nach dem Modell. Vielleicht lag etwas Ungewöhnliches in meinem Entschluß, sie nicht zu zeichnen. Vielleicht habe ich – wer weiß? mit anderen Augen gesehen, oder an die Zukunft gedacht. Mag sein, daß ich versuchte zu umgehen, was das Leben für mich bereit hielt.

»Philip Arnold! Sieh mal an, Philip!«

Miß Curtis stand hinter und zwischen uns. Wir wandten gleichzeitig die Schultern.

»Aber das da ist ja sehr gut!«

Sie beugte sich vor, ergriff das Papier und ging damit rasch zur Tafel. Alle Jungens und Mädchen richteten sich auf und blickten hin. Das Mädel hustete und rührte sich. Miß Curtis musterte die Zeichnung eingehend. Philip sonnte sich, und ich zerkaute in meiner Wut meinen Bleistift. Sie kam zu unserem Pult zurück.

»Laß es so, wie es ist, Arnold. Nur noch signieren.«

Philip schmunzelte und signierte. Miß Curtis sah mich an, mit freundlich verkniffenen Wangen und einem glitzernden Auge.

»Wenn du so zeichnen könntest, Mountjoy, würde ich sagen, du könntest eines Tages ein Künstler sein.«

Sie ging weg, ein wenig lächelnd, und ich prüfte mein verwaistes Porträt. Ich war erstaunt. Nachlässig und auf gut Glück hatte ich das Mädchen zu Papier gebracht, auf eine Weise, an die meine mühsam ausgeführten Porträtierungen nicht heranreichen konnten. Die Linie war schwungvoll, fröhlich, frei, vollkommen sicher. Sie vollbrachte kleine Wunder von Andeutungen, so daß das Auge ihre kleinen Hände schuf, obgleich mein Bleistift sie gar nicht erwähnt hatte. Diese freie Linie war zurückgeeilt und hatte ihr Gesicht geschaffen, sie hatte sich verdünnt, sie war abgebrochen, wo kein Bleistift, sondern nur die Phantasie etwas zu suchen hatte. Erstaunt und stolz sah ich mich um nach dem Modell.

In den Bildern an der Wand hinter ihr war etwas Loderndes: Tänzerinnen von Degas, irgend eine italienische Rokoko-Architektur und eine Brücke von Palladio, und sie nahm Platz und kühlte sie ab durch ihre Erscheinung. Ei und Samen waren zusammengekommen, um ein Mädchen zu schaffen, und der Unterschied sprang ins Auge. Ich konnte sehen, daß einer dieser Finger, gegen das Licht gehalten, durchsichtig sein würde, und die Handfläche womöglich ebenfalls. Ich konnte die Zartheit des Knochenbaues abschätzen, die Höhlungen neben jeder Augenbraue – wie umgekehrte Blumenkelche. Ich sah – ich möchte genau sein, wo Genauigkeit unmöglich ist – ich sah in ihrem Gesicht etwas, was ich weder beschreiben noch zeichnen kann. Wenn ich sage, daß sie in meinen Augen schön war; wenn ich sage, daß in ihrem Gesicht alle Unschuld versammelt war und zum Ausdruck kam, ohne blöde zu sein, milde Weiblichkeit ohne die Schmerzlichkeit des Geschlechts; wenn ich sage, daß sie, als sie da saß, Hände im Schoß, das Gesicht vom hohen Fenster erleuchtet, keusch und arglos erschien, anschmiegsam und lieblich: dann soll man wissen, daß ich nichts gesagt habe, was das uns vorgesetzte Modell im entferntesten beschriebe. Nur erkläre ich jetzt, über eine Generation hinweg, dem Geist von Nick Shales und der Greisengestalt der Rowena Pringle, daß ich in ihrem Gesicht und der Offenheit ihrer Stirn ein Licht sah, ein Licht in übertragenem Sinne, das mir trotzdem als ein objektives Phänomen, als etwas Reales erschien. Mit jedem Augenblick wurde sie mir mehr und mehr etwas Erstaunliches, eine Frage, ein Berg auf meinem Lebenswege. Ehe diese erste Stunde endete, hätte ich mir sagen können, daß sie eben nur ein Mädel war mit blondem Haar und einem ganz hübschen Ausdruck, aber da wußte ich es schon besser.

Wie groß ist ein Gefühl? Wo beginnt ein Schmerz und wo endet er? Wir leben von der Hand in den Mund, da wir uns in einer Situation sehen, vor der und in der wir unseren Tanz aufführen. Ich sagte schon, daß unsere Entschlüsse nicht durch Logik, sondern durch Gefühlsaufwallungen bestimmt werden. Wir haben Vernunft, aber wir handeln irrational. Es ist leicht, jetzt klug von ihr zu reden. Wenn ich jenes Himmelslicht sah, nun, so hätte es ein Gegengewicht gegen Nicks Rationalismus bilden sollen. Aber mein Modell war von Fleisch und Blut. Sie war Beatrice Ifor, und außer jenem unirdischen Ausdruck, jenem heiligen Licht, hatte sie Knie, die bisweilen seidig waren, und junge Knospen, die ihre Bluse beim Atmen hoben. Sie war eines der seltenen Mädchen, die gar nicht in das Flegelalter kommen, die immer adrett, immer ein wenig weicher sind als ihre Schwestern. Sie werden zu einem Widerspruch, der einen blind macht. Ihre unberührten, sanften Gesichter sind Engel der Verkündigung, und doch zeigen sie beim Gehen eine Seiltänzer-Haltung, die zu dem einlädt, was Pastor Watts-Watt ›schlimme Gedanken‹ genannt hatte. Sie war spröde, aber sie war es unbewußt. Sie war, sofern sie ein Mädchen war, wie andere Mädchen auch; aber für mich war sie einzigartig, insofern ich sie eben als ganz anders als andere Mädchen beschreiben kann. Sie war unberührt und unnahbar. Sie stammte aus einer respektablen Familie von Kaufleuten, und obwohl nun die Schranken, welche die Klassen mitten durchzogen, dahin sanken, obwohl die Strömungen uns jetzt in Typen und Gruppen und vorübergehend verbundene Paare schieden, blieb sie ungestört für sich. Niemand konnte von ihr das übliche Gekicher oder Neckereien erwarten. Ihre großen Augen, licht hellgrau und leuchtend unter den langen Wimpern, blickten ins Leere, nach einem in der Luft hängenden Nichts. Nun unternahm ich voller Leidenschaft noch einmal den Versuch, ihr Profil auf dem Papier festzuhalten, aber sie entglitt mir. Ich erlangte nie wieder die Leichtigkeit der Eingebung, die auf einem Glückszufall oder auf Unabsichtlichkeit beruht. Noch lag mein Meisterwerk da, und Philip Arnold hatte seinen Namen quer über die Ecke rechts unten geschrieben. Miß Curtis gewann einiges Vergnügen aus der Situation. Als das gestohlene Porträt, oder wenn man will, das aus freiem Willen geschenkte Porträt bei der Ausstellung der preisgekrönten Arbeiten an bevorzugter Stelle erschien, lobte sie die Zeichnung in einer Weise, wie sie es sonst nicht tat. Nachdem ich Miß Curtis lange genug mit Abneigung bedacht hatte, bemerkte sie lediglich zu mir, wo dieses Porträt entstanden sei, könnten ja noch beliebig viele andere entstehen. Aber zu meinem Schrecken war ich dauernd außerstande, Beatricens Wesen auf dem Papier wiederzugeben, ich mochte sie studieren so viel ich wollte. Sie fühlte sich durch das Porträt geschmeichelt und schenkte Philip den Anfang eines Lächelns, das auf mich wirkte wie ein Stich ins Herz. Denn ich war bereits verloren. Ich konnte sie nicht vermeiden oder umgehen. Ich stand aber unter einem Zwang: irgendwie mußte ich es fertig bringen, sie mit Erfolg zu zeichnen, und das erforderte eingehendes Studium. Aber dieses eingehende Studium verblendete mich nur. Sie war mir entsetzlich wichtig, und doch konnte ich, wenn sich die Tür hinter ihr schloß, ihr Gesicht nicht behalten. Ich konnte dieser besonderen Wesensauszeichnung, die sie so einzigartig machte, nicht habhaft werden, ich konnte mich nicht auf sie besinnen. Ich konnte nur leiden. Wenn sie dann wieder erschien, erkannte meines Herzens Empfindung eine Schönheit, die so jung war wie der Anfang der Welt. In der Welt meiner Phantasie waren die Träume recht edelmütig. Ich wünschte sie vor irgend etwas Gewalttätigem zu retten. Sie war in einem tiefen Walde verirrt, und ich fand sie. Wir schliefen in einem hohlen Baum, sie in meinen Armen, dicht an mir, das Gesicht auf meiner Schulter. Und auf ihrer Stirne lag das Licht des Paradieses.

Laßt uns überlegen, ob es am Ende anders hätte kommen können. Zu wem hätte ich gehen und darüber sprechen können? Nick hätte leicht die Achseln gezuckt. Miß Pringle hätte mich als Gefahr für ihre bleichsüchtigen Mädchen hinauswerfen lassen. Was Pastor Watts-Watt betraf, so war mittlerweile alles an ihm stumpfsinnig geworden, seine Knie nicht ausgenommen. Da die ganze Situation unerklärbar bleiben mußte, war es zugleich unvermeidlich und sinnlos, darum zu leiden. Denn Beatrice sah auf meinem Gesicht kein Leuchten. Die Wogen meiner Leidenschaft und Verehrung schlugen an ihre abgewendete Wange, und sie blickte sich nicht einmal um. Ich konnte ihr nicht sagen: ich liebe dich, oder: weißt du, daß ein Licht in deinem Angesicht leuchtet? In einer verzweifelten Bemühung, ihr näher zu kommen, versuchte ich, Possen zu treiben. Ich hörte meinen Albernheiten und Roheiten zu, während ich ihr die Füße hätte küssen mögen.

So nahm sie schließlich von mir nur Notiz, um mich deutlich zu ignorieren, und ich machte eine Hölle durch. Unreife Liebe ist nicht schlimmer oder stärker als die von Erwachsenen; aber schwächer ist sie keineswegs. Sie ist immer hoffnungslos, weil wir unter dem Windschutz wirtschaftlicher Umstände dazu gelangen. Wie alt war Julia?

Beatrice wohnte einige Meilen weit draußen auf dem Lande und kam im Bus zur Schule. Dieser Teil der Landschaft gewann Bedeutung für mich, und alles, was ich davon erfuhr, war mir eine Offenbarung. Mit wunden Füßen und einer nassen Lebenserfahrung wanderte ich viele Meilen, näherte mich auf Umwegen ihrem Dorf und bog wieder ab. Welche Geheimnisse da hinter dem weißen Zaun ihres Gartens waren, konnte ich nicht sagen, aber ich spürte sie. In mir und um mich herum gab es ein Lebensgefühl, so fremd wie die Welt der Dinosaurier. Ich war ihretwegen eifersüchtig, nicht nur, weil jemand anderes sie hätte nehmen können. Ich war auf sie eifersüchtig, weil sie ein Mädchen war. Ich war einfach auf ihre bloße Existenz eifersüchtig. Ich empfand es als schrecklich, aber untrüglich, daß ihre Macht nur vergrößern würde, wenn ich sie tötete. Sie würde vor mir eine Pforte durchschreiten und wissen, was ich nicht wußte. Die Gezeiten des Lebens wurden dunkel und stürmisch. Der graue, versagende Mann im Pfarrhaus dachte an nichts mehr als an sein Buch über den Pelagianismus. Wenn ich jetzt in seine Nähe kam, befiel ihn kein Schauder mehr, denn er stand dicht am Rande seines Grabes. Was hatten wir mit einander zu tun? Und die anderen Erwachsenen in meiner Umgebung, entfernt und erhaben wie die Figuren auf der Osterinsel – wie konnte ich von meinem Höllenleiden sprechen und es ihnen klarmachen? Sogar heute kann ich ja kaum mit mir selbst darüber sprechen.

In diesem Prokrustesbett suchte ich zu Entscheidungen über die Beschaffenheit der Welt zu gelangen. Da gab es diesen Schrecken, der mich Tag und Nacht begleitete, den ein angelsächsisches Wort mit vier Buchstaben so obenhin erwähnt. Da war der Brunnen in mir, aus dem gelegentlich der dringende Wunsch aufstieg, mich auszudrücken, und die Gewißheit, es zu tun. Ich konnte jetzt ein Gesicht in einem schnellen Zug hinwerfen – jedes Gesicht außer dem einen, das ich nicht behalten konnte –, und auf dem Papier erschien eine sprechende Ähnlichkeit. Ich versuchte sogar, auf indirekte Weise mit Beatrice in Verbindung zu kommen. Ich malte eine Weihnachtspostkarte für sie. Ich malte sie mit verzweifelter Sorgfalt, ich gab mir Mühe, sie immer wieder zerreißend und mit solch leidenschaftlicher Hingabe wiederholend und vereinfachend, daß ich, ohne es zu wissen, die ganze Kunstgeschichte durchschweifte. Diese purpurnen und roten Farben wurden zu fliegenden Gestalten, zwischen denen das blau-weiße Ding, das zuerst ein Stern sein sollte, jetzt plattgeschlagen und kaum mehr zu erkennen war. Der schwarze und zackige Strich durch die Mitte meines Bildes, das war ihr Profil, zuerst mit buchstäblicher, langweiliger Genauigkeit gezeichnet, jetzt nur noch als Symbol zu erkennen. Hinter diesem wilden Sprung im täglichen Leben kämpften die Ergüsse der Farben, eine unbeschreibliche Konfusion. Was glaubte ich damit zu erreichen? Glaubte ich etwa, zwei Kontinente könnten sich auf so einer Basis verständigen? Begriff ich nicht, daß keine meiner Aufwallungen imstande war, ihr stilles Wasser zu beunruhigen? Ich hätte ihr lieber zwei Worte aufs Papier schreiben sollen: hilf mir! Dann schickte ich ihr schließlich die Karte, anonym – sonderbarer, verwickelter, stolzer Widerspruch! – und darauf erfolgte natürlich nichts.

Geschlecht, sagt man, und jetzt, da es gesagt ist: wie steht's damit? Die Schönheit des Kosmos der Miß Pringle war verdorben, weil sie eine Hexe war. Nicks verkümmertes Universum wurde angestrahlt von seiner Menschenliebe. Das Geschlecht trieb mich kräftig an, zu wählen und zu wissen. Doch wählte ich nicht einen materialistischen Glauben, ich wählte Nick. Das ist der Grund, warum Wahrheit so unerreichbar erscheint. Ich weiß, daß ich vernunftwidrig handle, weil in mir ein rationalistischer Glaube dämmerte und ich in der Logik oder ruhigem Denken eine Grundlage dafür fand. Die Wände, in denen wir leben, bestehen aus Menschen, nicht aus Philosophien.

Die Schlußfolgerungen, die ich aus Nicks unlogisch angenommenem System zog, waren logisch. Es gibt keinen Geist, kein Absolutes. Gut und Böse unterliegen daher einer parlamentari-

schen Entscheidung wie der, daß es nach halb elf keine Wett-
scheine oder alkoholischen Getränke mehr geben darf. Aber warum sollte Samuel Mountjoy, an seinem Brunnen sitzend, sich einem Mehrheitsbeschluß anschließen? Warum sollte Sammys
Gutes nicht das sein, was Sammy entscheidet? Nick hatte einen
heiligmäßig frommen Schuhflicker zum Vater und wußte gar
nicht, daß das die Voraussetzung seines eigenen moralischen Lebens war. Es gibt keine Moral, die man aus der Naturwissenschaft
ableiten könnte: da gibt es nur Amoralisches. Der Vorrat an
Optimismus und Güte, den das neunzehnte Jahrhundert ange-
sammelt hat, war erschöpft, ehe er mich erreichte. Ich verwandelte Nicks unschuldige Papierwelt in eine amoralische Welt, in
der ich eine einsame Stelle einnahm, an welcher der Mensch gefangen saß ohne Hoffnung und so viel wie möglich genießen
mochte, während diese Welt funktionierte. Aber da ich all das
aufzeichne, nicht so sehr um mich zu entschuldigen als um mich
selbst zu verstehen, muß ich auch noch von den Komplikationen berichten, die das Ganze wieder durcheinander brachten. In
dem Augenblick, da ich entschied, daß Recht und Unrecht nur
Worte und relativ seien, spürte ich, sah ich die Schönheit des
Heiligen und schmeckte in meinem Munde das Böse wie das
Erbrechen.

In dem Jahr der Mannbarkeit wurde uns die Sexualität demon-
striert, und weil sie diejenigen betraf, die wir teilweise bewun-
derten, so dachte ich wenigstens, daß ich's jetzt begriffen hätte.
Miß Manning unterrichtete uns in Französisch. Sie war ungefähr fünfundzwanzig, eine schläfrige Person, süß wie Sahne,
mit wirrem schwarzen Haar und einem feuchten Mund. Sie unterrichtete, aber man hatte den Eindruck, daß sie die ganze Zeit
an etwas anderes dachte. Zuweilen streckte sie sich, wie eine
Katze, und lächelte träge, als ob sie uns und das Klassenzimmer
und Erziehung ganz nett aber lächerlich fände. Sie sah aus, als
könnte sie uns an irgend einer anderen Stelle etwas wirklich
Wissenswertes lehren, und ich hege keinen Zweifel, daß sie das
gekonnt hätte. Sie erregte uns Jungens angenehm mit ihrem
V-förmigen Busen zwischen blauen Aufschlägen und auch mit
den runden, seidenen Knien; denn dies war die Epoche der
Knie, wenn eine Frau sich setzte, so daß es eine kleine Konkur-
renz um die günstigsten Plätze gab, was, glaube ich, bei unserer

Miß Manning nicht unbemerkt blieb. Sie war niemals ärgerlich und nie besonders hilfreich. Die ganze Zeit schien sie zu denken: ihr armen, unbedarften Mädelchen, und ihr hoffnungsvollen, bepickelten Bengels! Habt nur Geduld – mit einem Mal werden die Pforten aufgeschlossen, und ihr werdet aus dem Kinderzimmer hinausgehn. Miß Manning war tatsächlich eine zu attraktive Frau, um mit ganzem Herzen bei ihrer Arbeit zu sein.

Auch Mr. Carew fand sie anziehend. Wir hatten geglaubt, er kenne nur zwei Lebensinhalte: Rugby und Latein, aber nun sahen wir, daß er das gleiche Idol anbetete wie wir. Wenn er mit uns auf dem Spielfeld trainierte und Miß Manning auf der Seitenlinie erschien, wurden nicht nur wir, sondern auch er zu Exzessen männlicher Aktivität angespornt. Mit welchem Elan wir uns ins Gedränge warfen! Und wenn wir unsere Stellungen für den Anstoß einnahmen, was für lange, weitgreifende Sprungschritte machten wir da, wobei wir gar nicht daran dachten, daß Miß Manning zusah! Aber Mr. Carew trainierte uns dann noch einmal so scharf, er demonstrierte die besondere Methode, mit der er den Ball wie einen Torpedo weit über die Stürmerreihe hinweg ins Aus schoß, wozu sonst dreie gehörten. Diese Anstrengungen waren etwas merkwürdig, denn Mr. Carew war verheiratet und hatte ein kleines Baby. Er war ein großer, blonder, rothäutiger, schwitzender Mensch – vielleicht lag das am Rugby, aber in meiner Erinnerung schwitzte er beständig. Er war an einer unbedeutenderen höheren Schule gewesen, und sein Rugby war viel besser als sein Latein. Es wäre nicht leicht für ihn gewesen, eine andere Stellung zu bekommen – aber wir waren gerade vom Fußballspiel zum Rugby übergegangen, was wohl sein Lebensglück ausgemacht hatte. Aber unsere Miß Manning erschien sehr oft an der Seitenlinie des Spielfelds, offensichtlich darauf bedacht, keine schmutzigen Füße zu kriegen. Wie Mr. Carew ihr lachend und sorgfältig um eine besonders schmutzige Stelle herumhalf! Dann wurde das Spiel so lange unterbrochen, und er blieb an ihr hängen, sehr laut lachend und Wolken von Atemdunst und Dampf in die Novemberluft schickend. Mit männlichem Stolz führte er sein Klub-Wappen vor, und Miß Manning lächelte dazu angenehm.

Unser Schuldiener war ein schwabbliger alter Soldat, der uns vom Rasen wegjagte, als wir noch klein waren, und uns vom Leben erzählte, als wir die Pickel bekamen. Ganz in der Nähe der Schule war eine Kneipe, und wenn er nach der Dinner-Pause zurückkam, wehte eine Fahne vor ihm her wie der Herold eines Königs. Dann glättete er seinen grauen, militärischen Schnurrbart und erzählte, wie er im Gefecht auf zweitausend Meter gegen Kavallerie gestanden hatte, und er zeigte uns die Narbe, die er im Dienst an der Nordwestgrenze erhalten hatte. Je mehr Bier er trank, desto militärischer wurde er. Diese Zunahme an martialischem Eifer ging Hand in Hand mit einer Erhöhung seiner moralischen Gesinnung. Normalerweise war er gegen Wickelgamaschen und Lippenstifte eingenommen; aber wenn er genug getrunken hatte, waren kurzröckige Frauen im Parlament etwas Unnatürliches, kurzgeschnittene Haare, Bubikopf, Herrenschnitt – aber offenbar nicht Rasieren – schlugen der Vorsehung ins Gesicht und gehörten zu den Gründen für den Verfall der modernen Armee. Er war für das Bajonett, Mr. Baldwin, und hielt das Übrige für dummes Zeug.

Damals, es waren Novembertage, kurz und kalt und schmutzig, war er in Sorge. Er hatte etwas auf dem Herzen. Benommen vom Bier, schnaubte er uns mit seiner geäderten Nase, seinem schnurrbärtigen Mund und gelbunterlaufenen Augen an, die wir ihm neugierig ins Gesicht blickten, er könnte uns nur andeutungsweise sagen, daß, würde er uns alles erzählen, unsere Mütter uns an eine sauberere Stelle versetzen würden. Es gäbe einige Dinge, die so junge Burschen nicht zu wissen brauchten. »Das wär' alles, also fragen Sie mich nicht mehr, junger Mountjoy, verstanden?«

Er war so nahe daran, sich zu verraten, daß wir zu fieberhaften Kombinationen und Verdächten gereizt wurden. Wir ließen ihn nicht in Ruhe. Wir hatten nun einmal Honig geschleckt und ließen nicht mehr locker. Mr. Carew und Miß Manning waren für uns Adam und Eva, sie waren die Geschlechter an sich. Diese Aufregung war dem männlichen Teil vorbehalten, den unbedarften Mädels wurde sie verschwiegen. Es war Wissen, Zauber, es war das Leben. Während der Essensstunde gab es einen Lehrer vom Dienst für die Jungen und eine Lehrerin vom Dienst für die Mädchen; aber wer beaufsichtigt die übrigen Aufseher? Was war natürlicher, als daß sie sich trafen, und daß

Benjie, auf seinem Rundgang sie im Heizkeller oder sonstwo zu Gesicht bekam, ohne selbst gesehen zu werden. Dazu kam, daß er nur eine moralische Ausrede zur Verfügung hatte. Was sollte er tun? Sollte er den Direktor verständigen? Das raubte ihm den Schlaf und brachte ihn zum Trinken. Wozu war er verpflichtet? Sollte er oder sollte er nicht reden?

Es schien nur eine Möglichkeit zu geben, diese Krisis auf den Höhepunkt zu bringen. Ja, riefen wir, mit noch stärkerer Tugend als er, natürlich sollte er. Die Krise ins Rollen bringen! Schließlich war das ja ein bißchen stark, wenn – so genossen wir unsere Tugend und Aufregung. Miß Manning! Die süße, übersüße Miß Manninig! Mr. Carew, dampfend und rot!

Fünf von uns schlichen hinter Benjie her, als er sich endlich entschlossen hatte. Wir blieben in einem verlassenen Korridor und sahen zu, wie er an der Tür des Direktorzimmers klopfte und eintrat. Danach warteten wir fast zehn Minuten; wir hatten nur nicht genug Mut, näher heran zu gehen und an der Tür zu horchen. Mit einem Male ging sie auf, und Benjie kam rückwärts heraus, die Mütze in der Hand und redend. Der Direktor kam hinterher und versuchte, ihn zum Schweigen zu bringen. Aber Benjie schnaubte vor Zorn und sprach laut.

»Ich hab's schon mal gesagt, Sir, und ich werd's immer wieder sagen: schlimmer hätt's auch nicht sein können, wenn sie verheiratet wär'n!«

Dann sah der Direktor uns. Ich denke, es war ihm vollkommen klar, weshalb wir da lauerten und warum wir so interessiert waren. Zum mindesten ich erwartete einen Anschnauzer von ihm, aber er sagte nichts zu uns. Er sah nur bekümmert aus, als ob er etwas verloren hätte. Er war nicht dumm, dieser Direktor. Er wußte, wann eine Geschichte vergessen werden konnte, und wann sie zu vielen Menschen zu Ohren gekommen war.

Solange sie sich an der Schule aufhielten, waren nun Mr. Carew und Miß Manning höchst beliebt und bewundernswert. Sie waren für uns nicht einfach Lehrer, sie hatten vielmehr das Stadium der Erwachsenen, das Stadium derer, die sündigen, erreicht. Sie waren unsere Film-Stars. Wir hätten zu Miß Mannings Füßen gesessen und ihr mit Hingabe und Aufmerksamkeit zugehört, wenn ihr etwas daran gelegen hätte, uns alle Geheimnisse des Lebens zu erzählen. Wir hätten ihr alles geglaubt, was sie auch erzählt hätte; und darin liegt ein weiterer Widerspruch. Bei ihrer letzten Unterrichtsstunde betrachteten wir Miß Manning mit angehaltenem Atem, ob irgend ein Zeichen der Erlebnisse, die sie gehabt hatte, an ihr zu entdecken sei. Aber das wirre schwarze Haar, der Blusenausschnitt, das träge süße Lächeln und der breite rote Mund sahen aus wie immer. Die seidigen Knie waren wie immer. Einmal streichelte sie ihr Bein, begann bei dem Knie, glitt mit der Hand abwärts, strich am Schienbein entlang und zog es zugleich hoch, sie ließ die seidene Schlange durch die Handfläche schlüpfen, daß man sich hätte vorstellen mögen, sie könnte das ganze Bein glatt streichen und durch einen Ring ziehen. Dann kam das Ende der Stunde, und als wir in unseren Pulten standen, entließ sie uns mit einem merkwürdigen Satz, wie einer, der im Begriff ist, für immer zu entschwinden:

»Eh bien, mes amis. Au revoir!«

Dann waren sie fort, alle beide, und der Lehrkörper war wieder grau und mißfarben. Für Miß Pringle kam eine Reihe von Tagen, da die Welt ihr zu schwer war – ihr Kopf sank zurück, sie seufzte verzweifelt; aber einmal, als ich mich auf ihre Unaufmerksamkeit verlassen wollte, fauchte sie mich sofort wütend an wie ein Schweißbrenner. Nick reagierte anders. Er enttäuschte mich zum ersten und zum letzten Mal in seinem Leben. Ich nahm allen Mut zusammen und richtete zögernd eine Frage an ihn, die das Geschlechtsleben und all das betraf; was mich dazu trieb, war mein Phantasieleben und Miß Manning und Beatrice und daß ich ein Mädel zu sein wünschte und darüber grübelte, ob ich nicht im Begriff sei, mich zu töten?

Nick fuhr mich heftig an, ich sollte den Mund halten. Dann sprach er, errötend, während seine Augen Wasser beobachteten, das in einer Flasche kochte.

»Ich glaube nur an das, was ich anfassen und sehen und wiegen und messen kann. Aber wenn der Teufel den Menschen erfunden hätte, könnte er ihm keinen dreckigeren, schlimmeren, keinen schmählicheren Streich gespielt haben, als mit der Einpflanzung des Geschlechtstriebes!«

So war das also. »Schlimmer hätt's nich sein können, wenn sie verheiratet gewesen wär'n!« Und obwohl ich mit meiner Vermutung, Benjie hätte lieber sagen sollen: »Es hätte nicht besser sein können –« unter den Jungens Beifall fand, erkannte ich doch den gefallenen Engel wieder. In meinem allzu empfänglichen Geist kleidete sich das Geschlecht in prachtvolle Farben, glänzend und schlimm. Ich befand mich damals in diesem glitzernden Netz, ganz so wie die Seidenspinner, wenn sie flatterten und ihre schlanken Leiber peitschten und den rötlichen Moschussaft ihrer Paarung verspritzten. Moschussaft, schandbar und berauschend, sei du mein Gott. Moschussaft auf Beatrice, die nichts davon weiß, die nicht daran denkt, keusch ist und kühl, noch Jahre davon entfernt, sich mit einem Manne zusammenzutun, und wenn sie es überhaupt je tut, dann mit einem anderen Mann. Moschussaft, wenn der Mann nur ein Tier ist, das muß das sein, was gut an mir ist, denn das gilt für alle Tiere. Der ist der Männlichste, der die größte Herde sein eigen nennt. Erzählt uns nicht, daß wir die höchstgearteten Tiere seien, und erwartet dann von uns nur die besessene Fürsorge für die Jungen, den Herdeninstinkt, und nicht die kämpferischen Hufe des Hengstes. Was jenes Licht um die Stirne betrifft, das unendliche Strahlen des paradiesischen Morgens – das ist eine Illusion, ein Nebeneffekt. Gib nichts darauf, vergiß es, wenn du kannst.

Daher begab ich mich entschlossen in die Welt der jungen Burschen, wo es Mercutio gab, wo Valentin und Claudio waren und wo ich Gelegenheit fand, ein Vergehen zu erfinden, das zu der Strafe paßte. Schuldig bin ich; daher will ich auch böse sein. Wenn ich finde, daß ich die glänzenden Verbrechen nicht begehen kann, dann will ich wenigstens behaupten, ich hätte sie begangen. Schuld kommt vor dem Verbrechen und kann es verursachen. Meine Ansprüche an das Böse waren weltschmerzlich wie diejenigen Byrons; und Beatrice schaute weg.

Die Zeit kam, wo ich weggehen mußte. Beatrice besuchte ein Seminar in Süd-London, wo sie zur Lehrerin ausgebildet werden sollte. Ich ging auf die Kunstakademie. Ich hatte kein klares Verlangen nach Erfolg. Ich plapperte die Propagandaphrasen der Partei nach, weil man in dieser Gesellschaft die Illusion ständiger Freiheit hatte, die umgekehrte Freiheit des Mönchs. Wir nahmen Abschied, wir bekamen unseren Segen. Nick sagte zu mir in seltsam religiöser Ausdrucksweise: »Was auch immer deine Hand zu tun findet, tu es mit all deiner Kraft.«

Der Direktor brauchte länger, aber er sagte ungefähr dasselbe.

»Na, Sam? Du gehst?«

»Jawohl, Sir.«

»Und du bist zu mir gekommen, um ein paar weise Worte mitzunehmen?«

»Ich hab die anderen schon besucht, Sir.«

»Das Dumme bei einem guten Rat ist, daß du dich vielleicht daran erinnerst.«

»Sir?«

»Setz dich, mein Junge, setz dich eine Minute hin und sei nicht nervös. Dahin. Zigarette?«

»Ich –«

»Schau dir deine Finger an und tu nicht so. Die Asche kannst du in den Korb da tun.«

Plötzlich eine unerklärliche Gefühlsregung.

»Ich möcht' Ihnen danken für alles, was Sie an mir getan haben, Sir.«

Er schwenkte seine Zigarette.

»Was soll ich dir noch sagen? Du wirst dich weit von der Rotten Row entfernen.«

»Das war schon bei Pastor Watts-Watt der Fall, Sir.«

»Zum Teil.«

Plötzlich drehte er sich in seinem Stuhl zu mir um und sah mir ins Gesicht.

»Sam. Ich möchte, daß du mir hilfst. Ich möchte – ich möchte verstehen, worauf du hinauswillst. O ja, ich weiß Bescheid über die Partei, das wird für dich ein oder zwei Jahre dauern. Aber du selbst – du bist ein Künstler, ein geborener Künstler, Gott weiß warum und wieso. Ich habe noch niemanden mit einer so eindeutigen Begabung gesehen. Aber diese Porträts – haben die keine Bedeutung für dich?«

»Ich glaube wohl, Sir.«

»Aber gewiß – es muß doch irgend etwas geben, was für dich Bedeutung hat? Nein, warte! Sprich mir nicht von der Partei. Das nehme ich als genossen, Sammy, ich bin ein genügsamer Mann. Aber du selbst. Gibt's da nichts, was dir wichtig erscheint?«

»Ich weiß nicht.«

»Du hast diese Begabung, und du hast nicht darüber nachgedacht, ob das wichtig ist? Paß mal auf, Sammy. Wir brauchen uns doch gegenseitig nichts mehr vorzumachen, nicht wahr? Du hast ein außergewöhnliches Talent, das dich heraushebt, als ob du an jeder Hand einen sechsten Finger hättest. Du weißt das, und ich weiß es. Ich sage dir keine Schmeicheleien. Du bist unehrlich und selbstsüchtig, ebenso wie du ein – was auch immer du sein mögest. Stimmt's?«

»Sir.«

»Dein Talent bedeutet dir nichts?«

»Nein, Sir.«

»Du bist nicht glücklich.«

»Nein, Sir.«

»Du bist es schon seit einigen Jahren nicht, wie?«

»Nein, Sir.«

»Glücklichsein, dazu bist du nicht da. Das sag ich dir. Überlasse das Glücklichsein anderen, Sammy. Das ist eine Fünf-Finger-Übung.«

Er hielt die rechte Hand hoch und wand die Finger umeinander.

»Also deine Porträtzeichnungen sind an sich ohne Bedeutung für dich. Sind sie Mittel zum Zweck? Nein. Vergiß die Diktatur des Proletariats. Welchen Zweck also?«

»Das weiß ich nicht, Sir.«

»Erwartest du denn nicht, eines Tages berühmt und reich zu sein?«

Jetzt war es an mir, zu denken.

»Ja, Sir, das wäre sehr schön.«

Er lachte plötzlich kurz auf.

»Was so viel heißt wie: es ist dir verdammt egal. Und da soll ich dir 'n Rat geben. Na, das werde ich nicht tun. Lebwohl.«

Er nahm mir den Zigarettenstummel ab und schüttelte mir die Hand. Aber ehe ich die Tür schließen konnte, regte sich der unverbesserliche Schulmeister in ihm und rief mich zurück.

»Ich will dir doch etwas sagen, was dir vielleicht von Nutzen ist. Ich glaube, es ist wahr und mächtig – und daher gefährlich. Wenn du etwas mit genügendem Nachdruck erreichen willst, so kannst du es immer erlangen, vorausgesetzt, du bist willens, ein angemessenes Opfer dafür zu bringen. Irgendwas, irgend ein Opfer. Aber was du erreichst, ist niemals ganz das, was du dachtest, und früher oder später reut einen das Opfer immer.«

Ich ging hinaus und verließ die Schule. Es war Hochsommer; mir schien, obgleich ich ja nur eine Vormundschaft gegen eine andere eintauschte, als stünde die ganze Welt mir offen. Ich wollte nicht ins Pfarrhaus zurückkehren, ich wanderte aus der Stadt hinaus und an den Hügeln entlang. Da gab es den Wald, der sich zwischen dem Hang und dem Fluß an die Hügel klammerte. Ich war plötzlich sehr aufgeregt und begann in dem hohen Farnkraut umherzuwaten, als wenn ich darin das Geheimnis finden könnte.

Sogar die Holztauben vereinigten sich, sie sangen andauernd den Refrain eines Tanzschlagers: ›Wenn du Susie kennen würdest‹ sangen sie in den grünen Laubkronen, und der ganze Wald, das Farnkraut, die Fliegen und unbekannten kleinen Insekten, die hoppelnden Kaninchen, die Schmetterlinge, braun, blau und weiß, alles summte liebestoll, denn der Moschussaft war das größte Glück der größten Menge. Und der schwere Himmel, vom Blau zum Purpur, er füllte jeden Raum zwischen den Bäumen mit zolldicken Stücken farbigen Glases, nur auf Armeslänge außer Reichweite. Die hohen Wedel des Farnkrautes berührten mir die Kehle oder wickelten sich mir um die Beine. Aus allem, was da lebte, stäubte ein Pulver, ein Gewürz, das die Luft, in der ich watete, verdickte. In den Vertiefungen des Waldes, zwischen Verwehungen welken Laubs und knakkender Zweige, zwischen Stämmen, so massig wie die Pfeiler in einer Kathedrale, sprach ich in die heiße Luft hinein, worauf es mir ankam: auf den weißen, ungesehenen Leib der Beatrice Ifor, ihren Gehorsam, und auf den Schutz, den ich ihr für alle Zeit verhieß; und für den Schmerz, den sie mir verursacht, wollte ich ihr die äußerste Erniedrigung antun bis an die Grenze des Todes.

An jenem Abend muß um mich ein beträchtlicher Kampf getobt haben. Jedem kommt einmal sein Tag, und ich sehe endlich, daß dies mein Tag war. Denn die Gewürzdüfte des Waldes waren nicht mehr da, die Luft war mir heiß und stickig, als ich unter dem Wehr hervorkam, wo die Kiesel unter dem Wasser das ganze Jahr zittern und die festgewachsenen Lilien ziehen und nicken und hin und her schwanken. So daß, wie ich jetzt sehe, kein Zweifel daran bestehen sollte, daß der Engel am Tor des Paradieses sein Schwert zwischen mich und die Düfte hielt. Er blies wie sein Schöpfer auf das Wasser unter dem Wehr, und mir schien, als warte das Wasser auf mich. Ich zog mich aus und tauchte hinein, und ich spürte meine Haut, sie war fest von Kopf bis Fuß, eine glatte Verpackung all meiner Schätze. Nun kannte ich das Gewicht und die Gestalt eines Mannes, seine Temperatur, seine Dunkelheiten. Ich kannte mich selbst, die Blicke, die mein Auge schoß, ich stand fest, ich konnte die Saat säen vom Ende meines starken Rückgrats. Angekleidet und abgekühlt, rein wie ein unberührtes Mädchen, schritt ich weg von dem vorsorglichen Gewässer und den Hang hinauf. Schon waren Sterne erschienen, große glänzende Sterne, die alle einzeln mit dem Daumen befestigt worden waren. Da saß ich zwischen Himmel und Erde, zwischen Kloster und Straße. Die Wasser hatten mich geheilt, und in meinem Mund spürte ich den Geschmack der Kartoffeln.

Was ist dir wichtig?

»Beatrice Ifor.«

Sie hält dich für bereits verderbt. Sie mag dich nicht.

»Wenn ich etwas nachdrücklich genug erreichen will, kann ich es immer erlangen, vorausgesetzt, ich bin willens, das erforderliche Opfer zu bringen.«

Was willst du opfern?

»Alles.«

Hier?

13

»Mr. Mountjoy? Sie sind angemeldet. Ich rufe eben mal an.«

Ein Löwe knirschte an meiner linken Hand, richtete sich auf, blutunterlaufene Augen, Blut und Zorn. Zur Linken wand sich eine Riesenschlange über einen herabhängenden und blankpolierten Ast – aber wo war der Ziegenbock für das Opfer? Ich forschte nach ihm, während die Empfangsschwester in ihr Telefon sprach, und er war da, afrikanisch mit Hörnern im phantastischen Aufputz und den gelben Augen der Gier. Ich dachte im stillen, es schiene mir, als stände ich nicht auf dem Fußboden, sondern ein wenig darüber. Dies war das Haus, wo man abgemustert wurde. Hier war die Vergangenheit nicht eine Reihe von Eisbergen, die auf irgend einem Persönlichkeits-Grund standen. Dies war das graue Haus, wo eins dem anderen folgt. Komm her ins Gefängnis des ausgestopften Löwen und der ausgestopften Riesenschlange und des ausgestopften Ziegenbocks. Komm her und sieh zu, was du angerichtet hast.

»Mr. Mountjoy, Dr. Enticott ist noch nicht ganz fertig, läßt Sie aber bitten, in sein Büro zu gehen. Wissen Sie den Weg?«

»Ich fürchte, ich bin nie – das heißt: nein.«

Die Empfangsschwester zeigte mir auf einem Plan, wie ich zu gehen hatte. Durchaus nicht, es war ihr ein Vergnügen, berufsmäßig glatt, hilfreich und ungerührt. Gewöhnt daran, mit zu viel Freude, mit zu viel Kummer zu tun zu haben.

Die Park-Anlagen waren geblieben, wie sie waren, ich erkannte sie wieder. Die Zeder war noch da, und jeder Ast reichte über eine Wasserfläche und bezeichnete sie mit schwimmenden Nadeln. Die Masse des Hauses war noch dieselbe wie einst, nur ein bißchen kleiner. Da, an der Rückseite des Hauses erstreckte sich die Terrasse, wo der Mann so feierlich auf und ab geschritten war. Johnny und ich müssen da hinter den buckligen Resten der Hecke versteckt gelegen haben. Aber da gab es noch andere Gebäude, die inzwischen auf dem Grundstück entstanden waren, niedrig und zweckmäßig, wie Pilze aus dem Boden geschossen. Der weite Rasen war von Zementwegen durchschnitten, und diese waren abgetreten und brüchig, obwohl sie erst nach unserem unbefugten Herumstreichen entstanden waren. Ich war so lange ein Gefangener gewesen, daß ich jetzt, knapp hundert Meter von meinem eigenen Hause und auf dem Grundstück eines englischen Krankenhauses, nicht wagte, den Weg zu verlassen, und im Zickzack, gehorsam dem Zement folgend, über die Wiese ging. Die Gartenanlagen waren gepflegt wie öffentliche Anlagen, und die Luft war frisch wie Höhenluft. Dennoch lag über dem Hause wie den Gartenanlagen ein Hauch von Amtlichkeit wie die graue Farbe eines Gefangenenlagers. Zwei Frauen ergingen sich unter den Bäumen,

Arm in Arm. Sie gingen gemächlich spazieren, aber auch sie waren von der Graufarbigkeit umhüllt. In der Mitte des Rasens stand eine einzelne Gestalt, einer unschönen Statue gleichend, eine schwerfällig gebaute Frau, sie stand da mit verschränkten Armen, als hätte die Zeit sie so betroffen und dann stehen lassen.

Kenneths Büro war leer. Es gab da grüne Aktenschränke, Papiere, Schreibfeder, Löschblatt-Unterlage und eine Couch für Geständnisse. Es war ein gutes, luftiges Geschäftszimmer, sozusagen eine Werkstatt, und es hätte ganz angenehm ausgesehen, wenn es woanders gewesen wäre.

Er kam hinter mir herein.

»Hallo.«

»Da bist du ja.«

Aber das war nicht der Kenneth, der sich auf Gesellschaften mit seinen wundervollen Geschichten so laut hervortat, Kenneth mit seiner Bewunderung für Taffy und seiner Zuneigung für mich. Dieser Mensch war so wenig Kenneth wie ich der Sam war, der in Slacks und Pulli daherschlakste. Hier trafen wir offiziell zusammen, in guten Anzügen und gezwungen.

»Willst du nicht Platz nehmen?«

Wir sahen uns gegenseitig über den Schreibtisch weg an, und ich sprach zuerst.

»Ich nehme an, dieser Besuch ist sehr – ungewöhnlich?«

»Wie kommst du darauf?«

»Ich bin kein Verwandter.«

»Wir sind hier nicht in Indien.«

»Ich kann sie sehen?«

»Natürlich. Das heißt, wenn sie dich sehen will.«

»Nun also.«

»Kommt Taffy später?«

»Sie kommt nicht.«

»Aber sie sagte doch – «

»Warum sollte Taffy kommen?«

»Aber sie sagte – ich meine – sie wünschte Miß – «

»Das ist nicht möglich!«

»Sie sagte, Miß – wie heißt sie noch – sei mit euch beiden befreundet – «

»Das hat sie gesagt?«

»Natürlich!«

»Sie hat heute abend mit ihrer Weingeschichte zu tun. Du wirst doch dabei sein, nicht wahr?«

Ich sah, wie die Enttäuschung sich über seine Miene verbreitete. Er fuhr mit dem Bleistift herum und warf ihn auf das Löschblatt.

»Na, gut.«

Taffy war also diplomatisch gewesen. Es sah besser aus, wenn wir beide Beatrice gekannt hatten. Die stützende Hand.

»Vielleicht kann sie später kommen und Miß Ifor besuchen.«

Kenneth brachte sein Gesicht in Ordnung.

»Natürlich. Natürlich.«

Es ist wahr, diese Anstalten sind nicht unbedingt Prokrustesbetten der Menschlichkeit und des Verständnisses. Man kann durch so ein Krankenhaus gehen, ohne etwas zu erfahren.

Kenneth sprang auf, öffnete einen Aktenschrank und entnahm ihm einen Stoß Papier. Er blätterte ihn durch, wobei er seinem Gesicht wieder den Ausdruck verlieh, wie es sich seiner Meinung nach für einen Arzt gehörte, zurückhaltend und verantwortlich. Aber Jugend läßt sich nicht verleugnen, und seine Maske war durchsichtig. Er hätte mein Sohn sein können.

»Wann kann ich sie also sehen, Kenneth?«

Er fuhr zusammen.

»Jetzt gleich, wenn du willst.«

Ein bißchen niedergeschlagen. Ja, er war tatsächlich gekommen, sie zu sehen, nicht mich: Taffy ist nicht mitgekommen, sie denkt nicht an mich.

»Nun – «

Er sprang plötzlich auf.

»Also komm mit.«

Ich erhob mich, ihm zu folgen. Meine Füße gehorchten, aber in meinem Geist gingen sonderbare Dinge vor und benahmen sich aufsässig. Man sollte Zeit haben, sich zu besinnen, dachte es in mir. Ich will mir doch vorher die Hände waschen. Man sollte sich entschließen, zurückzudenken, man sollte den Zeitstrom ausdehnen können bis zu dem Punkt, da du sie zum letzten Mal sahst. Und doch öffnen und schließen sich die Stellen vor meinen Augen, und Kenneth liebt Taffy, und dieser Komplex bildet eine Halbinsel in diesem Ozean von Ur-

sache und Wirkung, der Beziehung zwischen Beatrice und mir.
»Hier lang.«
Jetzt fällt es mir wieder ein. Es war an dem Morgen, als ich
vor dem Seminar auftauchte, nachdem ich die ganze Nacht ge-
wandert war, an dem Morgen, als ich zuerst so tat, als ob ich
halbwegs um die Biegung herum sei. Ich erinnere mich, was sie
sagte: *Du darfst niemals so etwas sagen, Sammy.*
Aber am deutlichsten erinnere ich mich an ihren Schrecken.
»Einen Augenblick.«
Kenneth war stehengeblieben und sprach mit einer Kranken-
schwester. Er tat das, um mir Eindruck zu machen mit ihrem:
Jawohl, Dr. Enticott, nein, Dr. Enticott. Ich bin zwar nicht
berühmt, Sammy, aber ich habe auch meine Würde.
Kannst du nicht sehen, daß ich bis zum Hals im Eise stecke auf
dem Paradieshügel?
»Hier sind wir, Mr. Mountjoy. Ich werde lieber vorangehen.«
Formell, denn nun ist er im Beruf.
Es war ein sehr großer Raum, vielleicht ein ehemaliger Salon,
dessen plastisch verzierte Stuckdecke schwer über uns hing, vom
Staub in stumpfen Linien gezeichnet, wie wenn man Messing
oder Haut reibt. Die drei großen Fenster zur Linken waren zu
groß, um oft gereinigt zu werden, so daß sie das Licht zwar
hereinließen, aber es verdunkelten. Bilder oder Vorhänge gab
es da nicht, obgleich der hell-grüne Raum nach beidem schrie.
Es gab da überhaupt wenig Stoff. Schwere runde Tische standen
regellos herum, Stühle, und ein oder zwei Sofas an der gegen-
überliegenden Wand.
Eine Anzahl Frauen befand sich in dem Raum, zufällig verstreut wie die Möbel. Eine hielt einen Ballen Schnur. Eine andere stand am mittleren Fenster und schaute hinaus, unnatürlich
still wie die plumpe Figur auf dem Rasen. Die Schwester wußte
sich in diesem Aquarium zurechtzufinden. Sie schwamm geradewegs zwischen den Tischen in die dunkelste Ecke, rechtshin
über endlosen Fußboden weg.
»Miß Ifor.«
Nein.
»Miß Ifor! Ihr Besucher ist gekommen!«
Da saß jemand auf einem Stuhl vor einem der Sofas. Sie blickte
die Wand zur Rechten an, die Hände im Schoß. Sie war offen-

bar so hingesetzt worden. Ihr dünnes, gelbliches Haar war kurzgeschnitten wie bei einem Jungen, so daß die Form des Kopfes deutlich zu sehen war mit dem geraden Hinterkopf. Mir fiel ein, wie meine Hand zuweilen ihren Hinterkopf tief im Haar gestützt hatte; und nun war die geschorene Wahrheit ans Licht gekommen. Die hohe Stirn bildete eine Parallele zu dieser senkrechten Rückseite, so daß in dem Kopf nicht viel Raum übrig blieb, sehr wenig, wie ich jetzt sah, da die krönende Pracht nun weggenommen war.

Irgendwo begann eine der Frauen ein Geräusch von sich zu geben. Es war immer derselbe Laut, in einem fort derselbe, wie bei einem Sumpfvogel.

»Hei – jip! Hei – jip! Hei – jip!«

Niemand bewegte sich. Beatrice saß, blickte auf die Wand, blickte ins Nichts. Ihr Gesicht lag im Schatten ihres Körpers, aber ein bißchen Licht wurde von der Anstaltsmauer reflektiert und zeigte etwas von den Formen. Der Knochenbau des Gesichts war jetzt freilich gut verborgen – das Fleisch hatte ihn in Klumpen zugedeckt, oder waren die Knochen selbst so dick geworden? Die Knöchel ihrer Hände schienen mehr hervorzustehen, und unter dem grünen Kleid hatte der Körper zugenommen: er war nun gleichmäßig dick von der Schulter bis zur Hüfte. In meinen Händen war ein sonderbares Gefühl. Sie schienen größer werden zu wollen. Der Raum zitterte leise, als ob ein Tunnel der Untergrundbahn darunter läge.

Mit Anstrengung öffnete ich meine Lippen.

»Beatrice!«

Sie rührte sich nicht. Die Schwester schritt energisch an meiner rechten Schulter vorbei und beugte sich.

»Liebe Miß Ifor! Ihr Besuch ist da und will mit Ihnen sprechen!«

»Beatrice!«

»Liebe Miß Ifor!«

»Hei – jip! Hei – jip! Hei – jip!«

Es gab eine Art Bewegung, Beatrices ganzer Körper rutschte ein wenig herum. Sie zuckte herum wie eine Figur in einer Kirchenuhr. Durch den Tunnel fuhr ein Expreßzug. Ruckweise drehte sich Beatrice um neunzig Grad. Sie wandte mir den Rücken zu.

Kenneth legte mir die Hand auf den Arm.

»Ich denke, vielleicht – «

Aber die Schwester kannte ihre Fische.

»Miß Ifor? Wollen Sie nicht mit Ihrem Besuch sprechen? Nun kommen Sie doch!«

Sie hielt den Körper an Schulter und Arm.

»Na, nun mal los, Kindchen!«

Ruck. Ruck. Ruck.

»Hei – jip! Hei – jip! Hei – jip!«

Der Körper sah mich an. Die eingesunkenen Augen waren unstet wie die Hand eines alten Mannes.

»Wollen Sie ihm nicht Guten Tag sagen? Miß Ifor?«

»Beatrice!«

Beatrice schickte sich an aufzustehen. Ihre Hände waren ineinander geschlungen. Ihr Mund stand offen, und durch Tränen und Schweiß sah ich, wie ihre Augen unstet nach mir blickten.

»Seien Sie doch etwas freundlicher!«

Beatrice ließ Wasser, über ihren Rock und die Beine und über ihre und meine Schuhe. Es plätscherte, und eine Lache breitete sich aus.

»Liebe Miß Ifor, aber wie – ach, wie ungezogen!«

Irgendwer faßte mich an Arm und Schulter und drehte mich um.

»Ich glaube – «

Irgendwer führte und stützte mich über weite Flächen nackten Fußbodens. Sumpfvögel flatterten und riefen.

»Senken Sie nur ruhig den Kopf.«

Ich konnte sie noch auf meinen Schuhen und Hosen riechen. Ich wehrte mich gegen eine plumpe Hand, die mich im Nacken gepackt hielt. Hinunter, hinunter, die Nase in den Gestank.

»Besser?«

Mir wollten sich keine Worte bilden. Ich sah sie in Umrissen, ich hörte sie im stillen, aber ich konnte sie nicht über die Zunge zwingen.

»Du wirst dich gleich besser fühlen.«

Ursache und Wirkung. Das Gesetz der Abfolge. Statistische Wahrscheinlichkeit. Die moralische Ordnung. Sünde und Reue. Sie sind alle wahr. Beide Welten existieren, Seite an Seite. Sie treffen sich in mir. Wir müssen die Prüfenden in beiden Welten zugleich zufriedenstellen. Runter in den Gestank.

»So.«

Die Hand ließ mich los. Indessen zogen mich zwei Hände, auf jeder Schulter eine, zurück. Ich fiel in einen Stuhl.

»Ruh dich nur ein Weilchen aus.«

Im Geiste wanderte ich durch lange Korridore, kam wieder zurück, stellte mir Kenneth an seinem Schreibtisch vor und öffnete die Augen. Da saß er. Er zeigte ein beruflich aufmunterndes Lächeln.

»Diese Dinge versetzen einem einen Schock, bis man sich daran gewöhnt hat.«

Ich brachte meinen Mund dazu, seinen Dienst zu tun.

»Das glaube ich auch.«

Ich kam nun wieder ganz zu mir und ich konnte hören, wie Kenneth weiter schwatzte. Aber ich wollte doch irgendetwas von ihm. Ich griff in den Anzug und fand eine Zigarette.

»Darf ich?«

»Ja, natürlich. Wie ich schon sagte – «

»Besteht irgendwelche Hoffnung?«

Er schwieg endlich.

»Ich meine: kannst du sie heilen?«

Er schwatzte wieder allerlei Nichtssagendes.

»Hör mal, Kenneth. Kann sie geheilt werden?«

»Nach dem gegenwärtigen Stande unseres Wissens – «

»Kann sie geheilt werden?«

»Nein.«

Aus meinen Schuhen stieg der faulige Geruch der Kleinkinderschule. Maisie, Millicent, Mary?

»Kenneth, ich möchte wissen – «

»Was wissen?«

»Was brachte sie – «

»Ach so!«

Er legte die Finger aneinander und lehnte sich zurück.

»In erster Linie mußt du bedenken, daß Normalität ein nur willkürlich zu definierender Zustand ist – «

»Bei ihrem Leben, Mensch! Was hat sie zum Wahnsinn getrieben?«

Kenneth gab ein ärgerliches Lachen von sich.

»Kannst du das nicht verstehen? Vielleicht ist gar nichts passiert?«

»Du meinst – sie wäre – so geworden – sowieso?«

Er sah mich stirnrunzelnd an.

»Warum sagst du: sowieso?«

»Um Gottes – nun sage doch, gibt es irgendwas, das sie – das sie – «

Verwundert sah er mich an, griff nach der Akte, öffnete den gefederten Aktendeckel, blickte hinein, blätterte, brummte:

»Erblich. Ja. Allerdings. Krankheiten. Schule. Ausbildung. Seminar. Verlobt mit – «

Seine Stimme erlosch. Ich schlug mit der Faust auf den Schreibtisch und schrie: »Na weiter. Los doch!«

Er wurde blutrot. Er schloß die Akte und blickte irgend wohin, nur nicht nach mir. In der Ecke des Sprechzimmers knurrte er:

»Natürlich. Das wird es sein.«

»Weiter! Lies es mir vor.«

Aber er knurrte immer noch.

»O mein Gott. Was für ein Dummkopf. Ich hätte – was soll ich jetzt machen?«

»Hör mal – «

Er wandte sich rasch und fiel über mich her.

»Du hättest das nicht tun sollen. Wie zum Teufel konnt' ich das wissen? Und ich dachte, ich hätte euch beiden einen Gefallen – «

»Niemand kann ihr einen Gefallen tun.«

»Ich hatte nicht die Absicht – ich könnte ja – «

»Ich mußte sie sehen.«

Er flüsterte nun wie toll.

»Niemand darf das je erfahren, hörst du! Mit mir könnte es dann aus sein – «

»Paradies.«

Ganz plötzlich spie seine Stimme nach mir.

»Ich habe dich immer verabscheut, und dies – daß ein Mann wie du eine Frau haben soll wie Taffy – «

Er hörte auf zu sprechen und setzte sich an die andere Seite des Schreibtisches. In seiner Stimme lag eine Absicht.

»Du und deine verdammten Bilder. Du verbrauchst jeden. Du hast diese Frau da verbraucht. Du hast Taffy verbraucht. Und jetzt verbrauchst du mich.«

»Ja. Ich allein bin schuld.«

Seine Stimme hob sich:

»Das kann man wohl sagen. Du bist schuld.«

»Möchtest du das schriftlich haben?«

»So ist's recht. Die ganze Schuld auf sich nehmen, denkst du, und es ist gar nichts passiert. Küßchen, und Freunde bleiben. Tu, was dir Spaß macht und sage dann, es tut mir leid.«

»Nein, so denke ich nicht. Ich wünschte, ich könnt's.«

Schweigen.

Kenneth fuhr sich mit dem Handrücken über die Stirn. Er sah wieder in die Akte.

»Wer kann dir etwas Bestimmtes sagen? Vielleicht hast du sie wirklich verrückt gemacht. Vielleicht hast du sie so schlimm verletzt, daß es sie umwarf. Ich halte das für wahrscheinlich. Sie ist seitdem dauernd hier gewesen, verstehst du.«

»Sieben Jahre!«

»Dauernd, seit du sie zuletzt gesehen hast. In einem Zustand, der, wie wir glauben, so ungefähr darin besteht, daß man fortwährend einen übertriebenen Kummer durchmacht.«

»Die ganze Zeit.«

»Ich hoffe, du bist froh darüber.«

»Meinst du, es hilft dir bei Taffy, wenn du mich kränkst?«

»Ich bin froh, daß wir endlich darauf kommen. Ja. Ich liebe sie.«

»Das weiß ich. Sie sagte es mir. Es tut uns beiden leid.«

»Hol der Teufel dein Mitgefühl. Und ihres auch.«

»Wie du meinst.«

»Und zum Teufel mit dieser Anstalt und dem Leben überhaupt.«

»Ich fragte sie, verstehst du. Sonst hätte sie dein Geheimnis für sich behalten.«

Kenneth brach in ein hoch-kicherndes Gelächter aus.

»O ja, du hast eine gute Frau, sie wird dich nie im Stich lassen. Sie wird immer hinter dir stehen und dich aufmuntern, so daß du noch ein paar Kälbchen verbrauchen kannst.«

»So ist es nicht, weißt du. Innerlich nicht.«

»Na, jedenfalls hast du bekommen, weswegen du herkamst.«

»Das hab ich damals schon getan. Ich hatte einen Traum. Nicht von der Art, wie sie dir geläufig ist – oder doch? Diesen Traum könntest du zu dem übrigen Beweismaterial in die Akte eintragen. Mister X hatte einen Traum, nachdem er Miß Y verlassen hatte. Sie lief ihm stolpernd nach, und die Wasser stiegen um sie her. Übertriebener Kummer, sagst du, Ursache und Wirkung. So ist's richtig. Nick hatte recht, und Miß Pringle hatte recht – «

»Ich weiß nicht, wovon du überhaupt sprichst.«

»Nur eben davon, daß ich sie verrückt gemacht habe. Nichts kann wiederhergestellt oder geändert werden. Die Unschuldige kann nicht vergeben.«

Ich lächelte Kenneth zu, und während ich lächelte, fühlte ich mit einem Mal eine große Zuneigung zu ihm.

»Na gut, Kenneth. Ja. Ich hab bekommen, weswegen ich herkam. Und ich danke dir.«

»Wofür?«

»Daß du so – hippokratisch warst.«

»Ich?«

Plötzlich erschien hinter meinen Augen das Bild der dicken Beatrice, grün, gespannt und unstet. Ich bedeckte die Augen mit der Hand.

»Daß du mir die Wahrheit gesagt hast.«

Kenneth ging unruhig zwischen seinem Schreibtisch und dem Wandschrank hin und her und ließ sich dann wieder in seinem Sessel nieder.

»Hör mal, Sammy. Ich werde euch beide von jetzt an nicht mehr oft sehen.«

»Das tut mir leid.«

»Um Gotteswillen!«

»Ja, ich meine das im Ernst. Die Menschen scheinen sich nicht regen zu können, ohne einander umzubringen.«

»Ich werde dir also sagen, welche Möglichkeiten sie hatte, soweit ich das beurteilen kann. Dann wirst du Bescheid wissen. Du hast sie wahrscheinlich verrückt gemacht. Aber vielleicht wäre sie sowieso verrückt geworden. Vielleicht hätte sie schon ein Jahr früher den Verstand verloren, wenn du nicht gewesen wärst, der ihr etwas zum Nachdenken gab. Vielleicht hast du ihr ein Extra-Jahr Gesundheit verschafft – und was du ihr sonst alles gegeben hast. Es kann sein, daß du sie um ihr lebenslanges Glück gebracht hast. Jetzt weißt du, welche Möglichkeiten sie hatte, so genau wie ein Spezialist.«

»Vielen Dank.«

»Herrgott. Ich könnte dir die Kehle durchschneiden.«

»Das glaub ich schon.«

»Nein, ich könnt's nicht. Warte, geh noch nicht. Ich habe mit dir zu reden. Höre. Sam. Ich liebe Taffy. Du weißt das.«

»Lassen wir das.«

»Und ich sagte, ich haßte dich. Aber das ist nicht wahr. In irgend einer verdrehten Art – es ist das Leben, das ihr beide zusammen führt, das Haus, das ihr bewohnt. Ich möchte daran teilhaben. In gewissem Sinn bin ich in euch beide verliebt.«

»Lassen wir das.«

Ich erhob mich mit Anstrengung und schnitt ihm eine Art lächelnder Grimasse, mit herabgezogenen Mundwinkeln.

»Nun – «

»Sammy.«

Ich wandte mich zur Tür.

»Sammy, was soll ich tun?«

Ich zog mein Gesicht wieder zurecht, dem seinen zuliebe. Unnütz zu sagen, daß ein Mensch ein ganzer Kontinent ist, sinnlos zu sagen, daß jedes Bewußtsein eine ganze Welt ist, weil jedes Bewußtsein ein Dutzend Welten ist.

»Es gibt zu viel gegenseitiges Eindringen. Alles ist mit einander vermischt. Höre: du hast mich nicht gekränkt. Es wird vorübergehn. Nichts von dem, was du jetzt durchmachst, wird dir später über die Schulter blicken oder dir ins Gesicht springen.«

Er lachte wild auf.

»Ich danke dir für nichts!«

Da ging ich zur Tür, und im Gehen nickte ich mein Einverständnis.

14

Ich hatte meine beiden Ansprachen bereit, für jeden meiner
geistigen Eltern eine. Jetzt wollte ich zu Nick Shales gehen und
ihm was Gutes tun. Ich wollte ihm behutsam erklären:
»Sie sind nicht aus Vernunft auf ihren Rationalismus verfallen.
Sie sind darauf verfallen, weil man Ihnen den falschen Schöpfer
gezeigt hat. O ja, ich weiß alles über den Lippendienst, den die
Leute betrieben. Sie – Rowena Pringle – leistete Lippendienst,
und ich weiß, was Lippendienst wert ist. Der Schöpfer, den
man Ihnen in Ihrem Elendsviertel der viktorianischen Zeit vor-
machte, das war der alte männliche Schöpfer, das Totem der
erobernden Hebräer, das Totem unserer Ahnen, die sich in aller
Ruhe die halbe Welt unterworfen und versklavt hatten. Ich
sah dieses Totem auf einem deutschen Bilde. Es steht stramm
neben der Kanone. Vor die Mündung ist ein Hindu gebunden,
und sogleich wird das männliche Totem der Hebräer ihn in
Stücke reißen, den rebellischen Hund, für seinen Wagemut. Das
männliche Totem ist gestiefelt und gespornt und trägt einen
Tropenhelm und ist unwissend und heuchlerisch und prächtig
und grausam. Sie lehnten es ab, wie meine Generation es ab-
lehnt. Aber Sie waren unschuldig, Sie waren gut und unschuldig wie Johnny Spragg, der fünf Meilen über seiner Heimat
Kent abgeschossen wurde. Sie und er könnten zusammen in
einer einzigen Welt leben. Sie waren nicht in dem furchtbaren
Netz gefangen, wo wir Schuldigen gezwungen sind, einander zu
quälen . . .«
Aber Nick lag im Krankenhaus und starb an müdem Herzen.
Selbst dort schien es mir, als hätte er weniger, als ihm zukam,
ein Bett in einem Krankenhaus in der Stadt, was er immer zu
vermeiden wünschte. Ich sah ihn an diesem Abend ganz von
weitem, hinten in der Abteilung. Man hatte ihn mit Kissen
hochgestützt, und er lehnte seinen riesigen Kopf in die Hand.
Von einer Glühbirne hinter ihm fiel das Licht sanft über seinen
runden Schädel, streute Flocken auf ihn wie die Jahre, hing
weißlich in den Höhlungen unter den Augen. Unter dem Schä-

deldach war das Gesicht abgezehrt, fast nicht mehr vorhanden: er kam mir vor wie das Bild des sich abmühenden Geistes, und Ehrfurcht erfüllte mich. Was immer ihm auch im Tode geschah, es war von einer Beschaffenheit und einem Rang, vor dem ich meine eigene Nichtigkeit fühlte. Ich entwich, und mein Sprüchlein blieb ungesprochen.

Bei ihr sollte meine Ansprache ganz einfach sein.

»Wir waren beide von derselben Art, das ist alles. Sie waren genötigt, mich zu quälen. Sie verloren irgendwo Ihre Freiheit, und danach mußten Sie mir antun, was Sie mir antaten. Verstehen Sie? Die Folge war vielleicht, daß Beatrice in die Klapsmühle kam, unser gemeinsames Werk, mein Werk, das Werk der Welt. Sehen Sie nicht, wie unsere Unvollkommenheiten uns zwingen, einander zu quälen? Natürlich sehen Sie das! Die Unschuldigen und die Bösen leben in einer Welt zusammen – Philip Arnold ist ein Minister der Krone und geht mit dem Leben um, als wenn das so leicht wäre wie Atmen. Aber wir gehören weder zu den Unschuldigen noch zu den Bösen. Wir sind die Schuldigen. Wir fallen hin. Wir kriechen auf Händen und Füßen. Wir weinen und zerreißen einander.

Deshalb bin ich zurückgekommen – denn nun sind wir beide Erwachsene und leben in zwei Welten zugleich – um Ihnen mit beiden Händen Verzeihung anzubieten. Irgendwo muß die schreckliche Linie des Erbes abbrechen. Sie taten das und das, und ich verzeihe Ihnen völlig, ich begrabe die Speere in meiner eigenen Brust. So weit ich kann, will ich Ihre Rolle in unserer Geschichte so zurechtmachen, als ob sie nie gewesen wäre.«

Aber Verzeihung muß nicht nur gewährt, sie muß auch angenommen werden.

Sie lebte nun in einem Dorf, einige Meilen von der Schule entfernt, ein winziges Dörfchen mit Schilfdächern und schmiedeeisernen Gittern. Sie schrie entzückt auf, als sie mich am Ende des Gartenwegs erblickte.

»Mountjoy!«

Und dann zog sie ihren Gärtnerhandschuh aus und reichte mir ihre weiße Hand, während mir meine Ansprache und alles, was ich wußte, aus dem Kopf flog. Denn es gibt einige Menschen, die uns lähmen wie Hühner, die von einem Kreidestrich hypnotisiert werden. Ich wußte sofort, daß ich nichts sagen würde, aber selbst dann war ich nicht auf die Stellung und Meinung der Miß Pringle vorbereitet, doch stimmten unsere Vorstellungen der Vergangenheit überein. Mein Ruhm und Philips Ruhm, das waren die Belohnungen für ihr Unterrichten. Sie stellte sich gern vor, daß die Mühe – Sammy; ich darf doch Sammy sagen? und ich murmelte: natürlich, denn mein Hühnerschnabel war auf dem Kreidestrich – sie stellte sich gern vor, daß die Mühe, die sie sich mit mir gegeben, ein klein bißchen, ein winziges bißchen (neben dem tönernen Vogelbad saß ein tönernes Kaninchen) ein ganz winziges kleines bißchen zu den schönen Dingen beigetragen hätte, die ich der Welt zu schenken imstande war.

Und so wünschte ich binnen zehn Sekunden, wieder wegzukommen. Ich bekam eine Gänsehaut. Sie verfügte immer noch über diese schreckliche Macht, und nun war ihr Beifall so furchtbar wie früher ihr Haß, und ich wußte, wir hatten einander nichts zu sagen. Denn diese Frau hatte unerwarteterweise eine Art Sieg errungen; sie hatte sich selbst vollkommen betrogen, und nun lebte sie nur noch in einer einzigen Welt.

Den ganzen Tag laufen Züge auf Schienen. Sonnenfinsternisse sind im voraus zu berechnen. Penicillin heilt Lungenentzündung, und das Atom zersplittert auf Befehl. Den ganzen Tag, jahraus jahrein, treibt der Verstand im Tageslicht das Geheimnis in den Hintergrund und enthüllt eine Realität, die gebrauchsfertig, verständlich und abstrakt ist. Das Messer des Chirurgen und das Mikroskop versagen, das Elektronenmikroskop rückt dem Leben näher. Der prachtvolle Tanz bedeutet also nichts als sich selbst, er braucht die Musik nicht, die ich in meinen tollen Augenblicken vernommen habe. Nicks Universum ist real.

Den ganzen Tag wird das Handeln ausgewogen und nicht opportun befunden oder glückbegünstigt oder schlecht beraten, sondern für gut und böse. Denn diese Art, die wir ›Geist‹ nennen müssen, weht durch das Universum, ohne es zu berühren; er berührt nur die Dinge, die im Dunkeln sind, gefangen gehalten sind, incommunicado, er berührt, richtet, spricht sein Urteil und weht weiter. Auch ihre Welt war real, beide Welten sind wirklich. Es gibt keine Brücke.

Die helle Linie wurde zu einem Dreieck, das hereinleuchtete auf einen plötzlich sichtbaren Zementfußboden.

»Heraus!«*

Ich erhob mich von den Knien, hielt meine schlapp hängenden Hosen fest und ging mit unsicheren Schritten hinaus, dem Richter entgegen. Aber der Richter war fort.

Der Kommandant war zurückgekommen.

»Captain Mountjoy. Dies sollte eigentlich nicht vorkommen. Entschuldigen Sie bitte.«

Das Geräusch veranlaßte mich, mich umzudrehen. Ich konnte nun den Gang hinunter sehen über den Fleck, der wie ein Gehirn aussah, und ich konnte in die Zelle blicken, wo ich erhalten hatte, was ich erhielt. Sie stellten die Eimer wieder hinein, Stapel von Eimern. Sie warfen die feuchten Aufwischlappen wieder hinein. Ich konnte sehen, daß sie einen vergessen hatten, oder sie hatten ihn absichtlich liegen lassen, als sie die schrankartige Zelle für mich leer machten. Er lag noch feucht in der Mitte auf dem Fußboden. Dann schloß ein Soldat die Eimer und Wischlappen in den Schrank ein, mit einer gewöhnlichen Tür.

»Captain Mountjoy, haben Sie gehört?«

»Ja, ich habe gehört.«

Der Kommandant deutete mit einer entlassenden Geste auf die Tür, die zum Lager zurückführte. Er sprach die Worte, die ich bei allem Nachdenken nicht ergründen konnte, als wären sie das Rätsel der Sphinx:

»Der Herr Doktor weiß nichts von den Menschen.«

* Im Original deutsch.

Bitte umblättern:

auf den nächsten Seiten informieren
wir Sie über weitere interessante
Fischer Taschenbücher.

Per Agne Erkelius

Träumen von Johannes

Aus dem Schwedischen von
Jörg Scherzer.
207 Seiten. Geb.

Ein stimmungsvoller schwedischer Familienroman
aus der Zeit vor dem Ausbruch
des Zweiten Weltkrieges.

Per Agne Erkelius wurde 1935 in Torsåker, in der schwedischen Provinz Gästrikland, geboren. Nach dem Studium der Geistes- und Gesellschaftswissenschaften an der Universität Uppsala war er von 1965 bis 1973 Lehrer an der Volkshochschule in Strovik. Seit 1974 lebt er als freier Schriftsteller und Journalist in Stockholm. Er hat bisher sechs Romane veröffentlicht.

Die Tagebücher des eigenen Vaters verwandelte der Autor in einen melancholisch stimmungsvollen Roman von enttäuschter Hoffnung und einer Trauer, die eine ganze Epoche zu umfassen scheint.

S. Fischer

»Einer der besten Autoren, die es heute gibt.«
Newsweek

V. S. NAIPAUL

V(idiahar) S(urajprasad) Naipaul wurde 1932 als
Nachfahre von indischen Kontraktarbeitern in
Trinidad geboren, übersiedelte 1950 nach Groß-
britannien und studierte englische Literatur in
Oxford, arbeitete als Journalist und Reporter
u. a. für die BBC. Zahlreiche Bücher mit den
Hauptthemen Rassenfragen und Entwurzelung
des modernen Menschen.

An der Biegung des großen Flusses
Roman. Band 5750

Ein Haus für Mr. Biswas
Roman. Band 5324

Meine Tante Goldzahn
Szenen aus der Karibik. Band 5763

Fischer Taschenbuch Verlag

Ignazio Silone

Das Geheimnis des Luca

Roman. Band 5755

Ignazio Silone, geb. 1900 in den Abruzzen,
nach eigener Aussage »ein Christ ohne Kirche, ein Sozialist ohne Partei«, schrieb Romane, Novellen, Essays, in denen er sich für den
unterdrückten und entrechteten Menschen
engagiert.
Nach einer fast lebenslangen Zuchthaushaft
kehrt Luca in sein Heimatdorf in den Abruzzen zurück – aufgrund eines Gnadenerlasses.
War er der Mörder? Oder warum sonst hatte
er die Strafe auf sich genommen? Und warum
sind ihm noch vierzig Jahre nach der Tat alle
Türen verschlossen, als wäre er ein Aussätzi-
ger? Meisterlich gelingt es dem großen italie-
nischen Schriftsteller, eine spannende Fabel
vor den lichten Hintergrund einer romantischen Liebesgeschichte zu stellen.

Fischer Taschenbuch Verlag

Cesare Pavese

Am Strand
Roman. Band 5303

Vier Männer umkreisen eine begehrenswerte Frau. Allen gemeinsam, ist ihre Angst vor Gefühlen, ihr Unvermögen sich zwischen Hingabe und Selbstbewahrung zu entscheiden.

Der Genosse
Roman. Band 5302

Nach seinen Erfahrungen im antifaschistischen Widerstand konzipierte der wichtigste neorealistische Erzähler Italiens seinen Roman. Schauplätze sind Rom und Turin. Die Welt der Cafés und der Varietés ist verknüpft mit der Welt der Arbeiter im illegalen Kampf.

Unter Bauern
Roman. Band 5304

Ein durch die Tyrannei des Clan-Ältesten, eintönige Arbeit und durch einen Hang zum Verbrechen gebrandmarkter junger Bauernbursche ermordet seine Schwester, zu der er inzestuöse Beziehungen unterhielt. Mehr noch als für die eigentliche Romanhandlung interessiert sich Pavese für die politischen Hintergründe, vor denen die Handlung abläuft. 1939 legt er die Wurzeln des »ganz gewöhnlichen Faschismus« bloß und deutet vorwegnehmend die kriegerischen Ereignisse der folgenden Jahre.

Fischer Taschenbuch Verlag

René Schickele

René Schickele, geboren am 4. August 1883 in Ober-
heim im Elsaß, gestorben am 31. Januar 1940 in Vence
bei Nizza, war Sohn eines deutschen Weingutbesitzers
und einer Französin. Nach dem Studium in Straßburg,
München, Paris und Berlin und Zeitschriftengründun-
gen mit den Freunden Otto Flake und Ernst Stadler
arbeitete er als Verlagslektor, Verlagsleiter und Chefre-
dakteur der »Neuen Zeitung« in Straßburg. Während
des Ersten Weltkrieges ging er – ein leidenschaftlicher
Pazifist – als Zeitungskorrespondent nach Zürich, gab
von 1915–1919 die »Weißen Blätter« heraus, wodurch er
mit allen jungen Autoren seiner Zeit in Kontakt kam.
1920–1932 lebte er – wie die mit ihm befreundete
Annette Kolb – in Badenweiler. 1932 emigrierte er nach
Frankreich, wo er bei Ausbruch des Zweiten Weltkriegs
für kurze Zeit interniert wurde.

In seiner Trilogie »Das Erbe am Rhein« skizziert René
Schickele Eigenart und Schicksal der Menschen seiner
Heimat, des Elsaß, »die mit der doppelten Liebe zu
Frankreich und Deutschland zur Welt kommen«.

Maria Capponi
2518

Blick auf die Vogesen
2519

Der Wolf in der Hürde
2520

Fischer Taschenbuch Verlag

Eduard von Keyserling

Eduard von Keyserling, am 14. Mai 1855 in Tels-Paddern (Kurland) geboren und am 28. September 1918 in München gestorben, studierte Jura, Philosophie und Kunstgeschichte in Dorpat, mußte aber angeblich wegen einer »Lappalie« 1877 die Universität verlassen; bis 1890 lebte er, zeitweilig gesellschaftlich isoliert, als freier Schriftsteller in Wien, verwaltete dann fünf Jahre lang die Güter seiner Mutter in Paddern und lebte von 1895 an in München. Ein Rückenmarksleiden und schnell fortschreitende Erblindung führten 1908 zu zunehmender Vereinsamung. Dessen ungeachtet setzte er seine literarische Arbeit fort.

Beate und Mareile
Eine Schloßgeschichte. Band 2525

Bunte Herzen / Am Südhang / Harmonie
Drei Erzählungen. Band 2526

Wellen
Roman. Band 5709

Abendliche Häuser
Roman. Band 5726

Fürstinnen
Erzählung. Band 5727

Fischer Taschenbuch Verlag

Stefan Zweig

Ungeduld des Herzens
Roman. Band 1670

Die Hochzeit von Lyon
und andere Erzählungen
Band 2281

Verwirrung der Gefühle
und andere Erzählungen
Band 2129

Phantastische Nacht
und andere Erzählungen
Band 5703

Schachnovelle
Band 1522

**Sternstunden der
Menschheit**
Zwölf historische
Miniaturen. Band 595

Europäisches Erbe
Band 2284

Zeit und Welt
Band 2287

Menschen und Schicksale
Band 2285

**Länder, Städte,
Landschaften.** Band 2286

Drei Meister
*Balzac. Dickens.
Dostojewski.* Band 2289

**Der Kampf mit dem
Dämon**
*Hölderlin. Kleist.
Nietzsche.* Band 2282

Drei Dichter ihres Lebens
*Casanova. Stendhal.
Tolstoi.* Band 2290

**Die Heilung durch den
Geist**
*Mesmer. Mary Baker–
Eddy. Freud.* Band 2300

**Das Geheimnis des
künstlerischen Schaffens**
Band 2288

**Magellan
Der Mann und seine Tat**
Band 5356

**Triumph und Tragik
des Erasmus von
Rotterdam.** Band 2279

Maria Stuart. Band 1714

Marie Antoinette
Bildnis eines mittleren
Charakters. Band 2220

Joseph Fouché
Bildnis eines politischen
Menschen. Band 1915

Balzac
Eine Biographie. Band 2183

**Ein Gewissen
gegen die Gewalt**
Castellio gegen Calvin
Band 2295

Die Welt von Gestern
Erinnerungen eines
Europäers. Band 1152

Ben Jonsons »Volpone«
Band 2293

Fischer Taschenbuch Verlag

Thomas Mann

Königliche Hoheit
Roman. Band 2

Der Tod in Venedig
und andere Erzählungen.
Band 54

Herr und Hund
Ein Idyll. Band 85

Lotte in Weimar
Roman. Band 300

**Bekenntnisse des Hoch-
staplers Felix Krull**
Der Memoiren erster Teil.
Band 639

Buddenbrooks
Verfall einer Familie.
Roman. Band 661

Der Zauberberg
Roman. Band 800

Joseph und seine Brüder
Romantetralogie. 3 Bände
Bd. 1183/Bd. 1184/Bd. 1185

Doktor Faustus
Das Leben des deutschen
Tonsetzers Adrian Leverkühn,
erzählt von einem Freunde.
Band 1230

**Tonio Kröger/
Mario und der Zauberer**
Zwei Erzählungen. Band 1381

Der Erwählte
Roman. Band 1532

Die Erzählungen
2 Bände: Bd. 1591/Bd. 1592

**Goethes Laufbahn
als Schriftsteller**
Zwölf Essays und
Reden zu Goethe.
Band 5715

Essays
Literatur. Band 1906
Herausgegeben von
Michael Mann
Politik. Band 1907
Herausgegeben von
Hermann Kurzke
Musik und Philosophie.
Band 1908
Herausgegeben von
Hermann Kurzke

Briefe
Herausgegeben von Erika Mann
Band 1/1889–1936/Bd. 2136
Band 2/1937–1947/Bd. 2137
Band 3/1948–1955 und
Nachlese. Bd. 2138

**Thomas Mann/Heinrich Mann
Briefwechsel 1900–1949**
Herausgegeben von
Hans Wysling
Band 1610

Eine Chronik seines Lebens
Herausgegeben von Hans
Bürgin/Hans-Otto Mayer.
Band 1470

**Briefwechsel
mit seinem Verleger
Gottfried Bermann Fischer**
Herausgegeben von
Peter de Mendelssohn
2 Bände/1566

Fischer Taschenbuch Verlag

Elias Canetti
Nobelpreisträger

»Canetti verfügt noch über jene Magie, die wesentliche Botschaft der Menschen und Dinge zu hören, und es geschieht dies ohne Mystik, da er imstande ist, sie von innen her zu verstehen. Seine Kunst ist eine sorgfältig versteckte Kunst des Erkennens.«
Wolfgang Kraus

Das Gewissen der Worte
Essays. Band 5058

Die Blendung
Roman. Band 696

Die Fackel im Ohr
Lebensgeschichte 1921 bis 1931
Band 5404

Die gerettete Zunge
Geschichte einer Jugend
Band 2083

Die Provinz des Menschen
Aufzeichnungen 1942 bis 1972
Band 1677

Die Stimmen von Marrakesch
Aufzeichnungen nach einer Reise
Band 2103

Masse und Macht
Band 6544

Der Ohrenzeuge
Fünfzig Charaktere
Band 5420

Dramen
Hochzeit / Komödie der Eitelkeit / Die Befristeten
Band 7027

Fischer Taschenbuch Verlag